ARRACHER LES MONTAGNES

D1550238

DU MÊME AUTEUR

Selling Illusions. The Cult of Multiculturalism in Canada, Penguin Books, 1994. (*Le Marché aux illusions. La méprise du multiculturalisme,* Les Éditions du Boréal et Liber, 1995.)

The Innocence of Age, Knopf Canada, 1992. (*L'Innocence de l'âge,* Phébus, 1992.)

On the Eve of Uncertain Tomorrows, Lester & Orpen Dennys, 1990. (*À l'aube de lendemains précaires,* Les Éditions du Boréal, 1994.)

A Casual Brutality, Macmillan of Canada, 1988. (*Retour à Casaquemada,* Phébus, 1992.)

Neil Bissoondath

ARRACHER
LES MONTAGNES

Traduit de l'anglais par Marie José Thériault

Boréal

Les Éditions du Boréal sont inscrites au Programme de subvention globale du Conseil des Arts du Canada et reçoivent l'appui de la SODEC.

Dépôt légal : 2e trimestre 1997
Bibliothèque nationale du Québec

L'édition originale (anglaise) de ce texte a été publiée par Macmillan Canada sous le titre de *Digging up the mountains*.

Diffusion au Canada : Dimedia
Diffusion et distribution en Europe : Les Éditions du Seuil

Données de catalogage avant publication (Canada)
      Bissoondath, Neil
      [Digging up the mountains. Français]
      Arracher les montagnes
      Traduction de : Digging up the mountains.
      ISBN 2-89052-824-3
      I. Titre. II. Titre : Digging up the mountains. Français.

PS8553.I8775D514   1997   C813',54   C97-940107-0
PS9553.I8775D514   1997
PR9199.3.B57D514   1997

À la mémoire de ma mère
et à mon père.

Arracher les montagnes

1.

Hari Beharry avait connu une vie aisée jusqu'à ce que, prétextant les motifs habituels de sécurité nationale, le gouvernement décrète l'état d'urgence.

— Sécurité nationale mon cul, grommela Hari. Tout ce qu'ils veulent, c'est sauver leurs fesses.

Sa femme lui dit, angoissée : « Ça va vraiment mal, chéri. »

— *Ça va vraiment mal, chéri,* fit Hari en se moquant.

Il siffla entre ses dents.

— Ils veulent sauver leurs fesses.

— Le lait a suri et le miel s'est cristallisé.

Elle eut un petit sourire désabusé.

Hari soupira de nouveau.

— Dis pas de bêtises. « Le pays où coulent le lait et le miel », mon cul.

— C'est comme ça que tu l'appelais.

— Ça fait un bail.

— Rangee disait que c'était à cause de l'Indépendance. Il blâmait les Britanniques pour…

— Je sais ce que Rangee disait. Ça l'a pas mené bien loin,

hein? De toute façon, me parle pas de Rangee. Je veux rien savoir de lui.

— Encore? Comme pour Faizal? Ils ont essayé de t'aider.

— Pourquoi est-ce que tu veux toujours déterrer les morts? fit-il, irrité.

— Parce que toi, tu le fais pas. T'as même pas prononcé leur nom depuis deux semaines.

— Et pourquoi est-ce que je le ferais?

— Parce que, la prochaine fois, ça pourrait bien être ton tour.

— Arrête tes idioties.

— Ça pourrait être *notre* tour. Le mien et celui des enfants.

— La ferme!

Hari sortit rageusement sur la véranda, derrière la maison. L'air du soir, plus frais sur ces hauteurs qui attiraient les gens aisés, atténuait la chaleur du jour. De la masse montagneuse découpée en zigzag contre le ciel noir d'encre n'émanait plus qu'une faible lueur de couchant.

Hari avait naguère connu dans ces montagnes une vie paisible. Elles avaient marqué son enfance de leur présence imposante et c'est grâce à elles, grâce à leur constance protectrice, que son attachement pour l'île était né, un attachement auquel son père n'avait consenti que sur le tard, à mesure que, ses forces déclinant et les distances s'élargissant, les images mythiques héritées de l'Inde s'étaient fondues dans le noir.

Mais l'île n'était plus la même que du temps de son père. Sa simplicité, son naturel avaient pâli au fil des ans pour faire place au cynisme et aux magouilles de la corruption qui affligeaient tous les peuples turbulents occupés à se disputer une place dans le monde. L'Indépendance — à laquelle on mettait depuis un I majuscule; le *i* minuscule représentait au mieux une faute d'orthographe, au pire, une trahison —, l'Indépendance leur avait promis le monde. Mais elle n'avait pas tenu sa promesse et, dans leur isolement, les insulaires en avaient blâmé le reste de l'univers.

Le père de Hari était décédé le soir de la déclaration d'Indépendance et Hari avait cherché l'apaisement dans les montagnes. Il l'y avait trouvé ce soir-là, et encore, soir après soir. Maintenant, tout avait changé : les montagnes étaient lourdes de menace. Pouvait-il encore leur faire confiance ?

Les mesures d'urgence l'avaient forcé à fermer ses boutiques. Devenu oisif, Hari s'en irritait. Si seulement il avait pu en parler avec d'autres, avec des gens qui l'auraient mis au parfum des secrets d'État comme l'avaient fait autrefois ses anciens copains. Mais le gouvernement n'était plus le même, ses amis n'étaient plus ministres et les nouveaux ministres n'étaient pas ses amis. Il ne pouvait plus dire : « Hé, dis donc, tu sais ce que m'a confié hier le ministre de la Sécurité nationale ? » L'ex-ministre de la Sécurité nationale avait été jeté en prison par le nouveau ministre de la Sécurité de l'État. Il n'y avait plus personne pour dévoiler à Hari les dessous de la politique du pays. Il en était réduit à se débrouiller tout seul, avec une femme inutile et geignarde qui insistait pour prendre la fuite.

La nuit s'épaissit. Hari sentit sa gorge se serrer. Les premières étoiles parurent au ciel. Hari tira un grand revolver gris de la poche de derrière de son pantalon. La masse carrée de l'arme s'ajustait bien à sa main, son poids évoquait le pouvoir. Il leva un bras volontaire, bloqua le coude et tira un coup de feu en direction du ciel. Il baissa rapidement son bras toujours tendu et le fit dévier vers la gauche ; cette fois, il visa les montagnes. Les détonations confondues se répercutèrent en écho dans les profondeurs de l'invisible ravine.

— Venez, bande de vauriens, osez donc vous montrer.

Les aboiements des bergers allemands furent seuls à lui répondre.

2.

Tout avait commencé — quand ? Cinq, six, sept mois auparavant ? Il ne pouvait en être sûr. Tant de choses s'étaient passées, et en si peu de temps, les événements avaient pris le dessus, il n'y avait plus rien à comprendre. C'était né tout doucement, dans un murmure, une rumeur qui s'était peu à peu répercutée et en avait engendré d'autres, chaque fois plus insensées, plus vagues et donc plus terrifiantes que les précédentes ; rumeurs de révolte dans la Ferdinand Pale, les bidonvilles de l'est de la ville.

Hari avait nié les bruits qui couraient : « Révolte mon cul. Il suffit de tirer dans le tas et vlan ! c'est fini. »

Mais ça ne s'était pas passé comme ça. La police avait d'abord arrêté quelques manifestants, puis elle avait procédé à des arrestations par douzaines sans pour autant apaiser les rumeurs ou l'agitation.

Hari avait obtenu un revolver de son ami le ministre de la Sécurité nationale.

— Pour protéger mes boutiques, comprends-tu, mon vieux ?

Et à sa femme, Hari déclara :

— Ils peuvent toujours se montrer. Ici, c'est ma terre et c'est ma maison. Qu'ils viennent. Je leur tirerai une balle dans le derrière.

Mais aucun derrière ne se présenta. De temps à autre Hari sortait sur la véranda et brandissait son arme.

— Je veux qu'ils voient ce qui les attend, disait-il à ses enfants qui, de la porte, l'observaient les yeux ronds ; et à la nuit : Venez donc, osez vous montrer.

Soudain, les rumeurs s'apaisèrent. La tension diminua et l'on cessa d'avoir peur. La vie reprit son cours. Hari fit venir le contracteur et les jardiniers — de hommes de la Pale, sombres de peau et maussades —, pour qu'ils mettent le jardin en ordre, qu'ils en extirpent les pierres, en assurent le drainage et préparent le sol à recevoir le terreau de couche.

Hari occupa presque tout son temps libre à la surveillance des travaux. Les enfants à ses trousses, il arpentait le jardin en hochant la tête, en marmonnant et en lançant ici et là quelques ordres, tandis que ses hautes bottes en caoutchouc s'enfonçaient profondément dans la terre retournée. Peu à peu, moins souvent que ne le lui avait promis le contracteur, des camions venaient déverser des bennes entières de terreau. Hari s'emportait.

— À ce rythme-là, il va falloir cinq ans pour en venir à bout !

Le contracteur, un gros homme aux yeux humides et rouges, vêtu d'une chemise qui forçait aux boutonnières, répliquait, exaspéré :

— J'y peux rien, moi, boss. Les hommes veulent pas travailler. La moitié se sont même pas montrés au bureau depuis que ç'a bardé dans la Pale.

Le terreau qu'il parvint quand même à obtenir, Hari le fit déverser dans un coin du jardin. Puis le sol fut biné et ratissé, et l'on creusa des trous pour planter un bouquet d'arbres.

Il songea à des noms qui ressemblaient à des noms de ranch : Middlemarch, Rancho Rico, Le Rameau d'or. Il jonglait avec eux dans sa tête, il les examinait un à un en s'efforçant de les imaginer sur le papier à en-tête qu'il voulait faire imprimer. Il sollicita l'opinion de sa femme. Elle lui suggéra « Ruelle Bombay ». Furieux, il s'éloigna d'un pas ferme.

Par deux fois, il frappa son fils qui s'amusait avec les outils de jardinage.

— Écoute-moi bien, mon garçon, fit-il ; j'ai assez de problèmes comme ça sans que tu m'en donnes d'autres.

Mais le progrès de la pelouse plut à Hari. Le contracteur parvint à embaucher d'autres hommes et les camions livrèrent le terreau avec régularité. En moins d'un mois, de la maison à la grille en fer forgé, on put voir de longues bandes de terre bien ratissée d'un brun opulent. Satisfait, Hari décida de commander les gazons.

Il débattait du prix au téléphone avec le contracteur — cela signifiait envoyer trois hommes et un camion dans la campagne pour en rapporter des mottes ; le contracteur demandait plus que ce que Hari n'était disposé à lui offrir — quand l'émission musicale diffusée à la radio fut interrompue par l'annonce d'élections soudaines. Hari comprit sur-le-champ : profitant de l'apathie qui avait suivi les émeutes, le gouvernement espérait prendre l'opposition au dépourvu. Hari dit au contracteur qu'il le rappellerait plus tard.

Il se versa un grand verre de whisky et écouta le premier ministre parler, d'une voix grave et lasse, de renouvellement de mandat, de confiance du peuple. Hari jugea son accent des îles un peu trop appuyé. Ce passage on ne peut plus électoral du débit rythmé d'Oxford au parler traînant des Caraïbes pouvait-il leurrer ceux à qui il s'adressait ? Les électeurs le considéraient-ils vraiment comme un des leurs ?

Il composa le numéro de son ami, le ministre de la Sécurité nationale.

— Depuis quand tu te préoccupes de « renouvellement de mandat », mon vieux ? T'as pêché cette expression-là à New York ?

Puis il ricana.

— Peut-être bien que les Américains veulent que tu les rassures avant de te consentir un prêt ?

Hari ricana de nouveau et son ami rit avec lui.

Mais les choses tournèrent mal. Pas à cause d'un mauvais calcul politique, mais à cause de la situation lamentable de ce petit pays : rien n'arrivait comme prévu, ce que nous attendions nous échappait toujours, et bien vite, c'était l'impasse. Le gouvernement perdit ses élections. L'opposition, qui s'était maintenue jusque-là aux frontières de la légalité, prit le pouvoir.

Hari ne s'en fit pas outre mesure. La vie continua. Tout ce temps, il avait contribué à la caisse des deux partis. Il aimait bien le nouveau premier ministre, descendant d'une vieille famille très respectée de l'île qui, pour s'être adaptée au progrès, avait souvent dénoncé publiquement son passé esclavagiste. Le nouveau premier ministre se disait un véritable homme du peuple, car en lui coulaient tout ensemble et le sang de l'esclave et celui du maître.

Les Américains signèrent le chèque. Un premier ministre beau et grave, un insulaire au teint blafard, parut à la télévision :

— … le pays où coulent le lait et le miel… nouveaux emprunts à la Banque mondiale… stimuler l'industrie et l'agriculture… économie socialiste…

Le discours, connu sous le nom de « Discours du lait et du miel », fut imprimé en fascicule et distribué dans toutes les écoles de l'île. Il en fut question au bulletin de nouvelles du BBC World Service.

Le bruit courut de nouveau un mois plus tard que la révolte grondait dans la Ferdinand Pale. On parlait de coups de feu. Le premier ministre reçut des menaces de mort. Sans trop savoir pourquoi, Hari y décela la main de son copain, l'ex-ministre de la Sécurité nationale. Des tracts accusant plusieurs hommes d'affaires d'être de mèche avec les « impérialistes » firent leur apparition dans les rues. Le nom de Hari y figurait souvent. À la maison, il reçut des lettres tapées de travers sur du papier de qualité, remplies de fautes d'orthographe. De temps à autre, le téléphone sonnait au beau milieu de la nuit, et la pensée que la mort pouvait faire irruption dans sa famille hanta Hari. Mais, toujours, la même voix à l'accent traînant répétait, sur le ton de la conversation : « … maudits exploiteurs… esclave des Yankees… »

Hari déposa une plainte auprès de la police. Le constable se confondit en excuses : la police ne pouvait rien faire, elle en avait déjà plein les bras avec l'agitation dans la Ferdinand Pale.

Le courrier, moins diffamatoire mais plus menaçant, continua d'affluer ; le téléphone sonna jusqu'à trois et quatre fois par nuit. Hari acheta un sifflet et écorcha les oreilles de l'intrus. La nuit suivante, son interlocuteur fit de même. La femme de Hari dit : « T'as couru après, espèce d'idiot. »

Hari dirigea sa plainte vers le ministre de la Sécurité de l'État. On le convoqua ; le ministre désirait le voir.

Hari n'avait jamais rencontré le ministre dont le nouveau titre, plus sinistre, moins britannique, l'inquiétait. Avant de pénétrer dans l'édifice colonial couleur crème de Parliament Square, Hari constata que sa chemise trempée de sueur lui collait à la peau. Il souhaita pouvoir rentrer chez lui pour se changer.

Le ministre se montra cordial. Ce Noir corpulent au visage bouffi, à la barbe soigneusement taillée, lui fit savoir que ses hommes faisaient enquête — une personne du rang de M. Beharry méritait « toute l'attention des forces policières » — , mais que la procédure était longue. Il fallait y mettre le temps.

— La procédure, dit le ministre — et Hari crut remarquer

qu'il se pourléchait les babines en prononçant ce mot —, la procédure est interminable, elle nous est imposée par la loi, il y a un tas de paperasse… vous comprenez ?

Hari opina du chef. Il songea : Comment puis-je lui faire confiance ? Le ministre était naguère ce qu'il est convenu d'appeler un « militant pour la justice sociale ». Il avait poursuivi ses études aux États-Unis et au Canada jusqu'à ce qu'on l'expulse de ce dernier pays en raison de sa participation à l'attentat contre le centre informatique de l'université Sir George Williams de Montréal. À son retour dans l'île, on l'avait accueilli en héros. Les journaux l'avaient félicité d'avoir fait avancer la cause de la liberté et de l'égalité raciale. Dans l'entourage de Hari, on l'avait considéré comme un simple criminel ; l'ex-ministre de la Sécurité nationale avait déclaré dans une réception : « Nous lui avons déjà réservé une cellule. » Et voilà qu'il était devenu ministre de la Sécurité de l'État, qu'il prenait de la brioche, qu'il portait costume.

Le ministre lui offrit à boire.

Hari opta pour un whisky.

— Sec.

— Importé ou local ?

— Importé.

Puis il changea d'avis.

— Local.

Le ministre sonna sa secrétaire.

— Versez-nous du whisky, Charlene. Local pour M. Beharry, importé pour moi.

Le ministre sourit. Il dit à Hari :

— Je ne touche jamais au whisky local ; il me reste sur l'estomac.

Hari dit :

— Dommage. Il est bon.

Il s'aperçut aussitôt qu'il rampait.

Le ministre pivota dans son fauteuil et se leva. Il dominait Hari par sa corpulence.

— Monsieur Beharry, vous êtes bien connu dans notre petite île heureuse. Vous êtes un homme *important*. Vous êtes propriétaire d'une chaîne de boutiques, les boutiques Good Look, n'est-ce pas ? Vous êtes riche, vous avez une belle famille. Bref, monsieur Beharry, vous avez des intérêts ici.

Sa secrétaire apporta le whisky, et il se tut. En prenant son verre, Hari vit que sa main tremblait et que ce tremblement n'avait pas échappé au ministre. Le ministre sourit, leva brièvement son verre à Hari et but une gorgée. Puis il enchaîna :

— Voilà pourquoi, monsieur Beharry, je veux votre confiance. Je suis responsable de la sécurité de l'île. Entre gens de notre trempe, la confiance est essentielle. Pour cette raison, je tiens à vous révéler maintenant un secret d'État : dans quelques jours, nous demanderons à tous les citoyens, vous compris, de rendre leurs armes aux autorités. C'est selon nous le meilleur moyen de ramener la paix. Cette violence doit cesser.

La main de Hari qui tenait son verre devint moite.

— Mais c'est mon arme, dit-il ; y a pas de loi qui...

— Le Parlement votera une loi demain. Personne ne peut nous arrêter, vous le savez bien.

Soudain enhardi par la suffisance du ministre, Hari répliqua :

— Vous le savez mieux que moi. J'ai jamais fréquenté l'université.

— C'est juste, monsieur Beharry, fit le ministre, imperturbable.

Puis ils burent leur whisky et parlèrent de foot. Hari ne connaissait rien au foot. Le ministre parla. Hari écouta.

Quelques jours plus tard, Hari rendit son arme. Avant de

la déposer au poste de police, il coinça un bout de bois dans le canon.

Les lettres et les coups de téléphone continuèrent d'affluer. Hari jeta les lettres au panier sans les ouvrir et il enferma le téléphone dans un tiroir. Toujours inquiète, sa femme lui demanda :

— Comment est-ce qu'on va se défendre, maintenant, chéri ?

— T'inquiète pas, fit Hari.

Ce soir-là, il se rendit à la maison de ses parents, maintenant déserte et barricadée. Il n'y avait pas remis les pieds depuis des mois. L'endroit n'avait pas changé : les meubles occupaient leur emplacement habituel, les vêtements de ses parents étaient encore rangés dans les placards. La poussière recouvrait tout. Supposant que la maison ne contenait aucun objet de valeur, les vandales ne s'étaient pas donné la peine d'y pénétrer. Hari respira une odeur de renfermé. Les odeurs familières de l'enfance étaient à jamais disparues. L'odeur de friture, de lait bouilli, des parfums et des fards de sa mère, ces odeurs avaient subsisté pendant des mois après le décès de cette dernière et hanté Hari. C'était à cause d'elles qu'il avait évité de revenir dans cette maison, à cause d'elles qu'il l'avait abandonnée à ses fantômes.

Il se dirigea vers la chambre de ses parents. Le lit n'avait jamais été dégarni et les draps, que la poussière décolorait, gisaient tels que les avaient laissés les entrepreneurs des pompes funèbres venus chercher la dépouille de sa mère. Il se demanda si l'empreinte du corps figé par la mort était encore visible. Il repoussa cette idée morbide, mais ne put s'empêcher de jeter un coup d'œil : il ne vit que des draps poussiéreux et froissés.

Indifférent à la saleté, il s'allongea sur le sol et fouilla sous le lit avec sa main. Il trouva ce qu'il cherchait : une boîte rectangulaire en bois de la dimension d'une jarre à biscuits. Il l'ouvrit et en sortit un revolver gris, massif, de ceux que portaient les officiers américains pendant la guerre. Son père l'avait acheté à un soldat posté dans l'île en 1945. Il avait traîné tout ce temps, on l'avait si longtemps considéré comme un jouet, et voilà qu'il servirait enfin à quelque chose.

Hari glissa le revolver dans sa poche — plus gros, plus lourd que celui qu'il avait remis aux autorités, il était aussi plus encombrant — et il quitta la maison. Il ne se donna pas la peine d'en verrouiller la porte.

Ce même soir, Rangee, le meilleur ami de Hari, l'appela au téléphone. Hari était couché, le revolver sur la tête du lit ; dans la pénombre, la sonnerie le fit sursauter. Il s'empara du revolver avant de soulever le combiné.

— Écoute, Hari, fit Rangee, ça va très mal dans la Ferdinand Pale, mais méfie-toi. C'est pas la Pale qui est dangereuse, c'est le pâle.

Avant qu'Hari ait pu s'enquérir de quoi il parlait, la communication fut coupée. Hari supposa que, comme d'habitude, le téléphone était en panne.

On trouva Rangee le lendemain, tué de deux balles dans la tête. Sa main tenait encore le combiné. La police conclut à un cambriolage : la montre et le portefeuille de Rangee avaient disparu. Il ne manquait rien d'autre.

Hari rentra de la morgue. Ils avaient été si nombreux à se réfugier dans des contrées lointaines au-delà des mers qu'il accueillit la mort de Rangee comme un exil de plus. Il grava le souvenir de Rangee dans son cerveau, à côté de celui des autres. Il était bien décidé à ne jamais plus prononcer leurs noms : ils troublaient sa quiétude. Il s'assit à la table de la cuisine, en face de son fils et de sa fille qui l'observaient, les yeux ronds, puis il astiqua et huila le revolver de l'officier. Il n'eut pas fort à faire : le mécanisme cliquait avec précision, le magasin était chargé. Hari s'émerveilla du savoir-faire américain.

Environ une semaine après la mort de Rangee — plus tard, Hari aurait du mal à débrouiller les événements : que s'est-il passé d'abord ? que s'est-il passé ensuite ? —, Faizal, un autre ami et associé, rendit visite à Hari. Faizal avait des relations dans l'armée et aimait bien faire valoir ses connaissances militaires. Un jour, après un souper entre amis, Hari avait dit à sa femme :

— Faizal était intarissable. J'ai l'impression d'avoir passé la soirée à planifier le débarquement de Normandie.

Dans l'obscurité de la véranda, un verre entre ses mains agitées, Faizal semblait nerveux. Il parlait de tout et de rien, il parlait affaires, il parlait de la Ferdinand Pale. Son regard inquiet suivait la silhouette massive des montagnes qui se découpait sur le ciel étoilé. Il raconta la Bataille d'Angleterre et s'étendit sur l'utilité du raid de Dieppe.

Hari eut le sentiment que Faizal s'efforçait de lui dire quelque chose d'important, mais qu'il lui fallait d'abord rassembler son courage. Il n'insista pas.

Faizal prit congé sans avoir rien dit. Malgré tout l'alcool qu'il avait ingurgité, il était aussi nerveux à son départ qu'à son arrivée. Hari supposa qu'il était simplement bouleversé par la mort de Rangee, et il lui sut gré de n'en avoir pas soufflé mot.

Faizal fut abattu trois jours plus tard de trois balles dans la tête ; sa montre et son portefeuille avaient disparu. La police conclut de nouveau à un cambriolage.

Blindé, Hari dit :

— Drôles de cambrioleurs. Ils se contentent de voler des montres et des portefeuilles quand ils pourraient nettoyer la maison.

La nuit suivant la mort de Faizal, un incendie rasa une des boutiques de Hari. Aux dires des sapeurs, arrivés sur les lieux avec une heure de retard, l'incendie était d'origine criminelle. Puis, le chef des pompiers changea son fusil d'épaule : le rapport final parla de système électrique désuet et de courts-circuits.

C'est à la suite de cet incident que Hari se procura deux bergers allemands et qu'il se mit à tirer des coups de feu en direction du ciel nocturne.

L'agitation dans la Ferdinand Pale vira à l'émeute. Deux agents de police furent tués. Le gouvernement décréta la loi martiale et l'armée envahit les rues.

— Faizal aurait été ravi, dit Hari.

Ce fut la dernière fois qu'il prononça le nom de Faizal. Des membres de l'ancien gouvernement, y compris l'ami de Hari, l'ex-ministre de la Sécurité nationale, furent arrêtés pour agitation sociale, pour trahison. On ferma les écoles et les commerces, l'accès à l'aéroport et aux ports fut interdit.

Ce n'est qu'après avoir regardé le premier ministre décréter l'état d'urgence à la télévision que le sens des propos bizarres de Rangee se fit jour dans l'esprit de Hari. Il avait aussi été question de l'offre d'assistance de Cuba, offre acceptée sur-le-champ. Épuisé, le premier ministre était pâle, très pâle.

3.

Comme il fallait s'y attendre, le lendemain du décret de la loi martiale les ouvriers ne se présentèrent pas au travail. Agité, Hari se promena dans la cour en faisant mine d'inspecter la pelouse. Il avait eu du mal à obtenir des gazons. Une fois de plus, le contracteur s'était plaint de ses employés, de leur paresse, de leur ébriété. Mais Hari se doutait du vrai problème :

l'agitation dans la Pale s'était aussi emparée d'eux. Un unique chargement de gazons avait été livré ; le sol durcissait déjà par endroits.

Conscient du poids du revolver dans la poche de son pantalon, Hari promena son regard sur les rares bandes de gazon qu'il était parvenu à planter, sur les lignes pas très droites que dessinaient les pousses rabougries. Il lui fut difficile d'imaginer l'épaisse et pelucheuse pelouse qu'il avait espéré créer. Ses yeux glissèrent au-delà de la laideur de l'inachèvement ; au-delà de plusieurs piles de madriers inutilisés lors de la construction de la maison et qu'on n'avait pas encore emportés ; jusqu'à la ravine profonde où sa femme, la chance aidant, comptait établir une pépinière ; jusqu'à la muraille humide et brumeuse de la forêt ; jusqu'aux montagnes lointaines, sises à une grande distance et pourtant toujours présentes comme le souvenir d'un être cher.

— Qu'ils essaient seulement de m'enlever tout ça. Qu'ils osent !

— Hari, fit sa femme de la fenêtre de la cuisine, on a besoin de lait, va donc au centre commercial.

— Pour acheter du lait sur ?

— On a besoin de lait, Hari.

Elle semblait fatiguée. Son anxiété avait fait place à de la lassitude. Elle avait renoncé à son rêve de pépinière. Elle ne voulait rien d'autre que fuir — à Toronto, à Vancouver, à Miami.

Il la regarda et dit :

— C'est mon île. Mon père est né ici, je suis né ici, tu es née ici, nos enfants sont nés ici. Personne peut m'obliger à partir, personne peut me l'enlever.

— D'accord, Hari. Mais on a quand même besoin de lait.

Son fils parut dans la porte. Il était si menu que Hari, dans ses moments d'ébriété, doutait qu'il fût bien à lui. Le garçon dit :

— Je veux du lait au chocolat.

Sa fille, potelée, qui lui ressemblait davantage, fit écho à son frère :

— Moi aussi, je veux du lait au chocolat.

Hari grommela et rentra dans la maison en bousculant les enfants. Il s'empara des clés de la voiture qui traînaient sur le comptoir de la cuisine et voulut se départir de son revolver. Mais il interrompit son geste et laissa retomber l'arme dans la poche de son pantalon où elle dessina une bosse disgracieuse. C'était un risque calculé : qu'arriverait-il si la police l'arrêtait ? On pourrait lui loger une balle dans la tête et déclarer que M. Hari Beharry, homme d'affaires bien connu, anxieux parce qu'il avait une arme sur lui, avait succombé à une crise cardiaque pendant qu'on le fouillait à un barrage routier. Hari vivait ici depuis trop longtemps, connaissait trop l'ancien gouvernement pour être dupe. Il n'ignorait rien des habitudes locales : nulle part au monde, la vérité n'est chose plus relative.

À son retour seulement il lui vint à l'esprit qu'ils auraient pu se contenter de l'abattre et prétendre qu'il avait tiré le premier. Mais c'était trop simple ; l'île refusait obstinément la simplicité. Devant l'évidence, il aurait été plus facile de faire croire à une crise cardiaque : c'était plus audacieux, plus digne d'admiration.

Il appuya sur les freins avant de sortir de l'allée et jeta un coup d'œil dans le rétroviseur : la maison blanche, qui brillait sous le soleil, les fenêtres et les portes en acajou qui lui donnaient une élégance discrète, occupaient tout son champ de vision. Sa femme l'avait étonné en suggérant l'emploi de l'acajou. Il ne la croyait pas dotée d'un goût aussi sûr. Tout compris, il avait englouti plus de cent mille dollars dans cette maison.

24

C'était l'investissement de toute une vie, un investissement qui aurait inspiré à son père à la fois de la fierté et de la crainte : la fierté de savoir que sa famille pouvait se permettre de telles dépenses, la crainte qu'elle ne se risque à les assumer. Hari espérait accueillir ici ses petits-enfants et leurs enfants à eux, il espérait y accueillir les clans futurs des Beharry, c'est de cette maison qu'il voulait sortir le jour où on le porterait en terre. La maison se devait d'être le témoin de nombreuses générations.

Mais maintenant, tandis qu'il roulait par les rues serpentines aux accotements endommagés, grignotés par les mauvaises herbes, ses rêves parvenaient à lui échapper. Les scènes de bonheur familial futur qu'il avait si longtemps caressées avaient été reléguées au second plan. C'était horrible. Les images s'étaient évanouies ; il ne parvenait plus à se figurer l'avenir et quand celui-ci se présentait par petites bribes, comme des fragments d'épreuves négatives, il en tremblait.

Il n'était pas encore dix heures, mais le soleil, déjà haut, répandait une chaleur impitoyable, toujours plus lourde, qui l'écrasait de tout son poids même à travers le toit de la voiture. Il voyait des vagues de chaleur monter du bitume comme de chimériques cobras. Il dégoulinait de sueur. La brise qui s'engouffrait par la fenêtre ne parvenait pas à le rafraîchir. Il essuya une goutte de transpiration logée dans le creux profond entre son nez et sa lèvre supérieure et il se tortilla sur son siège, tentant de s'habituer à la présence, sous lui, du revolver.

Le centre commercial était tout près, mais Hari avait déjà conscience du changement d'air. À la maison, la chaleur était supportable. Elle évoquait le confort, la sécurité ; une chaleur utérine. Dehors, sous le bleu d'un ciel si vaste, si libre qu'il s'y sentait nu et vulnérable, la chaleur devenait une chose concrète, inquiétante, une menace physique. Elle n'éveillait pas en lui un désir de plage et de mer, mais lui rappelait qu'il n'avait aucun refuge, aucun lieu où se mettre à l'abri. La familiarité du monde extérieur avait subi une transformation irrévocable.

Le revolver, constata-t-il non sans déception, ne le réconfortait pas. Naguère, il parvenait à s'imaginer tirant à bout portant sur des silhouettes anonymes, mais ce n'était qu'une rêverie de bande dessinée. De flous, les personnages étaient soudain devenus substantiels. Ses chimères jusque-là épiques avaient sombré dans l'absurdité.

Il longea plusieurs terrains vagues où l'herbe haute se ponctuait par endroits de carcasses de voitures mangées par la rouille. Au loin, de part et d'autre, au-delà du terrain qu'on avait défriché dans le but d'y établir une entreprise agricole qui avait avorté (l'argent et le ministre responsable avaient disparu), il pouvait apercevoir le tracé indistinct de la forêt, telle une aquarelle verte à la couleur embue : les terres du gouvernement, les terres de la guérilla. À gauche, dans la distance, pardelà et par-dessus la forêt, les montagnes robustes d'un vert moucheté, sillonnées çà et là de courants verticaux de fumée blanche, indices, selon certains, des campements de guérilleros, selon d'autres, des habituels feux de brousse.

Il aperçut enfin le centre commercial et ses édifices bas recouverts de stuc, lambrissés de teck et dotés d'appareillages électriques importés de Suisse. Les lampes étaient brisées et en plusieurs endroits des bouts de fils pendouillaient. Les lambris avaient été égratignés et évidés, certains avaient été arrachés des parois et brûlés dans un feu de joie allumé devant l'entrée de la librairie. Le stuc, méconnaissable, avait été couvert de graffiti à caractère sexuel et politique, de dessins vulgaires, d'affiches électorales et de copies de la proclamation de la loi martiale, posées de guingois, et dont quelques coins décollés pendaient mollement dans la chaleur.

Devant les boutiques barricadées, dans l'ombre de l'avant-toit, de jeunes Noirs formaient un rang, leur bonnet de laine enfoncé sur la tête, les yeux masqués par d'impénétrables lunettes de soleil.

Hari ne parvenait pas à dissocier sa peur de sa colère.

« On a besoin de lait, il faut du lait, du lait au chocolat », marmonna-t-il, vexé, en pénétrant dans le parc de stationnement. Il entendait leurs voix, celle de sa femme, celle de son fils, celle de sa fille, des voix moqueuses, exigeantes et insistantes, indifférentes à ses problèmes et à ses inquiétudes.

Il gara soigneusement son véhicule, bien au centre de l'espace tracé sur le sol, en s'assurant que les lignes blanches étaient équidistantes des côtés de la voiture. Inutile vanité, car l'endroit était désert. Irrité, il siffla entre ses dents et arracha la clé de contact. Le moteur à l'arrêt, un silence décevant enveloppa les lieux. Aucun des jeunes ne bougeait et Hari ne parvenait pas à voir s'ils le regardaient. Il aurait aimé savoir.

Il ouvrit la portière — elle grinça un peu, troublant ainsi le silence comme lorsqu'un ongle racle un tableau noir — et posa un pied sur le bitume brûlant. Des vagues de chaleur chatouillèrent sa jambe de pantalon, et il se crispa. De l'ombre sous l'avant-toit lui parvinrent les bruits d'un appareil de radio, d'une gaîté bouleversante, le crachement d'une musique insulaire, fière et menaçante.

Hari resta immobile, un pied par terre, cherchant à deviner d'où provenait la musique. En regardant autour de lui, il se souvint que la laiterie serait forcément fermée ; tout avait été fermé à cause de la loi martiale. Il avait perdu son temps. Il remarqua, comme de loin, une curieuse absence d'émotion en lui, où le moindre sentiment semblait s'être asséché.

— Qu'est-ce que tu fais ici, boss ?

La voix fit sursauter Hari. La portière encadrait quatre visages noirs qui le scrutaient derrière leurs lunettes. Il pouvait voir son propre reflet dans les lentilles sombres, son visage las reproduit huit fois, chaque fois une caricature.

Il s'entendit répondre :

— Je suis venu chercher du lait, *bredda*. Pour les enfants, vous savez. Ils ont besoin de lait. Ils sont encore petits.

Il se demanda si les hommes souffraient de la chaleur sous leurs bonnets de laine, mais les bonnets faisaient partie de l'uniforme.

— T'as pas de chance, boss. La laiterie est fermée.

C'était le chef. Les autres s'inclinaient devant son autorité.

— Ouais. Je viens juste d'y penser.

Un autre des hommes dit :

— Tu devrais sortir de la voiture, boss.

Hari ne bougea pas.

— Mon copain, il aime bien ta voiture, boss, dit le chef.

Hari ne l'écoutait pas. Il se demandait si le chef avait acheté son *dashiki* rose à sa boutique.

— T'as acheté ce *dashiki* à la boutique Good Look ? fit Hari.

L'un des hommes répondit.

— En quoi ça te regarde ?

— La boutique Good Look, elle est à moi, dit Hari.

— Je sais ça, boss, fit le chef en tripotant son dashiki ; mais non. C'est ma femme qui l'a fait. Il te plaît ? Toi, boss, tu le vendrais combien ?

Hari sentit son cœur le lâcher.

— Sors de la voiture.

— Dites donc, vous savez qui je suis ?

— Oui, boss Beharry, on sait qui tu es. Sors de la voiture.

— Qu'est-ce que tu veux, *bredda* ?

— Sors. Me le fais pas dire encore.

Hari sortit de la voiture en titubant. Les hommes l'encerclèrent. Hari s'empara de son revolver, le braqua sur le chef et tira. Le percuteur fit un bruit vide. Hari fut saisi d'un étourdissement ; la terre bascula sur son axe : il avait vidé le magasin en tirant sur le ciel et les montagnes.

— Eh bien, boss, eh bien, dit le chef ; les Américains te fournissent des armes maintenant, hein ?

D'un coup aisé et fluide, il délesta Hari de son revolver.

— Qu'est-ce que tu veux, *bredda* ?

— Les clés.

Hari remit les clés de la voiture au chef. Hari remarqua que celui-ci portait une grosse bague en argent gravé qui disait U.S. Air Force Academy, de celles qu'on voit annoncées dans les bandes dessinées.

— L'argent.

— L'argent ?

Hari recouvra subitement ses esprits. La chaleur lui brûla la peau. Le bitume se solidifia sous ses pieds. La terre se redressa.

— Pousse-toi, *bredda*, dit Hari. Je vais te le donner, mon argent.

Il fouilla dans sa poche et en retira une épaisse liasse de billets. D'un mouvement vif du poignet, il la lança haut et loin. Les billets retombèrent comme des confettis.

Le chef eut l'air perplexe. Personne ne bougea. Puis, tout à coup, ils se mirent à courir après l'argent, les jeunes postés sous l'avant-toit, les voleurs de voitures. Seul le chef resta sur place. Hari le poussa violemment. L'homme trébucha et tomba. Hari prit ses jambes à son cou.

Parvenu à l'angle de l'édifice le plus éloigné, il jeta un coup d'œil rapide derrière lui. Personne ne l'avait suivi. Le chef, debout près de la voiture, époussetait ses vêtements avec nonchalance et lissait les plis de son *dashiki* rose. La scène avait un côté étrangement banal.

Hari venait tout juste d'arroser son petit rectangle de pelouse quand la police lui rapporta sa voiture. Toutes les vitres en avaient été fracassées en de minuscules diamants de verre. Ils scintillaient dans le soleil, éparpillés sur les banquettes et sur le sol comme autant de gouttes d'eau. La carrosserie avait été gravement endommagée en plusieurs endroits et on avait écaillé la peinture au moyen d'un pic à glace. Quelqu'un avait tenté de graver un slogan dans la portière du conducteur. Hari distinguait les lettres AC, suivies de rainures profondes, comme si le vandale s'était laissé emporter par une rage subite. Cela, plus que toute autre chose, effrayait Hari : cette aimable déclaration hiéroglyphique.

— On l'a trouvée sur une route secondaire, dit l'agent en inclinant de côté son casque à l'allure militaire.

Naguère, Hari lui aurait reproché sa tenue négligée ; cette fois, il se tut.

— On n'a pas trouvé d'argent. Les clés étaient dans le contact.

— Avez-vous trouvé… dit Hari ; puis il s'interrompit, se souvenant que le port d'arme était illégal.

— Quoi ? fit l'agent.

— Rien. Les hommes. Vous savez bien.

— Non, rien. On vous appellera si on trouve quelque chose.

Hari prit les clés et le remercia. L'agent vira les talons et descendit l'allée jusqu'à une jeep garée contre le trottoir. Il y avait quatre hommes sur la banquette arrière. Tous portaient des uniformes et d'impénétrables lunettes de soleil.

Quand la jeep démarra, l'un des hommes salua Hari de la main.

Hari le salua à son tour.

Un deuxième homme leva le bras ; dans sa main flottait un *dashiki* rose. L'homme cria :

— Merci, boss.

Hari poussa les enfants dans la maison et verrouilla la porte.

Ce soir-là, le ministre de la Sécurité de l'État appela Hari au téléphone.

— Monsieur Beharry, dit-il, on me dit que vous comptez quitter notre charmante petite île. C'est dommage.

— Eh bien, je… fit Hari.

— Allez-vous rendre visite à vos amis américains ? demanda le ministre.

Hari ne répondit pas.

— Vous n'ignorez pas, dit le ministre, que si vous restez absent de l'île pendant plus de six mois, votre propriété retourne au peuple — qui en est le propriétaire légitime.

Hari raccrocha.

Il devrait fuir, et sans son argent. Le gouvernement contrôlait les mouvements des devises. Certains de ses amis avaient été surpris en flagrant délit de fraude ; d'autres s'étaient vu confisquer toutes leurs économies. Il ne pourrait rien emporter. Voilà le prix à payer pour toutes ces années d'opulence et de célébrité dans un petit pays qui tournait mal.

Sa femme dit, en épongeant ses yeux avec un mouchoir de papier :

— Au moins, on est encore en vie.

— Ah oui ? fit Hari.

Il sortit dans le jardin. Le soleil se couchait derrière les montagnes et des nuages épars répandaient une lumière jaune et crue. Il allait sans doute pleuvoir le lendemain.

Hari prit une fourche dans le cabanon. Autour du rectangle de pelouse, le sol était humide et friable. Les pousses de gazon n'avaient pas encore produit de racines ; il put les arracher facilement. Quelques minutes plus tard, il en avait terminé. Hari leva les yeux. Le soleil avait plongé derrière les montagnes. Hari songea qu'il aimerait bien pouvoir les arracher aussi.

Le révolutionnaire

J'étais à l'université depuis moins d'une semaine quand j'ai remarqué sa présence, la masse de cheveux laineux dressés sur sa tête comme une forêt vierge toute de ronces et de lianes. Sous cet encombrement crépu, l'ossature anguleuse des épaules et des bras robustes saillait d'une veste de combat sans manches. Les bras musclés se balançaient élastiquement à bon rythme comme des essuie-glaces en goguette, mais ce qui retenait surtout l'attention, c'étaient ses pieds. Beaucoup trop grands pour sa petite taille, ils s'ouvraient en éventail à la Charlie Chaplin, et chacun de ses pas produisait sur le ciment un claquement caoutchouteux de palmes.

La première fois que je l'ai aperçu qui s'avançait vers moi dans le couloir, mes réflexes de défense se sont emballés. J'ai vu ma tête séparée du tronc par la force de ses bras ou, si ce funeste destin m'était épargné, mes orteils écrasés par ses gigantesques bottes d'uniforme crottées, d'un gris cadavéreux.

Au moment où nous nous croisions, j'ai levé les yeux sur son visage : on eût dit du plastique façonné par une main malicieuse. Paupières tombantes, nez proéminent, menton effrontément décentré, c'était moins un visage qu'une caricature. Il a cligné de ses yeux lugubres et ses lèvres épaisses se sont ouvertes sur un sourire, révélant, entre ses dents de devant, un intervalle suffisant pour y planter une cigarette.

Je lui ai rendu son salut, mais j'ai pressenti que je commettais là une grave erreur. J'ai hâté le pas en direction des ascenseurs.

Plus tard ce même jour, déçu de n'avoir pas reçu de courrier de ma famille, je me suis affalé sur une chaise dans la cafétéria surpeuplée et j'ai broyé du noir devant un café. Mes voisins de table, pressés d'entrer dans la salle de cours, ont ramassé leurs livres. Dans le brouhaha, je n'ai pas entendu le claquement qui m'aurait alerté.

— Salut ; t'es de Trinidad ?

La voix était grave et ferme.

Mon regard irrité a rencontré un large et vaudevillesque rictus, fendu d'un interstice noir.

J'ai opiné du chef sans rien dire ; j'avais pris l'habitude de répondre ainsi à cette question, qu'on me posait trop souvent. Il a déposé son sac à dos devant moi sur la table.

— Moi aussi, je viens de Trinidad. Je m'appelle Eugene Williamson. Un café ?

J'ai eu envie de fuir. Déclinant son offre, je me suis emparé de mes livres.

— Hé, hé, man ! Qu'est-ce qui se passe ? On est pareils, je suis trinidadien, comme toi. Voyons, man, on prend un café, hein ? Qu'est-ce que t'en dis ?

L'enthousiasme de Eugene s'est répercuté jusqu'au fond de la vaste cafétéria bondée. Le déferlement de sa voix me submergeait presque. On nous a lancé des regards irrités auxquels je me suis montré sympathique. Les gens qui circulaient devant la cafétéria jetaient un œil à l'intérieur pour voir ce qui s'y passait.

J'ai acquiescé mollement et j'ai laissé tomber mes livres sur la table en signe de défaite.

34

En déposant devant moi un contenant en polystyrène rempli de café fumant, Eugene a enchaîné avec la question qui toujours, inévitablement, fait suite à la première.

— Alors, de quelle partie de Trinidad tu viens?

Heureusement, sa voix avait faibli.

— Ellesmere Park, ai-je dit, en sachant que je me gourais; mais je suis né à la campagne, à Sangre Caliente.

Cette paire de toponymes, bourgeois d'abord, paysan ensuite, a eu sur Eugene un effet remarquable: son visage s'est d'abord assombri, puis éclairé, aussi soudainement qu'un nuage vient masquer la lune.

— Ahh, Caliente, a-t-il soupiré; un bon endroit, populaire. L'endroit où vit le vrai peuple, tu sais, le proléterrien.

— Le quoi?

— Le proléterrien, tu sais, le peuple des travailleurs, les masses exploitées qui ont pas peur de se mettre à quatre pattes et de se salir les mains.

— Ah oui, je vois, ai-je dit. Oui, des gens qui triment dur, on peut en trouver à Caliente.

Son regard s'est fait rêveur, ce qui accentuait ses ridules. Je me suis dit qu'il devait avoir pas loin de quarante ans.

— Ouais, man, a-t-il dit; un endroit où c'est bon de vivre, la campagne, la nature, une population héroïque. De l'air frais, des oiseaux qui gazouillent dans les arbres, des fleurs qui poussent partout.

Il a fait oui de la tête avec vigueur.

— Un bon endroit, un bon endroit.

Les arbres, les oiseaux et la population héroïque ne faisaient pas partie de mes souvenirs de Sangre Caliente. Je me souvenais plutôt que les gens avaient un goût marqué pour les fleurs en plastique, d'entretien plus facile — pas besoin qu'on

35

les arrose et elles ne fanent pas à l'ombre —, et que les oiseaux étaient trop occupés à se faire tirer dessus ou à se faire capturer pour chanter. Je m'efforçais de trouver une façon polie de le lui faire savoir quand il est sorti de sa rêverie.

— Alors, c'est quoi que t'étudies ici ? L'espagnol ? L'anglais ?

Je répondis, non sans fierté :

— Ni l'un ni l'autre. Le français.

L'étonnement s'est aussitôt lu sur son visage.

— C'est vrai ? C'est une belle langue, tu sais. J'ai étudié ça au secondaire, mais je pouvais pas bien prononcer, man. Je suppose que c'était pas mon rayon, tu comprends ?

J'ai ri.

— Toi, qu'est-ce que tu étudies ?

— Litrature anglaise. Shakespeare, Dickens, toute la bande.

— Tu trouves ça difficile ?

Il a froncé son gros nez.

— C'est dur, man. Je sais pas pourquoi, mais c'était pas aussi dur chez nous. C'est peut-être parce que les maudits profs, ils pensent qu'ils savent parler mieux que nous autres.

Il s'est tu et a bu une gorgée de café vaseux, l'air soupçonneux. Puis il m'a demandé :

— Tu vas retourner enseigner chez nous, quand t'auras fini ?

J'ai été circonspect.

— Je ne sais pas encore. Il y a tant d'aspects de Trinidad que je n'aime pas. Je ne sais pas si je pourrais y vivre…

Eugene a acquiescé.

— Ouais, je sais ce que tu veux dire. Moi, j'ai déjà décidé. Je vais y retourner, mais pour changer les choses ; je veux que la vie soit plus facile pour la masse, pour les populations héroïques.

Il a soupiré avec lassitude comme un homme qui se

résigne à entreprendre une tâche ardue mais nécessaire, et il a passé les doigts dans les lianes de ses cheveux.

— Tu veux faire de la politique ? ai-je demandé.

Je l'imaginais en train de haranguer une foule somnolente, ses bras traçant des cercles enlevés, sa chevelure de ronces sautillant comme la jupe à crinoline de Scarlett O'Hara.

— De la politique ? Tu plaisantes, ou quoi ?

Il a ricané.

— Jamais de la vie, mon vieux. D'ailleurs, j'aime pas cette expression-là, « faire de la politique ». Comme je vois ça, un gros avocat ou un gros médecin, ça fait de la politique comme ça fait du droit ou de la médecine. Ils veulent pas aider le peuple, ils veulent juste faire carrière. J'ai pas confiance à ceux qui veulent faire une carrière politique, ils voient seulement à leurs intérêts. Quand tu veux vraiment aider les gens, tu les aides ; tu fais pas de la politique.

Alors, j'ai dit :

— Donc, pas de politique ?

— Mon vieux, la masse a besoin d'autre chose que des mensonges des politiciens. Pas que je mentirais si je faisais de la politique, c'est sûr, mais j'ai une meilleure solution.

— Quelle solution ?

— Un pétard. C'est rien que comme ça qu'on va pouvoir changer la situation socioéconomique de Trinidad. Avec un pétard !

Il a littéralement craché le dernier mot : de minuscules cercles blancs ont tacheté mon café et je l'ai doucement poussé de côté.

— Qu'est-ce que tu veux dire, un pétard ? ai-je demandé. Tu veux faire la révolution ?

— Oui, a-t-il murmuré, les yeux dans le vague. La voie glorieuse, libératrice de la révolution socialiste-proléterrienne.

37

— Crois-tu que la révolution soit possible à Trinidad ?

Théâtral, il a haussé les paupières et les sourcils.

— Tu te souviens de 1970 ? a-t-il dit, faisant allusion à l'éphémère flirt de l'île avec les manchettes et la notoriété. C'était juste une répétition générale, man, juste une répétition. Depuis ce temps-là, le pays a mûri comme une mangue, et tu sais ce qui arrive à une mangue quand elle est trop mûre ?

— Ouais, ai-je dit ; elle pue tellement qu'il faut la jeter aux ordures.

— Exactement, a-t-il dit.

— Tu veux jeter Trinidad aux ordures ? ai-je fait.

Un moment, il a eu l'air confus. Puis il a dit :

— Écoute, man, le pays est presque mûr pour la révolution. Fais-toi pas d'illusions. L'histoire est en marche ; rien peut plus l'arrêter. Le peuple attend juste un signal. Il sait que le jour est pas loin où nous allons nous libérer de la grosse machine d'oppression impérialiste-colonialiste blanche, et que rien va nous en empêcher.

Eugene s'est calé contre le dossier et s'est balancé sur les pieds de sa chaise. Il a inspiré un bon coup.

De toute évidence, le cerveau de Eugene s'était enflammé à d'abondantes lectures progressistes. Mais j'avais un argument.

— Eugene, ai-je dit, je pense que tu as un problème. J'ignore si tu y as réfléchi, mais, tu sais, une révolution, ça se fait avec de l'huile de bras. Le gouvernement, lui, il n'a qu'à distribuer du rhum et de jolis vêtements à l'œil, annoncer la tenue d'un carnaval, et pfuittt ! Fin de la révolution.

Eugene a paru estomaqué. Il a tendu la main et agrippé fermement mon avant-bras. Ses yeux impassibles ont fixé les miens avec insistance et il a dit gravement, dans un demi-murmure :

— Non, man. Il y a des tas de guérillas dans l'île qui

attendent le signal du chef. Et elles sont bien armées. La police sait pas qu'elles existent.

— C'est pour ça que personne d'autre non plus n'en a entendu parler?

J'ai reniflé avec agacement.

— Allons, man. Arrête ton show.

— Écou-ou-te, a-t-il bégayé, comme s'il me suppliait de le croire; t'as déjà entendu parler de l'Escouade d'insurrection populaire? Ou de l'Association régionale des patriotes caraïbes? Non? Bon. C'est juste deux des factions dont je te parle. C'est pas de la blague, man. C'est très sérieux.

J'ai hoché la tête en souriant un tout petit peu.

— Alors, ton plan, c'est quoi?

Il a étiré les bras au-dessus de sa tête et a meuglé un volumineux bâillement.

— Alors…

Il s'est tu un moment pour se frotter les yeux avec ses jointures.

— … mon plan, c'est de retourner à Trinidad avec ma femme et mon fils quand j'aurai obtenu mon diplôme, puis de contacter une des factions.

Je l'ai interrompu.

— Avec ta femme et ton fils? Tu es marié?

— Oui, oui.

Ma question a paru l'étonner. Il a tiré un portefeuille de son sac à dos, et une photo du portefeuille. Il me l'a tendue.

— Ma femme et mon fils, Tara et Tarot.

— Tara et Tarot?

La photographie, noir et blanc, floue, montrait une femme avec un bébé dans les bras. Tara était mince et fatiguée, et ses yeux, petits, noirs, graves, étaient troublants. Tarot, un petit paquet de graisse aux traits indéfinis, pleurait. Il avait la morve au nez. Le photographe s'était efforcé de faire de l'art, de manipuler l'ombre et la lumière. Ni l'une ni l'autre ne l'avait secondé. Le résultat n'avait rien d'une photo de portefeuille et ne rendait qu'un sentiment de détresse. En lui remettant sa photo, j'ai éprouvé un étrange soulagement.

— En tout cas, a-t-il poursuivi en rangeant le cliché, on va contacter un des groupes et on ira vivre avec eux dans les montagnes du Nord pour poursuivre notre lutte glorieuse.

— Dans les montagnes du Nord, ai-je dit, comme…

Il a fini ma phrase.

— Comme Che et Fidel dans la sierra Maestra. Puis, quand le fer est chaud, on attaque, on libère les populations héroïques et opprimées du carcan de l'exploitation capitaliste. On jette l'agresseur impérialiste à la mer, comme ça.

Ses bras ont eu un geste théâtral, comme s'il lançait au loin quelque chose de lourd.

— On tue tous les agents locaux de ces colonialistes criminels, et tous les réactionnaires.

Il a serré le poing de sa main droite. Horrifié, j'ai cru qu'il allait le brandir. Mais il s'est contenté d'appuyer son menton dessus.

— Et après, qu'est-ce qui va arriver ? Quand tu auras renversé le gouvernement, qu'est-ce que tu vas faire ?

Je fume à l'occasion ; et j'ai subitement eu envie d'une cigarette. J'ai regardé autour de moi en quête d'un visage connu de fumeur. Pas de chance. Mais l'envie m'est passée tout de suite.

— Ça, ça me regarde pas, a déclaré Eugene avec force. Mon travail à moi, c'est de foncer comme un ouragan et de détruire la superstructure vampirique de tout le régime fasciste-capitaliste de la place. Ce que j'ai à faire, c'est tout détruire et libérer le peuple. Après, quand j'aurai accompli mon devoir socialiste, j'aurai qu'à m'en aller.

— Ton devoir socialiste ? Mais tu ne construiras rien ? Qui vas-tu aider comme ça ?

Eugene a cligné des yeux deux fois, puis il a tiré sans rien dire des bouquins de son sac à dos.

— L'avenir de Trinidad est ici, dans ces deux livres, a-t-il déclamé avec révérence.

Le premier était un ouvrage épais sous couverture grise, publié à Moscou : *L'État et la Révolution,* par V. I. Lénine. Le second était un exemplaire des pensées de Mao Zedong, « édition revue et abrégée », un exemplaire coûteux, relié en cuir rouge.

Un coupon de caisse dépassant d'entre les pages du Mao souleva mes doutes :

— Tu as déjà lu ces livres, Eugene ?

— Non, mais j'ai des copains qui les ont lus. Ils disent que Vladamir Ill… Ill… ahh… Lénine et Mawo, ils sont les seuls à savoir vraiment comment libérer le prolétarien. Ils disent que le petit livre rouge te dit même comment faire de l'agriculture et tout.

J'ai remarqué que son enthousiasme manquait de panache.

Il a repris ses livres et les a tenus contre ses côtes, comme un prêtre porte la Bible. Puis, les yeux rivés sur moi :

— Veux-tu entrer dans le mouvement ? C'est le moment ou jamais de sauter dans le Train de l'Avenir.

— Le Train de l'Avenir ? Tu veux dire que vous avez une cellule ici aussi ?

— Oui, le mouvement révolutionnaire a un bras ici, à l'université. Ces livres-là, ils sont pour la bibliothèque du Mouvement du Train de l'Avenir.

— Une bibliothèque !

— Ouais, avec des bibliothécaires. Je suis un des bibliothécaires adjoints. On est cinq.

— Cinq bibliothécaires adjoints. Vous devez avoir toute une collection de livres.

Il a détourné les yeux.

— Ben, pas trop grande encore, mais elle grossit vite.

— Vous avez un président, ou un chef, ou quelque chose comme ça ?

Évitant toujours mon regard, Eugene a répondu :

— On a un Comité central, et par-dessus, un Politburo, et on a un président du Politburo. Un président ; on a un président.

— Ça m'a l'air tout à fait démocratique, ai-je dit.

— Ça l'est.

Puis, sans raison apparente, son visage s'est assombri. Il a posé un regard vide sur le petit contenant de café qu'il faisait tourner entre ses doigts. D'une voix teintée d'émerveillement, il a murmuré :

— Imagine ! Il faut que j'aille à Trinidad pour conduire des hommes à leur mort !

Et dans la plus pure tradition des travailleurs de la liberté, ce chef de guérilla a écrabouillé le contenant en polystyrène dans sa puissante main droite, éclaboussant de café la table et son pantalon.

— Qu'est-ce que Tara pense de tout ça ? ai-je dit. Qu'est-ce qu'elle pense d'aller vivre dans les montagnes du Nord, et des tueries, et de tout le reste ?

— Ce que Tara pense, c'est pas mon problème, a-t-il dit. J'ai une mission, et je dois la remplir ou mourir.

Il a levé les paupières et ses yeux ont rencontré les miens.

— Veux-tu sauter dans le Train de l'Avenir ?

— Laisse-moi y réfléchir.

Eugene a pris congé. Il avait un cours sur William Wooodsworth. En faisant claquer ses palmes jusqu'à l'entrée, le bibliothécaire adjoint du Mouvement du Train de l'Avenir — qui marchait la tête haute, fier, ou soucieux de ne pas ployer sous le faix de sa chevelure — a trébuché sur ses propres pieds. Vladamir Ill Lénine, Mawo et l'avenir de Trinidad se sont cassé la figure par terre.

J'ai fait comme si je n'avais rien vu.

Courte visite à un artiste raté

Son frère Willie dit que c'est un intellectuel.

Sa belle-sœur Shushilla dit :

— Il avait de grandes ambitions, des ambitions artistiques.

Elle semble insister sur le temps du verbe.

Tous les deux disent qu'il vient, avec sa femme et leur bébé, de quitter Montréal pour Toronto. Ils n'ont pas encore déniché d'appartement, ils n'ont pas les moyens d'en louer un. Ils habitent avec Willie et Shushilla dans leur HLM de la Société d'habitation de l'Ontario.

Willie et Shushilla m'invitent à faire la connaissance d'Adrian. Et de sa femme Charming, bien sûr, prennent-ils la peine de préciser.

Pas un mot sur le bébé.

Il est en train de lire *Deep Throat*, qu'il met de côté dès que nous entrons. Il écrase avec grand soin sa cigarette, me serre la main, et en allume aussitôt une autre.

Son visage correspond à l'idée que je me fais du Humboldt de Bellow — angulaire, beau, ravagé, un nez et des lèvres finement dessinés, mais il plisse ses yeux d'un noir mat qui ressemblent alors à des lamelles d'ombre retenues par un faisceau de rides. Ses cheveux sont d'un blanc éclatant, ses dents tachées de nicotine. Il est pieds nus et porte une chemise ouverte de haut en bas : j'entrevois un corps mince, ferme, une peau mate, un soupçon d'embonpoint à la taille. Il n'a pas encore cinquante ans.

Il se retourne et lance en direction du couloir de la chambre :

— Charming ! Charming ! Viens !

Charming lui réplique d'une voix peu amène :

— Ta gueule, tu vas réveiller le bébé.

— Viens ici, fille.

La porte de la chambre s'ouvre et une femme beaucoup plus jeune que je n'avais prévu, à la voix vieillie, aussi ravagée que le visage de son mari, émerge de l'obscurité. Ses yeux sont rougis et fatigués, et des touffes de cheveux jaillissent, telles des torsades de coton feutré, de sa coiffure afro. Elle me tend une main lasse, moite et sans vie.

Adrian dit :

— Retourne dans la chambre.

— Oui, chéri, répond Charming ; comme tu voudras, chéri.

— Fais attention à ce que tu dis, fille, dit Adrian.

Imperturbable, Charming disparaît dans le couloir.

Adrian dit :

— Les femmes.

— Quoi, les femmes, fait Shushilla d'un air de défi.

— Les femmes, c'est de la merde.

— C'est toi qui es de la merde, Adrian.

— Arrête tes foutues conneries, fille. De la merde. Les femmes, c'est de la merde.

— Arrête tes conneries, Adrian. C'est toi qui es de la merde.

Willie, engoncé dans un col roulé marine et un jean, me fait signe de le suivre à la cuisine. J'acquiesce avec soulagement et quitte le chaos qui règne dans le séjour.

Willie me tend une bière.

— Ils plaisantent, tu sais.

— Bien sûr, dis-je ; je sais. Ils plaisantent.

— Adrian est un imbécile, dit-il.

Il prend sa bière à deux mains, en caresse la bouteille, l'observe comme s'il résistait à l'envie de la lancer à la tête de quelqu'un.

Adrian pénètre dans la cuisine.

— Où est notre invité ? Offre-lui une bière, Willie.

Je montre ma bouteille.

— J'en ai une.

Il se laisse tomber sur une chaise près de la petite table en formica et allume une autre cigarette.

— Où est Rachel ? fait-il.

— À un cours, répond Willie.

— Elle revient quand ?

— Je ne sais pas.

— Comment ça, tu ne sais pas ?

— Je ne sais pas à quelle heure elle rentre. Elle a un cours.

— Peut-être bien qu'elle est en train de baiser dans un hôtel du centre.

— Ça te regarde ?

Adrian pose les yeux sur moi : lamelles d'ombre qui me donnent la détestable sensation qu'un aveugle me fixe.

— Tu ne connais pas Rachel.

Il détourne le regard. Il n'attend pas la réponse. Il dit :

— Les femmes, c'est de la merde. Qu'est-ce que j'en ai à foutre. Surtout Rachel. La salope.

Appuyé contre le frigo, Willie se tait.

Adrian se tourne vers moi.

— Assieds-toi.

Il aspire énergiquement la fumée de sa cigarette et la rejette par la bouche, les narines.

— Rachel est une salope. Mère Nature est une salope. Rachel baise n'importe qui, n'importe où, n'importe quand. Suffit de la regarder un peu pour qu'elle s'excite comme une chienne en chaleur.

— Ne fais pas attention à lui, fait Willie ; Rachel est une cousine de Shushilla. Il lui en veut parce qu'elle l'a frappé dans les couilles quand il a voulu coucher avec elle.

Il ricane.

Adrian tourne ses yeux sombres vers lui.

— C'est faux. C'est ce que Rachel prétend. Rachel est une salope et les salopes sont des menteuses. Donne-moi une bière.

— Va la chercher toi-même, dit Willie.

— Pour quoi faire ? Tu es juste devant le frigo.

Willie lui en tend une d'un geste las.

Tandis qu'Adrian boit à grandes goulées et que sa pomme d'Adam monte et descend comme un piston de pompe, la porte s'ouvre et une fille mince, de grande taille, avec de longs cheveux noirs pénètre dans la maison. Elle est vêtue d'un short très court et d'un t-shirt où l'on peut lire À BAS LA CIA.

Sa voix résonne.

— Salut tout le monde.

Adrian feint de n'avoir rien entendu, et il en fait tout un plat. Il avale une autre lampée de bière, appuie son dos au mur et étend les jambes, bloquant ainsi la porte de la cuisine.

Willie me présente à Rachel et nous nous saluons par-dessus les jambes d'Adrian. Ses ongles, longs de cinq centimètres, sont soigneusement vernis de violet. Ses façons — désinvoltes, délibérément sexy — font croire à une pute de classe

en congé, à une courtisane au repos. Impression fausse, susci-
tée par les commentaires d'Adrian.

— Ôte tes pieds de là, Adrian, fait-elle.

— Pourquoi?

— J'ai besoin de quelque chose dans le frigo.

— Passe par-dessus.

— Pourquoi tu ne t'assois pas correctement? Ta chaise a
un dossier, c'est pour que tu t'y appuies. Pousse ton cul.

— Non.

— Pourquoi pas?

Adrian grimace. Les taches sur ses dents me rappellent les
zones d'ombre d'un croquis au fusain.

— C'est une bonne position de défense au cas où on
m'attaquerait.

— Merde.

Elle lance sur la table le livre qu'elle tient à la main en frô-
lant au passage le visage d'Adrian, et court se réfugier dans le
séjour.

Les yeux fixés sur le mur en face de lui, Adrian dit:

— Regardez-la se balancer le cul. La salope.

Puis, plus bas, pour lui-même:

— Salope.

En robe de nuit d'un bleu passé, Charming paraît dans la
porte.

— Pourquoi tu te pousses pas, Adrian?

— Parce que je ne veux pas. J'aime être assis contre le mur.
Comme ça, pas de danger qu'on me poignarde dans le dos.

Elle a un soupir qui trahit sa lassitude.

— Pourquoi veux-tu qu'on te poignarde dans le dos? Tu
crois que tu en vaux la peine?

Elle secoue tristement la tête et s'éloigne.

Adrian crie:

49

— Charming, est-ce qu'il te reste des cigarettes ?

Pas de réponse.

— Charming, est-ce qu'il te reste des cigarettes ?

— Non !

— Alors, va en acheter. C'est encore ouvert chez Becker.

— Tu veux des cigarettes, tu vas te les acheter toi-même.

— Toi, qu'est-ce que tu vas faire ?

— Dormir.

— Putain de paresseuse.

— Je vais y aller, dit Willie.

Il manque d'enthousiasme. Je m'apprête à lui offrir de l'accompagner, histoire de sortir de là, quand Adrian, comme par magie, tire un paquet neuf de sa poche.

— Non, non, dit-il ; j'en ai.

— Tu fumes beaucoup, dis-je, pour apaiser la tension.

— Trois, quatre paquets par jour, dit-il, non sans quelque fierté.

Il débarrasse le paquet de son cellophane et allume une cigarette.

Soudain, il se lève.

— J'ai quelque chose à vous montrer, fait-il ; puis il se précipite hors de la cuisine.

Mal à l'aise, dansant d'un pied sur l'autre, Willie m'offre une autre bière.

Je refuse, n'ayant pas encore terminé la première. Je veux lui demander pourquoi il m'a fait venir ici, à quoi rime son numéro, mais il est trop mal dans sa peau. Je ne veux pas en rajouter. Je me contente de feuilleter le livre de Rachel : *Nègres blancs d'Amérique*, de Pierre Vallières.

— Les artistes ratés ont toujours des ennuis avec les femmes, dit-il.

— C'est un artiste raté ?

— Oui, un vrai. Il a tâté de tout : écriture, peinture, sculpture, théâtre. Il a même essayé de danser. Quelqu'un lui avait dit qu'il avait le physique pour ça. Mais il n'avait pas de talent.

— Qu'est-ce qu'il fait maintenant ?

— Il essaie de gagner un peu d'argent. Il travaille pour une entreprise d'informatique, je crois. Il lave les planchers.

Adrian revient avec plusieurs feuilles de papier et une enveloppe épaisse. Je remarque que ses yeux sont encore plus plissés qu'avant ; ce ne sont plus que d'étroites fentes et ses pattes-d'oies forment des bouquets compacts.

— Regardez ça, dit-il en nous distribuant les feuilles de papier.

C'est une main, la main d'Adrian, photocopiée sous différents angles. Chaque creux, chaque ligne ressort dans toute sa laideur. Sur l'une des photocopies, son majeur est dressé et les autres doigts sont repliés sur la paume. Sur une autre, deux doigts s'ouvrent en V.

— C'est fantastique, dit Adrian.

— Intéressant, marmonne Willie.

— Tu peux attraper le cancer si tu t'exposes trop à ces rayons-là, dis-je.

Rien de plus approprié ne me vient à l'esprit.

— Les possibilités sont infinies, dit Adrian ; une forme d'art encore jamais vue.

Pour la première fois depuis le début de la soirée, je détecte une note d'enthousiasme spontané dans sa voix. C'est gênant.

— Et celle-ci ? fait Willie.

Il brandit une feuille couverte d'angles confus et de traits à demi effacés, comme si on avait voulu photocopier un gant de toilette.

— J'ai essayé de photocopier mon visage, dit Adrian en se penchant avec curiosité sur l'énigmatique pâté.

Rachel fait irruption dans la cuisine et arrache la feuille des mains de Willie. Elle rit.

— J'ai jamais vu une aussi belle photo de toi, Adrian.

Adrian fulmine.

— Fous le camp, salope ! Elle ne connaît rien à l'art.

— Tu t'y connais mieux que moi ?

— J'ai dit, fous le camp.

— Ça va, ça va. Je m'en vais.

Elle reprend son livre, se dit ravie de m'avoir connu, mais elle est fatiguée, elle veut aller dormir.

Adrian renchérit, à voix basse.

— Pas étonnant, si tu as baisé toute la journée.

Puis, indifférent, il ouvre l'enveloppe, y plonge le pouce et l'index, en retire quelque chose qu'il répand dans la paume de Willie : des pastilles de papier crème.

— Qu'est-ce que c'est ? fait Willie.

— Ça vient des ordinateurs, répond Adrian ; quand ils perforent les cartes.

Rachel jette un coup d'œil et dit :

— Des crottes d'ordinateur.

Adrian fait comme s'il n'avait rien entendu.

— Ils en jettent des boîtes et des boîtes tous les jours. Imagine les possibilités.

Je hoche la tête.

— J'imagine, dit Willie.

— Je pense, dit Adrian, que je vais en prendre quelques boîtes et voir ce que je peux en tirer.

Le regard de Willie devient vitreux.

— Bonne idée.

Adrian jette les photocopies et les pastilles de papier à la poubelle, se rassoit à table et allume une cigarette. Voilà une autre entreprise artistique avortée.

Soudain, il me fixe du regard.

— Comment tu t'appelles?

— Il te l'a déjà dit, fait Willie, gêné.

— Qu'il me le dise encore.

Adrian réfléchit un moment, puis il ajoute :

— Un nom, c'est une étiquette. Je n'aime pas les étiquettes.

Je lui dis néanmoins comment je m'appelle.

— Il paraît que tu étudies le français?

— Oui.

— Quelle est leur méthode?

Je lui explique que, dans un des exercices, le prof décrit à deux ou trois d'entre nous une situation à laquelle nous devons réagir en français. C'est un peu comme faire du théâtre, sauf que nous improvisons le texte au fur et à mesure.

— Moi aussi, je vais te décrire une situation, dit Adrian. Réagis en français pour moi.

— Quelle situation? fais-je, sur mes gardes.

— Supposons que tu aies garé ta voiture quelque part, que tu es avec ta femme. Un homme armé arrive, il te ligote à un arbre, jette ta femme par terre devant toi et la viole.

Il aspire la bouffée de sa cigarette, croise les jambes.

— Réagis.

— C'est un peu différent de ce que...

— Peux-tu le faire?

— Je suis trop fatigué.

Je réprime une envie de violence : un bon coup de pied dans ses parties sensibles.

— Il en a marre de toi, Adrian, fait Willie.

Adrian me regarde :

— Est-ce vrai?

Willie s'adresse à moi, l'air pressé.

— Viens, je vais te raccompagner si tu es prêt.

— Je suis prêt.

— Je vais prévenir Shushilla.

Quand Willie l'enjambe, Adrian dit à part soi :

— Bon, je ferais bien d'aller me coucher aussi.

Sans me saluer, il se lève et sort de la cuisine, une cigarette aux doigts. Pendant la minute où je reste seul, perdu, et que j'attends le retour de Willie, le silence massif comme du roc pèse sur moi de tout son poids.

Puis, soudain, la voix grinçante de Rachel se fait entendre.

— Merde, Adrian, tu m'as donné un coup de pied.

— Je ne t'ai pas vue, fait Adrian, aimable. Il fait noir ici.

— Viens te coucher, Adrian, dit Charming, d'une voix étouffée.

Adrian s'impatiente.

— J'arrive, j'arrive.

L'appartement sombre dans le silence.

Au bout d'une minute, Willie paraît dans la porte de la cuisine et me fait signe. Les clés de la voiture tintent dans sa main.

— Shushilla dort. Allons-y.

Je dépose sur la table ma bière tiédie et odorante et le suis jusqu'à l'entrée. Le séjour est plongé dans l'obscurité ; la fenêtre sans rideau réfracte un pâle rayon de lumière. Sur le parquet, enroulée dans un drap blanc qui la fait ressembler à un membre brisé prisonnier de son plâtre, Rachel dort. Charming est étendue sur une moitié du lit, la tête sous un oreiller. Adrian, en caleçon, est assis de l'autre côté, le dos au mur. Il fume. Il ne nous voit pas sortir. Il regarde Rachel.

La cage

Mon père est architecte. Les architectes conçoivent des tas de trucs : des magasins, des maisons, des appartements, des prisons. Pas méchant pour ma mère, mon père lui a conçu une maison. Pas tendre pour moi, mon père m'a conçu une cage.

Mon père est un homme fier. Il peut nommer ses ancêtres jusqu'à la neuvième génération. Notre patronyme est très connu à Yokohama, pas juste en raison de la firme d'architectes de mon père, mais aussi à cause de ces neuf générations ; le nom de mon père est son trésor le plus précieux.

Ce n'est pas le mien.

Devant le petit oratoire shintoïste au fond du jardin, mon père marmonne les noms de ses ancêtres, il les appelle, il les évoque. Ces noms lui servent à blasphémer, à exprimer son plaisir, à faire des compliments. Il connaît ces noms mieux qu'il ne connaît le mien.

Quand j'étais petite, je me tenais à la fenêtre du séjour, et là, j'observais mon père devant son oratoire. Il portait presque toujours un col roulé gris ; il souffrait d'asthme ; il disait que le vent qui soufflait de la mer par-dessus les navires de guerre américains amarrés aux quais était humide et puait le mazout. Par temps de brume froide, il rentrait dans la maison les yeux cernés de gris et les joues écarlates. Il toussait beaucoup alors, et je voyais sa poitrine se soulever sous son tricot.

Je me suis souvent demandé pourquoi, même en ces lamentables matins de grisaille et de pluie, il sortait prier : les ancêtres ne pouvaient-ils patienter un jour ou deux ? Quelques heures ? Étaient-ils donc si exigeants ? Un jour, je lui ai posé la question, mais il m'a regardée sans rien dire. Il ne m'a jamais répondu. Peut-être en était-il incapable. Peut-être était-ce pour lui une pulsion à laquelle il cédait sans la comprendre. Peut-être était-ce pour lui, tout autant que pour moi, un mystère.

Je n'oublierai jamais le jour où il m'a appelée Michi, du nom de la mère de son père. Elle était la personne qu'il chérissait le plus au monde et, pendant des années après sa mort, il s'est recueilli sur sa tombe. Il m'a appelée Michi, car il avait tout simplement oublié mon nom. Quand ma mère le lui a rappelé, il s'est mis en colère.

Quand j'étais petite, il me remarquait à peine. J'étais la responsabilité de ma mère. Il n'était pas un mauvais père. Il faisait ce qu'il pouvait. Il avait des préoccupations plus élevées.

Pendant mon adolescence, il m'a accordé plus d'attention, car il appréhendait cette période de la vie. À l'âge de quinze ans, j'ai annoncé à mes parents que je renonçais à étudier le piano. Le visage de ma mère s'est empreint de détresse ; dans sa jeunesse, avant son mariage, elle avait caressé l'espoir de devenir pianiste de concert. Quand je m'asseyais au piano, elle se plaçait doucement derrière moi, écoutait, se taisait. Je la savais attentive au moindre son, tandis que mes doigts effleuraient les touches. J'avais parfois l'impression de jouer non pas pour moi, mais pour elle, de lui offrir par la fatigue et la douleur de mes mains un écheveau de souvenirs. Mais la musique ne peut pas être un devoir. Il faut qu'elle vienne naturellement. Je ne suis pas musicienne. L'ennui m'a gagnée. Mes doigts sur les touches se sont mis à produire des sons privés de vie. Conscient de ce fait, mon père a accepté que j'interrompe mes leçons. Après avoir invoqué ses ancêtres en silence, mon père a dit que c'était un mauvais présage. Mais il serait d'accord si j'acceptais que le *ko-to* remplace le piano. J'ai accepté. J'avais ce que je voulais et il affermissait son autorité.

Il a cependant continué à se méfier de mon âge. Un jour, en fouillant parmi mes vêtements, il a trouvé une petite liasse de lettres. Il n'y en avait pas beaucoup ; trois de copines qui habitaient à l'étranger, une autre d'un garçon que j'avais vaguement connu à l'école. Sa famille avait déménagé à Ōsaka et il m'avait écrit cette unique lettre, une lettre amicale, pour me dire bonjour. Mon père n'a pas tenu compte des lettres de mes copines et m'a tendu celle du garçon. Il a exigé que je la lui lise : une lettre amicale, une lettre ridicule ; finalement, une lettre humiliante. Quand j'ai eu terminé, il a repris la lettre. Je ne l'ai plus jamais revue. Ce soir-là, au dîner, il a cherché dans mes yeux des traces de larmes. Il n'en a pas vu. Il a échangé avec ma mère des regards inquiets.

Je n'avais pas pleuré. Plutôt, j'avais réfléchi. Et la leçon que j'avais tirée de ma réflexion l'emportait de loin sur la méfiance que m'inspirait mon père. Plus que toute autre chose, j'ai compris qu'aux yeux de mon père une bien petite partie de ma vie m'appartenait en propre. C'est l'horreur de cette découverte qui m'a empêchée de pleurer ; c'est son appropriation de ma vie privée qui, finalement, m'a fait poser sur lui des yeux de glace.

Je n'avais que de rares amies. Mes camarades et moi avions peu de choses en commun. Elles aimaient parler de maris, de bébés, de maisons ; elles m'ennuyaient. Je n'avais pas d'explication à cela, et je n'en cherchais pas. Peut-être en raison de mon âge, peut-être par tempérament, j'acceptais la situation telle quelle. Souvent, au beau milieu d'une conversation avec mes camarades, je rentrais en douce à la maison, je me réfugiais dans ma chambre.

Là, au milieu de mes manuels, je trouvais mon livre préféré, un album pour enfants que mon père m'avait offert plusieurs années auparavant. C'était un grand livre relié au papier épais et velouté. On y relatait l'histoire des premiers Occidentaux venus au Japon. Il y avait une illustration toutes les deux pages : la mer, les navires, les montagnes du Japon, dans des couleurs si éclatantes qu'elles donnaient envie de les manger.

L'image qui me séduisait le plus représentait la première rencontre entre des Occidentaux et des samouraïs. Des grappes d'hommes se faisaient face : les étrangers à droite, grotesquement barbus, ternes dans leurs cuirs de marins ; les samouraïs à gauche, resplendissants dans des costumes colorés et plissés. Derrière eux, d'une pureté n'ayant rien de réaliste, une mer paisible et bleue, coiffée çà et là de mouchetures blanches comme de la dentelle. À l'horizon, telle une tache marron sur l'étendue immaculée du ciel, le navire des étrangers.

En m'offrant ce livre, mon père avait souligné l'évidence : la laideur des Occidentaux, la beauté des samouraïs. Mais j'étais fascinée par la rudesse, par la fougue apparentes des premiers. La beauté des samouraïs était une beauté froide ; ils étaient prévisibles, sans surprise ; mon père voyait là une vertu. Tandis que l'impétuosité des étrangers me séduisait. En les regardant, je me demandais comment étaient leur maison et leur famille, et même ce qu'ils mangeaient. Je voulais connaître leurs pensées et leurs sentiments. C'était là le sujet caché du livre, me disais-je, et je passais des heures à lutter contre le vide qui s'emparait de mon esprit dès que je m'efforçais de voir plus loin que la page étalée sous mes yeux.

Je me souviens d'avoir un jour demandé à mon père de me parler des étrangers. Ma question l'a troublé. Il a dit : « Ils sont venus d'Europe. » Mais que signifie le mot « Europe », ai-je demandé ? Ce mot, pour moi, était vide de sens.

— C'est une question inutile, répondit-il en posant sur le livre et sur moi un regard suspicieux.

J'ai repris mon livre et je suis retournée dans ma chambre.

Peu de temps après, j'ai montré le livre à une copine de classe. Nous avions toutes les deux une douzaine d'années et j'espérais qu'elle me comprendrait. Elle a feuilleté l'album et me l'a rendu sans rien dire. Je lui ai demandé ce qu'elle en pensait.

— C'est un très beau livre, dit-elle.

Ces mots, si ordinaires, si vides, ont creusé une distance entre nous.

Depuis, je laisse le livre dans ma chambre, en sécurité, à l'abri des regards.

À dix-huit ans, à la fin de mon cours secondaire, mes parents voulurent me marier à un collègue de travail de mon père, architecte comme lui, un homme d'un certain âge. Ils me firent revêtir un kimono pour l'occasion. Au début, il me regardait avec discrétion, mais peu à peu, il se fit plus audacieux. Irritée, je lui rendis ses regards fouineurs. Il capitula. Il redevint correct. Finalement, il prit congé.

Mon comportement n'était pas passé inaperçu. Ma mère me gronda.

— Je ne veux pas me marier, dis-je.

— Il ne t'appartient pas de décider, fit-elle ; il n'appartient pas aux femmes de décider.

Mon père se tut. Il quitta la pièce.

— Ton père est très fâché à cause de toi, dit ma mère.

— Je ne veux pas me marier. Je veux vivre avec un homme.

Ma mère me regarda comme si j'étais devenue folle.

— Nous t'offrons des études universitaires. Tu ne vas pas dilapider ainsi ton éducation.

— Je veux une carrière.

— Nous ne te payons pas des études pour que tu travailles. Les hommes veulent épouser des femmes instruites.

— Je ne veux pas être l'épouse d'un homme.

— Où prends-tu de telles idées ? Tu as de mauvaises fréquentations. Nous ne pensons pas comme ça.

Puis, elle sortit à son tour de la pièce.

Les « mauvaises fréquentations » avaient toujours obsédé ma mère. Je me rappelle avoir un jour invité une copine à la maison. Elle a fait la connaissance de ma mère. Elles ont bavardé. Après le départ de mon amie, ma mère a dit : « Je ne pense pas que tu devrais fréquenter ce genre de personne. » J'étais encore obéissante à l'époque ; je n'ai plus jamais adressé la parole à ma petite camarade. Je comprenais l'attitude de ma mère. Ma copine habitait dans un des quartiers les plus pauvres de Yokohama, sa mère était vendeuse dans un grand magasin. Pour la première fois, ma mère avait été trop occupée pour raccompagner mon amie chez elle en voiture. Je ne m'en suis sentie coupable que plus tard, trop tard, comme toujours.

Ma mère. Elle avait déjà su jouer du piano. Elle avait étudié l'opéra à l'Université de Tōkyō. Elle aurait pu faire une carrière musicale. Mais elle s'est mariée. Aujourd'hui, quand elle parle de sa vie, elle dit qu'elle est heureuse. En quoi consiste ce bonheur ? Qui peut le dire ? Pas moi, car je ne pourrais jamais être heureuse dans sa situation. J'en sais trop, peut-être. Pourtant, je ne peux pas contredire ma mère. Je peux seulement affirmer que je doute de sa sincérité. Cette abnégation — elle a tout donné à son mari, à son fils, à moi ; elle a renoncé à vivre sa vie, à développer son talent —, cette abnégation ne me convient pas. Ma mère arrive à supporter même ce qu'elle déteste. Je suppose que c'est une preuve de courage. Parfois, cependant, je me demande si ce ne serait pas plutôt parce qu'elle n'a pas le choix. Ma mère ne peut pas inventer des choix qui n'existent pas.

Au fond, je suis la preuve tangible de l'échec de sa vie de femme.

Au cours de ce même été qui me vit passer de l'école secondaire à l'université, ma mère exprima un jour le désir de se rendre à Kyōto pour les vacances. Mon père répliqua qu'il souhaitait visiter Kōbé; il se montra inflexible. Plus tard, à son insu, j'entendis mon père dire à mon frère de prendre bonne note de son attitude. Il avait toujours désiré visiter Kyōto, disait-il, mais il laisserait ma mère le supplier un peu, le cajoler, le flatter, avant de consentir à ce voyage. Ma mère croirait avoir ainsi remporté une grande victoire. Cela se passa ainsi. Ma mère ne sut jamais qu'il lui avait menti, et ma tristesse m'empêcha de le lui révéler. Et je savais que cela faisait aussi partie du jeu qu'elle acceptait depuis longtemps de jouer.

Ma mère, et les femmes comme ma mère, mon père, et les hommes comme mon père, vous diront que le bureau est le royaume de l'homme, la maison celui de la femme. Mais dans la maison de mes parents, conçue par mon père, construite par lui, sa volonté était loi. Si elle croit vraiment que le monde est ainsi divisé, ma mère vit dans un rêve.

Mon aptitude à voir ce que je ne dois pas voir, à poser les mauvaises questions, m'empêchait de franchir la frontière qui sépare la camaraderie de l'amitié et compliquait mes relations avec mon frère. Je détestais devoir m'acquitter de certaines tâches — la vaisselle, les lits, le sien et le mien, le ménage — tandis que sa seule responsabilité consistait à ne pas ternir le nom de la famille en évitant de faire des bêtises. Je détestais qu'on enquête sur mes appels téléphoniques, qu'on lise mon courrier, qu'on juge les amis qui me rendaient visite, tandis qu'il avait l'entière liberté de fréquenter qui il voulait. Je détestais qu'il ait le droit de rentrer tard alors que je devais passer mes soirées à jouer du *ko-to*, à faire une musique qui m'ennuyait à périr et qui rappelait à mon père ses ancêtres jamais bien loin. Je détestais que mon frère jouisse de la liberté de fréquenter les copines de son choix, tandis que je devais me contenter de prétendants choisis par mon père, toujours des architectes, toujours d'un certain âge, toujours contraints de me faire la cour en présence de leur employeur.

Mon frère et moi ne nous sommes jamais parlé. Il m'est aussi étranger que je lui suis étrangère. Ce que je sais de lui me déplaît. Il ressemble trop à mon père. Il leur arrive de se recueillir ensemble devant l'oratoire, au fond du jardin.

On m'avait acceptée à l'Université de Tōkyō, en diététique. Ce n'était pas mon choix, mais celui de mon père. À la lecture d'un article de magazine, il s'était dit que la diététique était une profession anodine que je pourrais sans peine abandonner pour me marier. J'aurais préféré m'inscrire en lettres, mais je n'ai pas eu le choix. C'était l'argent de mon père qui payait mes études, et ses relations qui m'avaient permis d'entrer à la prestigieuse Université de Tōkyō.

Je partis pour Tōkyō à la fin de l'été en compagnie de ma mère qui me servait provisoirement de chaperon. Elle veilla à mon installation et, deux ou trois jours plus tard, elle me quitta en m'embrassant du bout des lèvres. Elle avait bien appris son rôle, ma mère, et presque tout le temps de son séjour à mes côtés elle le passa à s'inquiéter de mon père et de mon frère. Dès son départ, l'incertitude fut ma seule compagne. J'étais aussi fragile qu'une toile d'araignée battue par le vent. J'évitais le contact des gens, je ne me liais d'amitié avec personne. Mes livres étaient ma vie, et je ne quittais mes manuels de chimie et d'anatomie que pour les occasionnelles soirées organisées par l'école de diététique. Ces « réceptions » étaient officieusement obligatoires : même dans le vaste monde, vous faisiez partie d'une famille et vous aviez certaines obligations. Elles n'offraient rien de bien excitant. Vous y alliez, vous buviez un verre ou deux, vous grignotiez, vous bavardiez poliment, vous rentriez chez vous. On n'y accomplissait pas grand-chose, sinon rendre hommage au concept de groupe. Il arrivait parfois qu'un étudiant y obtienne une révision à la hausse de ses notes.

C'est à une de ces soirées qu'au milieu de ma première année d'université je fis la connaissance de Keisuke, un célèbre poète japonais. Je n'avais jamais entendu parler de lui, car mon père, sans doute à cause de l'incident de l'album illustré, avait proscrit la littérature de ma formation. Au début, je traitai Keisuke avec détachement. Je me méfiais de son nom, Keisuke, un nom ancien qui semblait évoquer toutes les valeurs auxquelles tenait mon père. Il n'était pas particulièrement attirant : physique quelconque, léger embonpoint. Un réseau compliqué de veinules dû au manque de sommeil rougissait le blanc de ses yeux. À un moment donné, je l'entendis déclarer qu'il avait l'habitude de se rendre sans y être invité aux réceptions des différentes écoles. Cette déclaration, qu'il n'adressait pas à moi mais à un groupe qui s'était poliment formé autour de lui, m'inquiéta quelque peu. Cela ne se faisait pas et, bien qu'on semblât approuver ce comportement, je perçus l'hésitation qui avait précédé cette marque de courtoisie, le malaise aussitôt enfoui sous les acquiescements et les sourires. Je me rendis compte aussi que ce manège n'avait pas échappé à Keisuke. Il me regarda et sourit : nous partagions un secret.

Après son départ, on murmura qu'il était très bizarre. L'un des professeurs, un petit homme à la calvitie naissante, dit sournoisement : « Mais c'est un poète. Vous n'ignorez pas quelle sorte de gens *ils* sont… »

À la cafétéria, le lendemain au déjeuner, Keisuke s'approcha de ma table et s'assit sans demander la permission.

— Alors, dit-il. M'ont-ils trouvé très bizarre ?

Troublée de l'entendre prononcer le même mot qu'on avait employé à le décrire la veille, je répondis sans réfléchir : « Oui. »

Il y eut une seconde de silence, puis un éclat de rire qui dévoila pleinement notre complicité, amorcée la veille dans un sourire entendu. Je me sentais bien en compagnie de Keisuke. Il me demanda de l'appeler « Kay ». Il railla son vrai nom, le qualifia en anglais de *stuffy*, mais il dut traduire, car ma connaissance de cette langue était encore assez rudimentaire :

— Ça veut dire « guindé ».

Nous avons beaucoup parlé. Il m'a dit avoir vécu et étudié aux États-Unis pendant sept ans. Son père, membre de la direction de Panasonic, avait été muté au New Jersey lorsque Kay avait seize ans. Kay connaissait très bien la ville de New York, et tandis qu'il m'en décrivait les lumières, le bruit, la vie stimulante, je me suis inquiétée de savoir pourquoi il était rentré au Japon après tout ce temps.

Ma question le fit sourire.

— Je suis japonais, dit-il.

J'approuvai de la tête, mais sa réponse me déconcerta. Mon père trouvait la même justification à tant de choses.

Kay et moi sommes devenus amis. Il m'a invitée à son appartement, voisin de l'université. C'était petit, encombré. Il avait orné les murs d'affiches de films américains en les disposant à des hauteurs différentes, comme s'il devait en bannir la moindre symétrie. Partout — sur son bureau, sur la table basse, sur les comptoirs de la cuisine — étaient empilés des livres, des revues, des papiers. Nous nous installions dans un coin, sur un *tatami*, pour lire ou pour bavarder dans la lumière blafarde d'une applique.

Je lui parlai de mon père, de ma mère, de mon frère. Il me fit lire quelques-uns de ses poèmes. Je n'y compris pas grand-chose. Il me demanda ce que je connaissais de la littérature. Je lui dis que mon père m'avait interdit les livres et lui fis part de son admonestation la veille de mon départ pour Tōkyō. Évite, m'avait-il dit, les livres farcis de beaux mots. Kawabata, Tanzaki, Mishima ne favoriseraient en rien mes études de chimie et, du reste, les écrivains avaient toujours de drôles d'idées, des idées qui ne convenaient pas à un cerveau de jeune fille.

Kay m'écouta en silence. Puis il dit : « Ton père est un homme étouffé par ses peurs. » Ce fut une révélation pour moi. J'avouai avoir lu Mishima, car mon père avait fait cadeau à mon frère de ses œuvres complètes. Je les avais lues en cachette, et n'y étant pas préparée, incapable encore d'en saisir toute la portée, je n'y avais perçu que de l'érotisme. Cela n'étonna pas Kay, qui m'expliqua ce qui m'avait échappé : le mariage du sexe et du sang, le sentiment omniprésent de violence.

— Mishima était fou à bien des égards, dit-il. Un samouraï du XXe siècle. Il a connu une fin appropriée.

Et maintenant, maintenant que je comprends Mishima, je m'inquiète de mon frère ; il me terrifie.

Un soir, après un léger repas de *sashimi* et de saké tiède, Kay m'a séduite. En écrivant cela, je me rends compte du caractère si peu japonais de cet aveu. Cela me fait un peu peur.

Après, tandis que nous restions étendus sur le *tatami*, que je fumais ma première cigarette et que je goûtais encore la chaleur qui enveloppait mon corps endolori, j'eus le sentiment d'avoir reçu ce soir-là une clé, mais j'ignorais ce que cette clé m'ouvrait. Étendu à mes côtés, Kay comprit cela aussi. Il me fit lire Ibsen. Au cours des mois qui suivirent, alors que ma première année d'université tirait à sa fin, il me remit des traductions de textes d'Ibsen qu'il avait étudiés aux États-Unis, pour que je puisse les lire en dépit de mon anglais chancelant. Nous discutions de ses œuvres et des œuvres d'autres écrivains. Plus nous parlions, plus je me surprenais à formuler des pensées et des idées qui auraient rendu mon père fou de rage.

Kay, un de ces écrivains aux idées bizarres qu'appréhendait tant mon père, m'apprit à mettre en mots ce qui n'avait jusque-là été pour moi que des sensations floues. Grâce à son aide, j'en vins à me comprendre, sans pour autant me débarrasser complètement d'une certaine gêne — d'un certain sentiment de culpabilité, disait Kay. Selon lui, bien que mes idées fussent plus claires, leur origine se perdait toujours dans le brouillard.

Quoi qu'il en soit, je ne veux pas donner l'impression que tout allait pour le mieux. Parfois, surtout à la suite d'une rencontre pénible avec un des architectes de mon père — je devais périodiquement rentrer à la maison dans ce but —, je sentais que la séduction de Kay avait été moins une clé qu'une trahison. Assise dans le séjour de mon père, en servant les hommes, en leur souriant, j'éprouvais le sentiment que Kay avait ajouté à ma confusion au lieu de l'apaiser. Mais ces moments de doute ne duraient guère.

Le reste de ma carrière universitaire ne fut marqué d'aucun incident. Kay et moi avons continué à nous voir de temps à autre, mais l'intimité de notre première année ensemble ne s'est jamais répétée. Il avait trop de boulot, j'avais trop de boulot. C'est du moins l'excuse que nous nous étions donnée.

J'ai obtenu mon diplôme et n'ai eu aucun mal à trouver du travail dans un hôpital de Yokohama. J'y ai œuvré un an dans une profession que je n'avais pas choisie, calculant jour après jour l'apport calorique des repas des patients. Compter des calories m'ennuya très vite, et bientôt les patients ne représentèrent pour moi guère plus que les sommes de mes additions, que la nourriture qu'ils absorbaient.

Au terme d'une journée particulièrement harassante, je me rendis au chevet d'une malade, une femme âgée et ronchonneuse, atteinte d'une affection chronique, afin de discuter avec elle de son rejet de la nourriture prescrite. Elle déclara sur un ton irrité qu'elle désirait, par-dessus tout, des aliments nappés de mayonnaise. Je lui répondis que c'était impossible. Elle m'injuria. Je l'injuriai. Je la frappai avec ma planchette à pince. Elle se mit à pleurer, en silence, comme une enfant, et les larmes remplirent les sillons et les rides de son visage chiffonné. Au moment où elle m'apparut ainsi à travers mes propres larmes, je sus que ça ne pouvait plus durer.

La routine du travail, les visites à la maison de mon père, les sourires aux architectes, la pratique du ko-to, tout cela ébranlait sérieusement mes forces.

J'annonçai ma décision à mes parents. Ils me proposèrent une solution. Ils n'avaient jamais été heureux que je travaille ; la demande n'est pas très forte pour les femmes qui occupent un emploi. Il vaudrait mieux, dirent-ils, que je me concentre sur ce qui compte vraiment. J'avançais en âge : vingt-trois ans déjà. Dans cinq ou six ans je serais une vieille fille, une ex-participante dans la course au lit conjugal. Je ferais mieux de me hâter.

Mais, comme d'habitude, j'avais ma petite idée. J'étais parvenue à économiser une somme rondelette pendant l'année où j'ai travaillé, somme que mon père souhaitait intégrer à mon futur contrat de mariage. Au Japon, les femmes ne se marient pas par amour, mais bien par souci de sécurité. L'homme acquiert ainsi une bonne pour la vie. Pour une personne comme moi, le mariage est synonyme de compromis, non pas une affaire de cœur mais une affaire de compte en banque. Par conséquent, mes économies compensaient un peu mon âge avancé et mon père n'hésitait jamais à les mentionner lorsqu'un prétendant me rendait visite.

Mais moi, je voulais voyager. Mon père dit que c'était hors de question ; ni lui ni ma mère ne pouvaient s'absenter de Yokohama à ce moment. Je répliquai que je désirais voyager seule. Mon père déclara que cela n'avait aucun sens, et il invoqua ses ancêtres, ses neuf générations d'ancêtres, pour qu'ils soient témoins de la folie de sa fille.

Kay m'avait dit un jour : « Tire des leçons du passé, mais ne lui permet jamais de te dominer. » Je crois que c'était un vers d'un de ses poèmes. Ces mots me revinrent en mémoire à cet instant précis. S'il ne fallait pas que mon passé me domine, me dis-je, celui de mon père ne me dominerait pas davantage. Je leur dis que je partais. Mon père menaça de m'en empêcher par la force. Il appela mon frère au secours. Il vint. Je ne protestai pas ; cela n'aurait servi à rien. Mon père et mon frère étaient identiques. Même leurs yeux, ces cercles noirs enfermés derrière les mêmes lentilles épaisses encadrées par les mêmes montures en plastique noir, ne pouvaient être différenciés. Je vis ces yeux venir vers moi. Quand mon père et mon frère m'escortèrent hors de la pièce, ma mère se mit à pleurer. Ils m'enfermèrent à clé dans ma chambre et dirent à l'hôpital que j'étais malade.

Je suis restée couchée ou assise dans ma chambre une semaine entière. Ma mère, toujours silencieuse, m'apportait mes repas auxquels je touchais peu. Je dormais beaucoup, m'efforçais de lire, passais de longues heures à feuilleter mon livre illustré : les magnifiques samouraïs, les étrangers barbus. À un moment donné — je ne me souviens plus s'il faisait jour ou nuit ; le temps a fini par n'avoir plus aucune importance —, je me suis laissée glisser dans l'illustration, je me suis fondue en elle. J'ai senti le poids des embruns sur mon visage, la douce caresse du sable sous mes pieds ; j'ai entendu le soupir haletant des doux rouleaux de houle. J'allais m'abandonner quand quelque chose — une voix, un bruit de vaisselle — m'a rappelée à la réalité. Pour la première fois depuis le début de ma captivité, j'ai pleuré. Mes larmes sont tombées sur les pages de mon livre ; les taches y sont encore visibles.

Au bout d'une semaine, on me donna la permission de sortir et de retourner au travail. Mon père avait parlé au directeur de l'hôpital qui était un ami. D'autres membres du personnel s'étaient plaints du comportement de la vieille dame, si bien qu'on ne m'imposa aucune sanction ; on se contenta de me faire un petit sermon sur les vertus de la patience.

Les deux mois qui suivirent ne furent pas de tout repos. On ne me laissait jamais seule un instant ; on surveillait le moindre de mes gestes, chaque minute de mon emploi du temps. Je découvris que le directeur se renseignait en douce à mon sujet auprès de mes collègues. Mon père ne s'était pas contenté de lui parler de mes problèmes avec la vieille dame.

Ma vie se mit à ressembler à celle des quatre oiseaux chanteurs que mon frère gardait enfermés dans des cages de bambou suspendues au plafond de sa chambre. Tous les matins, ils sifflaient et gazouillaient, chacun ayant son chant bien à lui, et l'on eût parfois dit qu'ils participaient à un concours. Les oiseaux chantaient exactement à la même heure chaque jour, réclamant leur nourriture. Je croyais que leur aptitude à éveiller mon frère était pour eux synonyme de pouvoir, mais mon frère savait qui dirigeait la distribution de la nourriture.

Un jour, manifestant ce don d'émerveillement discret qu'il partageait avec mon père, mon frère apporta à la maison un nouvel oiseau chanteur. C'était le plus petit de tous, une minuscule créature bleu et rouge qui scintillait sous la caresse du soleil. Mais il y avait un problème : tandis que les autres oiseaux chantaient, celui-ci restait muet. Mon frère s'efforça de le convaincre de chanter, en vain. Il le frappa avec un petit bâton, mais l'oiseau demeura imperturbable. Mon frère le priva de nourriture, mais quand il lui en offrit enfin, l'oiseau la refusa et, par deux fois, il renversa sa mangeoire, éparpilla les graines.

L'oiseau émit un seul son pendant son séjour d'une semaine dans la chambre de mon frère, un sifflement aigu et pur. Mon frère, ma mère et moi accourûmes à ce cri. L'oiseau était couché sur le sol de la cage. Mon frère ouvrit la porte et poussa le petit corps avec son doigt, doucement d'abord, puis avec plus de force. Constatant la mort de l'oiseau, il souleva celui-ci en le tenant par l'aile, l'apporta dans la cuisine et le jeta aux ordures. Il se frotta nonchalamment les mains et retourna à son petit-déjeuner. Il n'exprima aucune tristesse.

J'ai regardé mon frère avec horreur. Je le haïssais. Je me suis réfugiée dans ma chambre pour pleurer. J'ai pleuré sur l'oiseau, sur moi.

Il le remplaça ce soir-là par un oiseau plus docile. Celui-ci chantait facilement. Il lui donna à manger.

Le lendemain, j'assumai mon rôle traditionnel de fille. Je laissai mon emploi, ne me plaignis jamais, reçus aimablement les architectes, leur adressai des sourires, laissai entendre à mon père qu'il aurait des petits-enfants : c'était un jeu, un jeu qui exigeait que je dissimule ma vraie personnalité, comme si j'avais été une fille de famille très riche qui se serait trouvée enceinte hors des liens du mariage. Ce ne fut pas très difficile : une étrange détermination me poussait à agir de la sorte.

Au bout de deux mois de ce petit jeu, je cessai d'éveiller les soupçons de mon père, pourtant toujours sur ses gardes. Il dit à ma mère : « J'ai fait appel au pouvoir de mes ancêtres. Rien ne leur résiste. » Puis il se recueillit sur la tombe de Michi, sa grand-mère paternelle.

Pendant cette période, je me suis rapprochée de ma mère, car c'est elle, surtout, qui veillait sur moi. Un soir — qui s'est révélé ma dernière soirée dans la maison de mon père — nous bavardions dans ma chambre. Nous avions éteint les lampes et ouvert la fenêtre. Par-dessus la silhouette des arbres et des toitures, nous pouvions voir le ciel s'assombrir, comme s'il expirait. Les étoiles n'étaient pas encore apparues. La brise était fraîche, et nous entendions des stridulations et des crépitements d'insectes dans les buissons. Ma mère a enfilé un tricot par-dessus son kimono — elle m'a semblé étrangement touchante —, elle a croisé les bras, non pas sévèrement comme il m'était apparu naguère, mais avec lassitude, comme une femme défaite. Nous nous sommes assises sur le lit, moi d'un côté, elle de l'autre, un grand vide entre nous deux.

— As-tu déjà envisagé de vivre ta propre vie ? lui demandai-je.

Elle soupira.

— J'y songeais quand j'étais petite, mais je savais que ce serait impossible.

— Pourquoi ?

— Là, tu me fais marcher.

Elle sourit avec tristesse. Sans me regarder, elle poursuivit :

— Quoi qu'il arrive, je serai toujours ta mère. Où que tu sois, quoi que tu fasses, tu peux m'appeler. Je t'aiderai.

— Et toi, qui peux-tu appeler ?

— Ton père.

— Tu as déjà eu des amis.

— Oui, mais ton père passe d'abord. Les amis…

Elle agita la main, chercha ses mots.

— … sont un embêtement.

— Mais tu n'as pas d'amis.

— Je suis bien. J'ai tout ce que je désire, tout ce dont j'ai besoin. N'en parlons plus.

Je ne pouvais voir son visage. La pénombre l'enveloppait. Mais il y avait de la tendresse dans sa voix.

Le lendemain, pour la première fois depuis plusieurs mois, elle me laissa seule. Je fis mes bagages et j'appelai un taxi. La veille, sans que je m'en rende compte, elle m'avait dit adieu.

J'avais toujours été convaincue de ne pouvoir me fier à aucun des membres de ma famille : mon père, à l'image de ses ancêtres ; ma mère, à l'image de mon père ; mon frère, un étranger. J'ai mis du temps à me rendre compte que ma mère était mon amie. Je ne crois pas qu'elle m'ait vraiment comprise, mais je faisais partie de ce qu'elle tolérait sans l'approuver. J'espère qu'un jour elle comprendra mon geste, mais je ne m'y attends pas. Je ne puis qu'espérer.

J'ai vécu à Tōkyō deux mois dans un appartement prêté par un ami de Kay. Kay me rendait visite de temps à autre. Nous n'avions rien à nous dire. Parce qu'il semblait mal à l'aise en ma compagnie, je me suis sentie mal à l'aise avec lui. Nous étions courtois l'un envers l'autre, comme des inconnus. La distance et les silences qui l'accompagnaient me déprimaient ; en retour, je déprimais Kay.

Un soir, après un dîner particulièrement silencieux, je lui demandai de me dire exactement ce qui n'allait pas.

— Rien, fit-il.

Puis il ferma les yeux et dit :

— Je ne peux pas écrire. Ton humeur m'affecte. Ce n'est pas bien.

Je ne sus que répondre. Il n'y avait rien à dire.

Il ouvrit ses yeux au blanc strié de veinules, aux paupières rougies, et parcourut lentement mon appartement du regard. Il ressemblait beaucoup au sien, les affiches de films, les piles de livres et de revues. Il avait lancé une mode parmi ses amis.

— Il y a autre chose, dit-il enfin. Je me demande… eh bien, crois-tu avoir eu raison de quitter la maison de ton père ?

Je l'ai regardé : je ne pouvais rien faire d'autre. La seule personne au monde en qui j'eusse confiance. J'ai dit :

— Keisuke, Keisuke.

Il est parti quelques minutes plus tard, après avoir déposé la vaisselle sale dans l'évier de la cuisine.

Ses visites s'espacèrent, puis cessèrent tout à fait. Sans lui, j'étais captive de la liberté à laquelle j'avais aspiré ; sans amis, sans guide, je pouvais faire ce que je voulais. « Sans lui » : l'ironie de la situation ne m'échappe pas.

J'ai trouvé du travail : pianiste dans un bar. Peu de temps après, j'ai loué un petit appartement et je me suis liée d'amitié avec quelques personnes, toutes plus ou moins associées au bar où je travaillais. Un soir, le propriétaire, un homme obèse accoutré à l'américaine, a insisté pour que je couche avec lui. Je n'y suis jamais retournée, si bien qu'un autre lieu s'ajoutait à la liste de ceux que je devais éviter, qu'il me fallait fuir.

À Tōkyō, l'anonymat est aisé ; il est facile d'être seul parmi la foule. Une ville immense et surpeuplée comme Tōkyō est plus propice à l'intimité que Yokohama, pourtant plus petite et moins survoltée. Tōkyō, la moins traditionnelle, la plus occidentale de nos villes, est celle où je me sens le plus en sécurité. Mais c'est toujours le Japon.

On m'invitait à des réceptions. Au Japon, les réceptions, comme les mariages, sont en réalité des occasions d'affaires. Les hommes assistent à des réceptions dans le but d'obtenir une promotion ou de conclure un marché. Les femmes sourient et assurent le service. Les hommes boivent et discutent. Quand ils ont assez bu, ils parlent de sexe et organisent des voyages de groupe en Corée où ils se procurent les services des prostituées d'un peuple qu'ils détestent.

Il fallait que je parte. J'ai d'abord pensé à l'Europe. Mais je me suis vite rendu compte que je devais éviter certains endroits, les destinations habituelles des Japonais : une grande partie de l'Europe, une grande partie des États-Unis, spécialement Boston, Philadelphie et New York. Si bien que j'ai acheté des chèques de voyage et un billet d'avion pour Toronto. Un terrain vierge, neuf. Je n'en attendais rien.

Lorsqu'ils songent au Canada, de nombreux Japonais imaginent la neige, les ours, les beaux paysages, les chutes du Niagara. Mais Toronto, une grande ville, plus grande que Tōkyō tout en étant moins peuplée, plus fleurie et plus verte, n'a suscité en moi aucune surprise. Je ne sais pas si c'était la faute de Toronto ou ma faute à moi. Probablement ma faute à moi.

J'ai loué une chambre dans une grande maison face à un parc. Ma logeuse, Mme Harris, habitait au rez-de-chaussée avec sa sœur, Mme Duncan, et son chat Ginger. C'était une petite femme d'une cinquantaine d'années aux cheveux trop blonds pour son âge.

— Nous sommes toutes veuves, dit-elle en souriant la première fois que j'ai pénétré dans sa maison.

— Le compagnon de Ginger est mort la semaine dernière. Une voiture, pauvre chéri.

Je l'ai trouvée étrange, mais puisqu'elle souriait souvent, elle avait de belles rides d'expression.

Je n'ai jamais vu les locataires du premier. Ils aimaient la musique rock. Leur stéréo restait allumée du matin au soir.

J'entendais rarement la musique, mais j'en étais toujours consciente en raison de la vibration des basses sous mes pieds, comme un cœur battant sous la moquette usée.

Deux petites chambres se partageaient le deuxième étage. J'ai loué l'une d'elles. Le plafond suivait les contours de la toiture, les murs blancs reflétaient le peu de soleil qui pénétrait par la petite fenêtre. Le mobilier était succinct : un lit, un fauteuil, une table avec une lampe. Ma fenêtre dominait la cime des arbres et, sur la gauche, je pouvais voir des courts de tennis clôturés. Parfois, par temps clair, je distinguais au loin le lac Ontario, un mince ruban bleu qui se confondait presque avec le ciel.

Je n'ai pas fait grand-chose les premières semaines. J'ai marché. J'ai visité les sites touristiques. J'ai appris à m'orienter dans la ville. Les dernières chaleurs de l'été déchiraient chaque jour le ciel. Cela m'épuisait, et je dormais beaucoup. Mes souvenirs de cette période sont insignifiants, ils sont tous arrondis aux angles, ils me paraissent doux.

Les week-ends, le parc était très fréquenté ; on venait s'y promener, y pique-niquer, y bavarder. Je m'asseyais à la fenêtre pour regarder les badauds, ces formes nombreuses en coutil bleu, en nuances de brun, parfois en rouge, en jaune ou en violet : aperçus de vie que je ne toucherais jamais, car je restais à ma fenêtre.

Je regardais. Je regardais. Je regardais.

Par un après-midi torride, alors que je rentrais chancelante de ma promenade, je croisai ma voisine de palier assise sur le petit balcon. C'était une grande femme aux cheveux roux et à la peau laiteuse. Son front luisait de sueur. Elle portait un t-shirt blanc léger et un short. Dans sa main droite, elle tenait une bouteille de bière décapsulée.

— Salut, dit-elle comme je montais les marches ; il fait chaud, n'est-ce pas ?

— Oui, fis-je en tendant la main vers la poignée de la porte.

Il ne faisait pas plus frais sur le balcon qu'en plein soleil, mais la chaleur était différente. Là-bas, le soleil vous brûlait comme une flamme ; ici, c'était un bain de vapeur. J'étais épuisée. Je ne tenais pas à dilapider mes dernières forces en bavardages. L'anglais était encore une langue difficile pour moi.

— C'est un sacré four là-haut, fit-elle en poussant une chaise vers moi ; merde, c'est un sacré four ici aussi. Mais au moins, on est dehors.

Je me suis assise. Nous nous étions croisées par deux fois déjà, mais chaque fois, elle était pressée. J'étais timide. Nous nous étions tout juste dit bonjour.

— Tu viens de Hong-Kong ?

— Non, de Tōkyō. Je suis japonaise.

De l'autre côté de la rue, l'herbe brunie du parc se tapissait dans l'ombre des arbres.

— Oh.

Elle sirota sa bière.

— Qu'est-ce que tu fais ici ?

— Je compte suivre des cours d'anglais.

Mes propos me surprirent. J'avais dit cela sans raison, ce n'était qu'une façon d'expliquer ma présence, mais en m'entendant parler, cela me sembla une bonne idée.

— Oh.

Silence. Une voiture passa en trombe dans un vacarme de musique.

— Toi, que fais-tu ? demandai-je enfin.

Il m'avait fallu beaucoup de courage.

— Je danse. Je suis danseuse. Mon nom est Sherry.

76

— Ballet ? Jazz ?

— Danse aux tables.

— Aux tables ?

— Dans une boîte de strip-tease.

— Qu'est-ce que c'est, « strip-tease », s'il te plaît ?

Elle rit.

— C'est un bar où des femmes comme moi se déshabillent. Pour les hommes.

— *Hai.* Oui. Je vois.

L'air lourd s'est enroulé autour de moi comme une serviette humide et, l'espace d'une seconde, j'ai respiré les embruns mazoutés du port de Yokohama.

— Excuse-moi, dis-je en me levant.

L'odeur, aussi brève et puissante qu'une vision, m'avait terrifiée.

Elle me regarda ouvrir la porte.

— Un sacré four, fit-elle.

Le lendemain j'ai parcouru les pages jaunes à la recherche d'une école, puis je me suis rendue à leurs bureaux. L'école était située en bordure de Yorkville, un quartier de boutiques et de restaurants chics. Il y avait foule sur les trottoirs : de nombreux jeunes aux coiffures et aux vêtements exquis ; de nombreuses personnes plus âgées qui s'efforçaient de ressembler aux plus jeunes. À une intersection, un jeune homme au visage de clown jonglait avec des balles de couleurs devant quelques badauds. Plus loin, un couple en tenue de soirée jouait du violon devant des passants pressés.

Je n'étais pas à mon aise parmi ces gens : leur nombre n'assurait pas mon anonymat. Tout le contraire, en fait. Par leur tenue, par leur comportement extravagant, ils cherchaient à se faire remarquer ; ils s'exhibaient. Je me hâtai vers l'édifice à bureaux où était située l'école, à travers le vestibule de marbre où se répercutaient mes pas, vers l'ascenseur où j'éprouvai enfin un certain soulagement.

Derrière la porte verte où n'apparaissait qu'un numéro, un homme aux cheveux gris, portant lunettes, était assis derrière un bureau. Devant lui, un téléphone, un cendrier où la cendre formait une petite montagne, un pile de papiers en désordre. Il jouait au Scrabble. De chaque côté du jeu, il y avait une série de jetons. Il était seul dans la pièce ; il faisait une partie avec lui-même, la main droite contre la main gauche.

— Bonjour, dit-il en se levant ; en quoi puis-je vous être utile ?

Son complet bleu foncé était blanc de craie sur les poches et à l'épaule gauche.

— Oui, s'il vous plaît, j'aimerais améliorer mon anglais.

Il m'offrit un siège et alla chercher du café dans la pièce attenante. Les murs du bureau étaient nus ; dans un coin, une plante grimpante aux feuilles ternies de poussière s'accrochait faiblement à un tuteur.

Il revint avec deux cafés. Il en posa un devant moi sur le bureau, l'autre sur la planche de Scrabble. En s'asseyant, il me demanda si j'étais de Hong-Kong. Puis il me parla de lui. Il connaissait un peu le français, un peu l'espagnol, un peu l'allemand. Il avait vécu et travaillé en beaucoup d'endroits. Il n'aimait pas la nourriture grecque, les chats et les cigarettes américaines. Au bout d'une heure, il me parla enfin de l'école et je m'inscrivis à des cours privés d'anglais.

J'ai commencé la semaine suivante. Mon professeur, un grand jeune homme moustachu et nerveux, étudiait à l'Université de Toronto. Il était pauvrement vêtu, si mince et pâle que parfois, sous l'éclairage au néon de la classe — un bureau, des chaises, des murs nus sauf le rectangle noir du tableau —, j'avais l'impression de voir à travers. Il m'a dit qu'il était végétarien.

Il voulait parler du Japon et du hara-kiri, mais il ignorait tout du Japon et du hara-kiri. Nous avons parlé de cuisine. Il prétendait qu'étant japonaise je ne mangeais jamais de pain, seulement du riz, des légumes et du poisson cru. Il ne voulait pas croire que j'avais goûté à mon premier Big Mac à Tōkyō. Tout à coup, il dit :

— Ahh, oui, je comprends. Vous succombez à l'impérialisme américain.

— Non, répliquai-je. Au goût agréable.

Il n'apprécia pas mon humour. Il s'irrita et mit sévèrement à l'épreuve ma connaissance de la grammaire et du vocabulaire, refusant de m'expliquer quoi que ce soit.

Ma vie prit son rythme de croisière : classe d'anglais tous les matins ; déjeuner léger, promenade dans l'après-midi ; retour chez moi pour une courte sieste ; dîner au restaurant, puis retour à ma chambre pour étudier et lire. Une vie facile, pas compliquée. Pour la première fois, la perspective du lendemain ne provoquait en moi aucune tension.

Je croisais parfois Sherry, ma voisine. Nous échangions quelques phrases polies. Un jour, elle me demanda ce que je pensais du parfum qu'elle venait d'acheter. Une autre fois, elle me montra un nouveau chemisier. Par ces brèves rencontres, j'en vins à me sentir à l'aise en sa compagnie et même à la trouver quelque peu sympathique.

La seule ombre au tableau, c'était mon cauchemar. Un cauchemar léger et vif, sporadique dans les premiers temps, puis de plus en plus fréquent : mon père et Keisuke, tous deux vêtus en samouraïs, debout sur une plage, le sabre dégainé, tandis que derrière eux la mer pleurait avec la voix de ma mère. Je m'éveillais la tête pleine de sanglots et je devais me répéter : *Je suis à Toronto. Je suis à Toronto.*

Toronto : une ville où ma personnalité pouvait s'exprimer librement ; ce n'était pas une ville de traditions dans un pays de traditions. C'était l'Amérique, dans le meilleur sens du terme pour nous, Japonais : propreté, sécurité, nouveauté. La vie vécue à l'abri des contraintes d'un passé accablant. Je n'oublierai jamais la joie que je ressentis lorsque, m'éveillant en sueur de mon mauvais rêve, je me rendis compte que j'étais une jeune femme et non pas presque une vieille fille, qu'un simple voyage en avion m'avait rajeunie.

Pendant deux mois j'ai connu un bonheur inimaginable, la joie d'une délivrance qu'aucune ombre du passé ne vient ternir.

À l'école, les mains du directeur continuaient de se défier l'une l'autre au Scrabble. Mon professeur perdit du poids, rasa sa moustache, la laissa repousser, lui ajouta une barbe. J'étudiais la grammaire, le vocabulaire, la structure de la phrase.

Je me sentais si heureuse que j'écrivis même une courte lettre à ma mère pour lui annoncer que tout allait bien.

L'été tirait à sa fin. De l'autre côté de la rue, les arbres avaient perdu un peu de leur vert ; la chaleur était moins intense et, la nuit, la fraîcheur était telle que je devais remonter sur moi le drap. À l'école, on m'affecta un nouveau professeur. L'autre était arrivé un beau matin le crâne rasé, revêtu de la toge saumon des adeptes d'un culte, et il s'était efforcé, pendant tout le cours, de me convaincre de renoncer à l'anglais en faveur de l'hindi. Il reçut son congé.

Un soir, je vis Sherry en entrant dans le restaurant où j'avais l'habitude de dîner. Cela m'étonna, car elle aurait dû être à son travail.

— Comment vont tes études d'anglais? dit-elle à voix forte en me faisant signe de m'asseoir à sa table.

— Très bien, merci. J'ai beaucoup appris. Comment vas-tu?

Je m'assis. Elle avait fini de manger. Son assiette tachée de ketchup était vide.

— Pas très bien. Je ne peux pas travailler.

— Je suis désolée. Tu es malade?

— Pas exactement. J'ai subi une opération.

— Ce n'est pas grave, j'espère.

Elle rit.

— Non. Les nichons.

— Excuse-moi, je ne comprends pas.

— Ils ont ouvert mes seins. Puis ils les ont nettoyés et remplis avec des poches de liquide. Les gros seins sont plus payants.

— *Hai.* Oui. Je vois.

J'avais soudain perdu l'appétit. Mon regard glissa malgré moi de ses yeux à la table.

Elle repoussa sa chaise et ramassa ses cigarettes.

— Ça fait mal, dit-elle.

La souffrance se lisait sur son visage.

— Je ferais mieux de m'en aller.

Elle se leva. Elle se tourna vers la lumière. Je vis ses yeux cernés, des rides que je n'avais jamais remarquées auparavant, et je m'aperçus que je ne l'avais encore jamais vue sans son maquillage. En filtrant à travers ses cheveux bouclés, la lumière les raréfiait, comme ceux d'une vieille femme.

— Salut, dit-elle.

— Oui, dors bien.

Je la regardai s'éloigner en emportant un peu de ma joie avec elle.

Deux semaines plus tard, je fus dérangée dans mes devoirs

par des bruits en provenance de la chambre de Sherry. Je déposai mon livre et tendis l'oreille. Au début, je n'entendis rien. Puis, un léger gémissement. Je m'inquiétai. Je m'approchai de la porte pour écouter. Un autre gémissement. J'ouvris la porte de ma chambre et, la tête dans le couloir, je dis :

— Sherry, qu'est-ce qui ne va pas, s'il te plaît ?

Je tendis l'oreille. Pas de réponse. Aucun bruit. Dans le doute, je refermai la porte et retournai à mes livres. Quelques minutes plus tard, la porte de la chambre de Sherry claqua et quelqu'un descendit rapidement l'escalier d'un pas lourd. La porte avant claqua aussi.

Celle de ma chambre s'ouvrit brusquement. Sherry entra d'un pas lent. Elle portait un peignoir.

— Alors, Miss Japon, tu es contente ?

Elle était calme, mais c'était un calme de colère, la même retenue qu'affichaient mon père et mon frère lorsque quelque chose les troublait.

— Pardon ?

Je déposai mes livres.

— Tu viens de me faire perdre deux cents dollars.

— Je ne comprends pas.

— *Qu'est-ce qui ne va pas, s'il te plaît, Sherry ?* fit-elle en m'imitant. Le gus a débandé. Tu t'imagines que j'ai eu mon argent ? Hein ? Deux cents dollars que j'ai perdus, ma fille.

— C'est quoi, un gus ?

— Putain ! Qu'est-ce qu'ils t'enseignent dans ton école de merde ?

J'étais très confuse.

— Je suis désolée, dis-je. Explique-moi, s'il te plaît.

— D'où est-ce que tu sors, espèce de dégénérée ?

Elle vira les talons et rentra dans sa chambre en claquant la porte.

82

Je me levai et refermai la porte de ma chambre. Il faisait froid. Je baissai la fenêtre et me couchai en tirant le drap jusque sous mon menton. Cette nuit-là, mon cauchemar revint : mon père, Keisuke, ma mère qui pleurait comme la mer.

Quand je rentrai de l'école le lendemain, ma logeuse, Mme Harris, m'invita dans la cuisine. Elle était assise à table avec Mme Duncan, son chat Ginger sur les genoux. Le petit appareil de télévision à côté du frigo était allumé, mais on en avait baissé le volume.

Mme Harris dit :

— À propos d'hier soir, ma petite, je voulais que tu saches que ça ne se reproduira plus. Sherry est partie. Je lui ai dit de s'en aller ce matin.

— Que s'est-il passé hier soir, s'il vous plaît ? Je ne comprends pas.

J'avais demandé une explication à mon professeur d'anglais, mais mon récit avait paru la troubler et elle s'était mise à parler du subjonctif.

— Mon Dieu, dit Mme Harris.

Elle échangea un regard avec Mme Duncan.

— Eh bien, ma petite, c'était une effeuilleuse. Sais-tu ce que cela signifie ?

— Je sais. Elle me l'a dit.

Mme Duncan me tendit une assiette de biscuits. J'en pris un.

— Et parfois, souvent même, comme je l'ai su ce matin, elle amenait des hommes à sa chambre. Ils lui donnaient de l'argent, tu vois. Pour… enfin, tu sais.

— *Hai.* Oui. Je vois.

Je compris, horrifiée, la raison des deux cents dollars.

— Mais elle est partie, maintenant, grâce à Dieu.

Je montai à ma chambre ; là où mes doigts le pressaient, le

biscuit était humide et mou. La porte de la chambre de Sherry était ouverte, le matelas nu, la commode et la table débarrassés de sa collection de fards et de parfums. La vibration de la stéréo des voisins d'en bas martelait mes pieds. Je me sentis tout à coup très seule.

À Toronto, le temps se mit au froid. Les arbres que je voyais de ma fenêtre virèrent au brun et à l'or, et une nuit de vent les dépouilla de tout signe de vie. Dans la distance, le lac devint une pellicule argentée sous le ciel lourd. Personne ne venait plus au parc. De ma fenêtre, tout n'était que désolation, arbres nus, herbe morte. Je regardais rarement dehors. Je mis fin à mes promenades de l'après-midi. Je rentrais directement de l'école à ma chambre.

De temps à autre, je bavardais avec Mme Harris et Mme Duncan. Elles passaient presque tous leurs après-midi dans la cuisine. Elles buvaient du café en grignotant des biscuits et se remémoraient leurs cavaliers du temps qu'elles étaient jeunes filles. Quelle différence avec ma mère qui ne pouvait jamais nommer ses anciens prétendants et qui n'avait aucune amie à qui se confier.

Tous les jours à quatre heures, Mme Harris allumait le petit téléviseur et elles fumaient en regardant un feuilleton. Parfois elles pleuraient un peu. J'ai souvent pensé, en les regardant se moucher, qu'elles ne pleuraient pas sur le destin des personnages mais sur leur propre sort, sur ces femmes qu'elles auraient pu devenir et sur celles qu'elles étaient devenues. Leur vie n'était pas aussi intéressante que celles qu'elles voyaient se dérouler à la télévision, tous les après-midi à quatre heures.

Je m'étonnais qu'elles ne m'aient jamais fait part de leurs prénoms. Comme si elles les avaient perdus. Par un après-midi froid et pluvieux, un de ces après-midi où les ombres flottent dans les airs, je demandai à Mme Harris pourquoi elle utilisait le nom de son mari.

Elle réfléchit une seconde en flattant le chat.

— C'est la coutume, ma petite. La coutume chrétienne.

— Oui, ma chère, ajouta Mme Duncan ; c'est aussi simple que cela. C'est ce que les femmes ont toujours fait.

— Et que devient votre propre nom ? Cesse-t-il d'avoir de l'importance ?

— Un nom est un nom est un nom, dit Mme Harris.

Elle alluma une cigarette et le chat sauta par terre en ronchonnant.

Je compris que Mme Harris n'appréciait pas mes questions.

— Pauvre Ginger, dit Mme Duncan ; elle ne ronronne plus.

— Elle ne mange pas non plus, dit Mme Harris.

Sa voix trahissait l'inquiétude.

Je montai à ma chambre. Par la fenêtre, le parc semblait triste et recroquevillé sous la pluie et le froid. Je songeai à Ginger, à ma mère, à Mme Harris et à Mme Duncan, et je me souvins de l'oiseau qui refusait de chanter.

Cette nuit-là, mon mauvais rêve revint me hanter, mais cette fois j'eus l'impression d'en faire partie avec ma mère, et je ne sus pas qui, d'elle ou de moi, pleurait comme la mer.

Deux jours plus tard, je reçus une lettre de ma mère. Je ne l'ouvris pas avant plusieurs heures : elle m'effrayait, j'avais peur de ce qu'elle dirait, ou pis, de ce qu'elle ne dirait pas. Finalement, je déchirai l'enveloppe.

La lettre était courte. Ma mère m'y apprenait que mon père, s'apercevant de ma disparition, n'avait rien dit, n'avait rien fait. Il n'avait même pas invoqué ses ancêtres. Elle disait qu'il ne prononçait jamais mon nom. Ensuite, elle m'expliquait brièvement mon propre mystère. Elle parlait de Michi, l'idole de mon père. Michi, disait ma mère, avait été une femme forte et indépendante, une femme de tête. Mon arrière-grand-père l'avait rouée de coups pour la soumettre ; à la fin, son petit-fils, mon père, était devenu sa seule raison de vivre. Ma mère n'en savait rien de plus, mais elle espérait que ce peu me viendrait en aide.

La lettre me rappelait une fois de plus la vie que j'étais parvenue à oublier depuis mon arrivée à Toronto. Elle me redisait que rien ne m'attendait ici, que cette liberté n'avait aucun fondement, qu'inévitablement un vol de vingt-quatre heures y mettrait fin. Je n'eus pas de cauchemar, cette nuit-là, car je ne dormis pas. Je passai la nuit à pleurer, et je ne comprenais pas pourquoi ce qui m'attristait le plus était le souvenir de mon père, saisi d'une quinte de toux devant son oratoire shintoïste.

Dépression : ce mot ne suffit pas à décrire ce qui s'empara de moi, ce qui agrippa mon cœur, mes poumons, mes entrailles. Cela ressemblait à une maladie, une maladie de l'âme.

Deux nuits plus tard, il neigea. Mes manteaux étaient trop légers pour le climat. Au lieu d'acheter un nouveau pardessus, je sortis mon billet de retour.

À mon arrivée à Tōkyō, il pleuvait.

Je suis maintenant professeur de langue, j'enseigne le japonais à des étrangers, surtout à des Américains. En retour, l'un d'eux me fait la conversation en anglais.

J'ai quitté la maison de mon père il y a plus d'un an. Depuis mon retour au Japon, je n'ai téléphoné à ma mère qu'une seule fois, pour entendre sa voix. Nous avons pleuré toutes les deux au téléphone, mais je ne lui ai pas dit où j'habite. Pas encore.

La mer ne pleure plus dans mes rêves. Au lieu de cela, certains matins, quand je m'éveille, mes joues sont mouillées de larmes et mon oreiller est humide. Je ne sais pas pourquoi.

Ou peut-être que si.

Il y a une expression qui dit : « Nul homme n'est une île. » Ou nulle femme. Les expressions ont toujours un fond de vérité, et en voilà bien une que j'aurais préféré ne jamais connaître, car elle jette un éclairage trop vif sur ce que j'en suis venue à comprendre : je suis une femme, je suis une femme japonaise — je me tourne toujours vers l'est quand j'avale un médicament — et les liens de la tradition m'enchaînent encore comme ils ont enchaîné Michi. Il ne suffit pas de se comprendre soi-même. Keisuke doit encore apprendre que son refus de laisser le passé empiéter sur l'avenir ne s'applique encore, dans mon pays, qu'à un seul sexe. C'est pourquoi, sans doute, je n'ai pas immédiatement compris sa poésie quand je l'ai lue ; elle m'était par trop étrangère. Keisuke d'un côté, mon père et mon frère de l'autre, mais ce sont toujours des hommes. Ils ont une phrase en commun : je suis japonais.

Comme le dit l'un de mes étudiants hommes d'affaires, je n'ai aucun don de chef. Je ne dirige rien, je n'ai jamais rien dirigé. J'ai toujours choisi l'évitement.

Ma vie serait plus facile si j'adhérais aux valeurs de mon père. Mais je ne peux pas y parvenir mécaniquement. Je ne suis pas une horloge. Pour m'y habituer, je suis un cours d'arrangements floraux. C'est un tout petit pas, mais il a son importance.

Car, je le crains, je retournerai un jour vivre dans la maison de mon père, je retournerai au *ko-to*, aux architectes ; je sais maintenant que la fidélité aux traditions a la culpabilité pour corollaire. Keisuke avait raison : je me sens coupable d'avoir trahi le nom de mon père et ses neuf générations d'ancêtres. Keisuke m'a aidée à prendre conscience de ma culpabilité, mais il ne m'a pas donné les moyens de composer avec elle. Là est sa véritable trahison, non pas dans le fait de m'avoir séduite.

Les traditions ont conçu ma cage. Mon père l'a construite. Keisuke l'a verrouillée. En retournant vivre dans la maison de mon père, je trahis la confiance de ma mère, mais c'est un fardeau moins lourd à porter que celui de neuf générations.

Je rangerai mon grand livre d'images : c'est un livre pour enfants. Je le garderai pour les miens, pour mes filles et mes fils. C'est à eux que je lègue mes rêves.

Entre-temps, je crée des arrangements de fleurs. Même une cage doit être jolie.

Insécurité

— C'est un endroit très peu sûr, ici, vous savez.

Alistair Ramgoolam croisa ses grosses jambes et sourit béatement, tandis que ses joues rondes, marquées par l'acné juvénile, tremblotaient sous l'effet de ses paroles.

— Vous débarquez ici, vous regardez autour de vous, vous voyez une très belle île, du soleil, des cocotiers, des plages. Mais moi, je vis ici et la réalité que j'aperçois est bien différente : je vois des étudiants d'université qui manifestent pour Marx et Castro ; je vois de plus en plus de policiers armés ; je vois des émeutes en ville ; je vois mes amis s'enfuir à Vancouver et à Miami. Alors, comprenez-vous, l'endroit est très peu sûr. C'est pourquoi je veux que vous déposiez l'argent que votre société me doit dans mon compte bancaire de Toronto. C'est mon assurance personnelle. La banque me préviendra que le dépôt a été fait et, ici, le gouvernement n'en saura rien.

L'affaire conclue, le visiteur empocha le numéro de compte de M. Ramgoolam et se leva pour prendre congé. Il demanda la permission de se servir du téléphone.

— J'aimerais appeler un taxi. Mon avion décolle tôt demain matin.

— Non, non.

M. Ramgoolam eut un geste impatient de son bras potelé.

— Vijay vous accompagnera en ville. Vous êtes descendu au Hilton, n'est-ce pas ?

Le visiteur acquiesça.

— Vijay ! Vijay !

Les cheveux argentés de M. Ramgoolam — que le moindre mouvement dérangeait, nota le visiteur — parurent tout à coup animés d'une vie propre.

La voix de Vijay résonna comme une cannette qui dégringole lorsqu'il répondit, irrité, des profondeurs de la maison.

— J'arrive, papa, j'arrive.

Le tic-toc de sa partie de tennis sur table se faisait toujours entendre quand M. Ramgoolam hurla, haletant : « Vijay ! »

Souriant toujours béatement, M. Ramgoolam se tourna vers son visiteur.

— Alors, quand reviendrez-vous dans notre île ?

Le visiteur haussa les épaules et sourit.

— Ça dépend de la compagnie. Probablement pas avant longtemps.

— Vous aimez trop Yonge Street pour la quitter de sitôt, hein ?

M. Ramgoolam ricana. Le visiteur sourit poliment.

Maigre comme un échalas et l'air furieux, Vijay entra dans le séjour en se traînant les pieds.

M. Ramgoolam accompagna le visiteur jusqu'à la voiture sport de Vijay, le modèle de l'année.

— Vous n'oublierez pas de remettre la lettre à mon fils, hein ? Souvenez-vous, Markham Street, l'adresse et le numéro de téléphone sont sur l'enveloppe. Vous n'oublierez pas, hein ?

— Je n'oublierai pas.

Ils se serrèrent la main.

M. Ramgoolam était rentré dans la maison avant que le

gravier craché par les pneus de la voiture n'ait eu le temps de retomber. Par la fenêtre munie d'un important système de sécurité, il regarda s'éloigner les phares du véhicule — Vijay avait encore appuyé à fond sur l'accélérateur, sans doute pour se faire valoir ; une autre petite conversation s'imposait. Hochant solennellement la tête, M. Ramgoolam marmonna : « Ce n'est décidément pas un endroit sûr, ici, non, pas du tout. »

Alistair Ramgoolam était un autodidacte qui s'enorgueillissait de son enfance démunie. Elle l'avait sauvé de l'indifférence qu'il décelait chez ses amis : leur dédain de l'île, leur mépris de son histoire. Il avait l'impression de très bien connaître l'île, son histoire et sa politique, son peuple et sa culture. Il avait mis au point un certain nombre d'« opinions » et d'anecdotes dans lesquelles il puisait pour animer les soirées entre amis. Il se désolait que ses points de vue et ses historiettes produisent rarement l'effet escompté et qu'elles suscitent plutôt un froid sarcasme. Il les avait réunies en un petit recueil publié à compte d'auteur. Mis à part ceux qu'il avait offerts en cadeau, les cinq cents exemplaires accumulaient de la poussière dans des caisses glissées sous la table de ping-pong.

M. Ramgoolam avait vu les Britanniques coloniser l'île et assisté au bal d'adieu donné en l'honneur du dernier gouverneur. Il avait été témoin de l'arrivée des Américains à la Seconde Guerre mondiale ; il les avait vus ériger leur base sur les meilleures terres agricoles du pays ; et il avait regardé partir les derniers d'entre eux, plus de vingt ans après la fin de la guerre, le drapeau américain bien à l'abri sous le bras du commandant. Il avait vu les Britanniques, dépouillés de leurs prérogatives, à peine respectés, abandonner l'île à son indépendance. Et il avait observé l'euphorie dégénérer rapidement en un carnaval où s'agitaient extrémistes et fous furieux.

Cette vie en marge des événements lui avait conféré, croyait-il, une connaissance et une compréhension certaines du passé. Mais le présent, son chaos et sa corruption lui échappaient. Cette dérive nourrissait en M. Ramgoolam un sentiment de malaise.

Il n'oublierait jamais un certain jour de la fin d'août 1969. Il était sorti de son bureau climatisé et s'était rendu au port pour rencontrer le douanier en chef. En sa qualité d'importateur d'aliments et de vins, M. Ramgoolam veillait au bonheur des agents responsables des différents timbres et tampons. Ce jour-là, tandis qu'il longeait le square central en hâtant le pas, un jeune Noir, cheveux vrillés en couettes rastas, lui fourra de force dans les mains un feuillet rose. C'était un tract socialiste, plein de mots nouveaux. M. Ramgoolam y avait jeté un regard irrité, noté plusieurs fautes d'orthographe, puis il avait chiffonné le papier et l'avait jeté sur le trottoir. Ensuite, se souvenant qu'il était membre du Comité pour la propreté de la ville à la chambre de commerce, il l'avait ramassé. Ce soir-là, il le retrouva dans la poche de son pantalon. Il le lissa, le lut, et conclut que ce n'était rien d'autre que de la subversion et de la trahison. Un peu plus tard, au cours d'une soirée, il exposa son point de vue à propos du socialisme. Il se fit répondre qu'il ennuyait tout le monde.

Peu de temps après cette réception, il y eut des émeutes et des manifestations — attribuables, selon les journaux et la télévision, au « Pouvoir noir ». Une fenêtre du magasin de M. Ramgoolam vola en éclats et ses murs furent recouverts des mots « Socialisme » et « Communisme ». Ces graffiti tourmentèrent tant M. Ramgoolam que ses derniers cheveux noirs en blanchirent.

M. Ramgoolam comprit que, aidé par un gouvernement inefficace et la présence accrue des militaires, le pays pourrait un jour subir des transformations si cataclysmiques que la seule issue résiderait dans la fuite. Sinon, que leur resterait-il, hormis la pauvreté ?

Il ne désirait pas connaître une fois de plus la pauvreté dans l'orgueil, comme lorsqu'il était enfant : la fierté est une chose, la stupidité une autre, et Alistair Ramgoolam était parfaitement conscient de la différence.

Il s'efforça de trouver des moyens de transférer en douce son argent dans un compte en banque illégal à l'étranger. Sa débrouillardise lui permit d'en découvrir plusieurs : acheter des chèques de voyage et des traites bancaires à ses amis ; faire en sorte que les sociétés qui lui devaient de l'argent versent ces sommes dans son compte illégal ; acheter des devises étrangères aux touristes moyennant un généreux taux de change. Le fils aîné de M. Ramgoolam étudiait à l'Université de Toronto ; il se chargea d'ouvrir le compte.

Le solde crût rapidement. M. Ramgoolam se lança dans l'exportation d'aliments et d'articles d'artisanat local, rabattant les prix qu'il déclarait au gouvernement de l'île et gonflant ceux qu'il facturait aux compagnies étrangères. La différence aboutissait à sa banque de Toronto. Chaque cent qu'il ne consacrait pas à sa vie de luxe servait à lui procurer des traites bancaires et des chèques de voyage.

Pour sa correspondance avec son fils, M. Ramgoolam ne s'en remettait pas au service postal officiel, peu sûr et chaque jour plus coûteux. Il sollicitait plutôt de petites faveurs de visiteurs amis ou de voyageurs inconnus de lui.

Avec les années, grâce à un commerce florissant et à des ententes toujours plus nombreuses avec l'étranger, le compte de M. Ramgoolam grossit et grossit, jusqu'à totaliser plus de quarante mille dollars.

Il se penchait sur ses livrets bancaires avec une grande

satisfaction. Si la fuite devenait nécessaire — et plus le temps passait, plus M. Ramgoolam était convaincu qu'elle le deviendrait —, son exil serait confortable.

Moins il se sentait en sécurité dans l'île, plus il se sentait en sécurité avec lui-même. Cette insécurité sécuritaire fit naître en lui une nouvelle attitude, une attitude dont il n'avait jusque-là encore jamais été conscient. L'île où il avait vu le jour, où il avait grandi et où il était devenu riche se mua par la pensée en une résidence provisoire. Son histoire cessa d'avoir de l'importance, son présent ne fut plus qu'un ensemble précaire d'intérêts qui ne manqueraient pas de s'écrouler un jour. Il était prêt pour le chaos ; en attendant ce jour fatidique, il ne lui restait plus qu'à jouir autant que possible de l'île. S'il mourait ici, ses petits-enfants, et même ses enfants, pourraient poursuivre le mouvement migratoire commencé en Inde par son grand-père, au cours duquel l'île se serait révélée rien de plus qu'une escale.

Quand le solde de son compte torontois eut atteint cinquante mille dollars, M. Ramgoolam reçut une lettre de son fils aîné. Celui-ci rappelait à son père que Vijay viendrait bientôt étudier à Toronto et que les cinquante mille dollars qui dormaient à la banque accumulaient de l'intérêt, bien sûr, mais très lentement. Ne serait-il pas préférable de les investir dans l'achat d'une maison ? Ainsi, Vijay — M. Ramgoolam constata que son aîné s'excluait mine de rien — n'aurait pas à débourser de loyer et, avec l'escalade des prix de l'immobilier à Toronto, la revente d'une modeste maison de cinquante mille dollars pourrait rapporter un profit très intéressant.

À sa première lecture de la lettre, M. Ramgoolam ricana. Son fils, si féru d'indépendance, s'efforçait de trouver un moyen de ne pas payer de loyer. Puis, un remous de colère sourde le parcourut : son fils avait toujours insisté pour être autonome, pour se débrouiller tout seul. Payer pour ce privilège, songea M. Ramgoolam, est la première condition de l'indépendance. Il chassa cette pensée de sa tête.

Le soir du même jour, avant d'aller dormir, il lut la lettre à voix haute à sa femme. C'était pour eux une vieille habitude. Elle se plaignait sans cesse de « ne pas avoir de bons yeux ». Ensuite, étendu sur son lit, il rumina les mots « profit très intéressant ».

— Tu vas l'acheter ? demanda sa femme.

— Ce n'est pas une mauvaise idée, dit-il. Je dois y réfléchir.

Quand il se leva le lendemain matin à quatre heures pour faire ses dévotions habituelles, la décision de M. Ramgoolam était prise. Il se promena dans le jardin et cueillit les fleurs humides de rosée qui orneraient les statuettes des divinités dans son petit oratoire particulier et, respirant l'air frais dans le clair-obscur de l'aurore, il se convainquit que la beauté du nouveau jour entérinait déjà sa décision.

Après une douche froide, M. Ramgoolam se ceignit la taille d'un dhoti en coton léger et se recueillit dans son oratoire, demandant à ses dieux de le bénir ainsi que sa femme, ses fils, et la nouvelle maison qu'il achèterait comptant, à Toronto. Il était d'avis qu'un marché béni des dieux était plus sûr que le contraire.

Il occupa le reste de la matinée à écrire à son fils en lui enjoignant de le consulter avant de conclure l'affaire. Il ne désirait pas que son fils, Torontois chevronné ou pas, se laisse avoir par un agent véreux. Il lui dit aussi que la maison devrait être dans le voisinage de l'établissement où allait étudier Vijay pour qu'il n'ait pas trop long à faire : une courte distance en autobus, ça pouvait toujours aller, mais son fils ne devait jamais oublier qu'un Ramgoolam se situait au-dessus des autobus et des trains.

C'était là un détail d'importance, songea M. Ramgoolam.

Cela forcerait sans doute son fils indépendant à viser un peu plus haut. Sans doute utilisait-il régulièrement les transports publics de Toronto, tandis que, dans l'île, il n'aurait jamais accepté de prendre place dans un autobus aux côtés d'un fermier en sueur. La lettre, espérait M. Ramgoolam, remémorerait à son fils aîné quelques-unes des valeurs familiales.

Il la remit à l'ami d'un ami d'un ami qui partait justement pour Toronto.

Une semaine s'écoula sans que M. Ramgoolam reçoive de nouvelles de son fils. L'inquiétude le gagna : si *lui* devait acheter une maison, on pouvait être certain que *lui* l'aurait déjà trouvée et aurait conclu la transaction. Ce fils n'avait aucun sens des affaires : ne savait-il donc pas que le temps, c'est de l'argent ? Une semaine pouvait leur coûter mille dollars ! M. Ramgoolam dit à sa femme :

— Pourquoi faut-il que ce soit avec *mon* argent qu'il apprenne à être indépendant ?

Il se promenait dans le jardin en s'inquiétant de son argent et en donnant des coups de pied dans l'herbe quand Vijay lui cria de la porte : « Papa, papa ! on te demande au téléphone de Toronto. »

M. Ramgoolam rentra en vitesse.

— Allô !

C'était l'agent immobilier.

— Acceptez-vous les frais d'appel ? demanda la téléphoniste.

Accepter les frais d'appel ? Un instant, M. Ramgoolam ne sut que répondre.

— Non.

Il raccrocha brutalement l'appareil. Il fixa sur Vijay, assis à la table, un regard dur.

— Quelle sorte d'homme d'affaires est-il ? Vouloir me

faire payer la communication. Il empoche mon argent et il s'attend en plus à ce que je paie la communication ? Il est fou, ou quoi, hein ?

Furieux, il sortit précipitamment dans le jardin. Vijay l'entendit marmonner par intervalles le qualificatif de « radin ».

Le téléphone sonna à nouveau une demi-heure plus tard.

Cette fois, c'était son fils qui appelait, heureusement à ses frais. La première chose que dit M Ramgoolam fut :

— Débarrasse-toi de cet agent. Je ne lui fais pas confiance. Trouve quelqu'un d'autre.

Le fils acquiesça. Puis il demanda à son père s'il consentirait à investir un peu plus de cinquante mille dollars, mettons soixante ou soixante-cinq. Seule une telle somme pourrait leur permettre d'acquérir une propriété bien située. Il serait toujours possible de trouver une bonne maison pour moins, mais Vijay devrait alors emprunter les transports publics.

M. Ramgoolam imagina Vijay dans un autobus bringuebalant aux côtés d'un marchand de poisson. Il en eut des sueurs froides.

— Une minute… d'accord, d'accord, soixante ou soixante-cinq. Mais pas un cent de plus. Et finalise le tout au plus vite. Le temps, c'est de l'argent, tu sais.

Les jours passèrent. Au bout d'une semaine, il n'avait pas encore eu de nouvelles de Toronto. L'inquiétude rongeait M. Ramgoolam. Que pouvait-il bien fabriquer, son vaurien de fils ? Il perdait son temps, comme d'habitude, il était sans doute occupé à acquérir son autonomie.

Une autre semaine s'écoula, et M. Ramgoolam se mit à ruminer cette histoire de maison à Toronto. Il ne parvenait pas à la chasser de son esprit. Il cessa de se rendre au bureau. Même la prière n'apaisait pas ses doutes. N'était-il pas préférable d'avoir de l'argent en banque, de le laisser accumuler de l'intérêt lentement mais sûrement? Et Vijay? L'argent du compte devait servir à payer ses études : maintenant, il devrait prendre de l'argent en partant, et M. Ramgoolam n'avait pas prévu cette éventualité. Par-dessus tout, la maison coûterait de dix à quinze mille dollars de plus que le montant dont il disposait à Toronto. C'était une grosse somme à faire sortir en fraude. Devrait-il prendre une hypothèque ? Il détestait les hypothèques et le crédit. Il détestait les dettes. N'achetez que si vous pouvez payer : c'était une autre de ses convictions.

Après trois jours encore et une nuit d'insomnie, M. Ramgoolam rampa hors du lit à trois heures et demie du matin. Mieux valait prier. La prière l'aidait toujours, elle l'apaisait, fût-ce un tout petit peu.

La lumière du matin était blafarde. Les fleurs qu'il cueillit trempées et flétries. Il heurta une pierre du pied et blasphéma tout bas, en hindi. Au lieu de lui procurer une sensation de fraîcheur, sa douche matinale le glaça.

Il pria. Son dhoti formait un drapé négligé ; ses dieux paraissaient tristes parmi les fleurs fanées.

Quand il en eut terminé de ses dévotions, il écrivit rapidement à son fils pour lui donner l'ordre de ne pas toucher à l'argent de la banque et d'oublier la maison. Il n'avait pas les moyens de faire une telle acquisition en ce moment, dit-il.

Il signa la lettre et cacheta l'enveloppe. Il se demanda brièvement s'il était préférable de téléphoner à son fils ou de lui envoyer un télégramme, mais il jugea cette dépense excessive. L'étape suivante consistait à trouver quelqu'un qui partait pour Toronto. Ce fut facile : le représentant de son plus gros client de Toronto, l'homme qui avait débarqué au Hilton, devait venir à la maison le soir même pour conclure un marché et noter le numéro du compte bancaire de Toronto. Il pourrait lui confier la lettre.

Cinq jours passèrent sans que M. Ramgoolam reçoive des nouvelles de son fils. Une fois de plus, l'inquiétude s'empara de lui. Cet imbécile ne pouvait-il donc l'appeler pour lui dire s'il avait bien reçu la lettre et si l'argent était en sécurité ? Il passa la matinée au lit à soigner son ulcère.

Le matin du sixième jour, le téléphone sonna.

— Allô, papa ?

La voix de son fils lui parvenait avec autant de clarté que s'il s'était trouvé de l'autre côté de la rue.

— Tu es maintenant l'heureux propriétaire d'une maison à Toronto. On a conclu la transaction hier. Tout est réglé.

M. Ramgoolam en resta bouche bée. Ses joues frémirent.

— Quoi ? Tu n'as pas reçu ma lettre ?

— Tu veux dire celle que m'a apportée le représentant de ton client ? Pas encore. Il ne m'a appelé qu'hier soir. J'irai chercher la lettre ce soir, avant d'aller au ballet.

— A-v-v-ant le ballet ?

Les doigts boudinés de M. Ramgoolam glissèrent le long de son visage en sueur. Son cœur martelait la graisse de sa poitrine.

— Oui, je vais au ballet ce soir. C'est une bonne nouvelle pour la maison, non ? J'ai fait exactement comme tu m'as demandé, papa. Je n'ai pas perdu une seconde. Comme tu dis toujours, le temps, c'est de l'argent.

— Oui, oui, dit M. Ramgoolam. Le temps, c'est de l'argent, mon garçon ; le temps, c'est de l'argent. Ce n'est pas un endroit sûr, ici, tu sais.

— Quoi ? fit son fils.

— Rien.

M. Ramgoolam passa une main tremblante dans ses cheveux.

— Au revoir.

Il raccrocha. Le parquet de bois dansait sous lui et, pendant un moment, il crut perdre pied, il crut que sa vie se liquéfiait. Il se représenta son fils dans le séjour de la maison de Toronto — il le vit assis, souriant, dans une pièce dont M. Ramgoolam connaissait l'existence sans pouvoir en imaginer les contours — et il comprit tout à coup où son fils était parvenu. Comme son père, qui avait pris ses distances de l'Inde, comme lui-même, qui s'était détaché à son tour du mode de vie paternel puis de sa propre vie d'insulaire, ainsi son fils avait-il repoussé les limites de son horizon. M. Ramgoolam avait pu imaginer son argent qui dormait dans une banque, il avait pu voir en pensée des liasses de coupures; mais cette maison, et son fils assis dans cette maison, des billets de théâtre dans les mains, tout cela était flou, brumeux, moins préhensible. Il se sentit abandonné, pris au piège entre l'image de son père et, bizarrement, celle de son fils. Et il sut que son insécurité, depuis toujours fondue dans le paysage qui l'entourait, dans les détails de son quotidien, cette insécurité s'était logée au tréfonds de son être. Ses jambes lui parurent soudain dépourvues d'os et de muscles, n'être rien que de molles enveloppes de peau.

Il ne lui restait plus qu'une chose à faire, il n'avait qu'un seul point d'appui. Il courut dans sa chambre et, repoussant sa femme, il s'habilla en vitesse. Puis il avala deux généreuses lampées de médicament pour l'estomac et appela Vijay pour qu'il le conduise en voiture à son bureau.

On peut mourir de bien des façons

Il pleuviotait encore quand Joseph fit cliquer le dernier cadenas de la porte. L'enseigne aux lettres dorées peintes à la main sur fond noir, recouvertes d'un vernis transparent afin qu'elles aient une apparence professionnelle, était pailletée d'eau et de saleté. Il tira un mouchoir froissé de la poche de son pantalon et nettoya soigneusement le lettrage : JOSEPH HEAVEN : INSTALLATION DE TAPIS ET DE MOQUETTES. L'idée des deux points venait de lui ; il les y avait mis malgré sa femme. La ponctuation, croyait-il, rendait l'énoncé plus fluide, inspirait confiance. Avec le sarcasme dont elle usait habituellement pour percer ses prétentions à jour, sa femme lui dit :

— C'est bien parfait pour Toronto, mais crois-tu vraiment que les gens d'ici se préoccupent de ce genre de choses ?

Mais c'était elle qu'on accusait de se donner des airs, pas lui. Lui était d'avis que ces deux points témoignaient de son excellent sens des affaires. En tant que principale bénéficiaire des profits, elle n'avait qu'à se la fermer.

Il avait oublié de prendre son parapluie là où il l'avait laissé le matin, à côté de la porte. Il tendit la main prudemment, paume en l'air, pour recevoir les gouttes tièdes comme du sang qui s'écoule d'une blessure. La pluie, en conclut-il, était trop légère pour qu'il se donne la peine de rouvrir la boutique, exercice toujours très compliqué en raison des serrures et des chaînes nombreuses. Cela non plus, elle n'aimait pas, son obsession de la sécurité, comme elle disait. Elle aurait préféré une devanture plus avenante, avec des fenêtres, des vitrines et des mannequins bien habillés au sourire terne.

— Elle ressemble à toutes les autres boutiques du coin, disait-elle ; un mur et une porte. Rien qui attire le regard.

— Tu veux des fenêtres et des vitrines ? Qu'est-ce qu'on y exposerait ? Mes outils ? Des broquettes ? Un couteau ?

De toute façon, tous ces cadenas étaient bons pour le commerce. Pas une semaine ne passait sans qu'il n'y eût un cambriolage dans les environs. Exposer les outils équivaudrait à tenter le diable, et il faisait sans cesse un cauchemar où un de ses couteaux servait à commettre un meurtre.

De l'autre côté de la rue luisante, si étroite en comparaison des larges avenues qu'il avait connues pendant six ans, les marchands de fringues se tenaient, inconsolables, devant leurs boutiques sombres, mains dans les poches, sifflotant et scrutant parfois le ciel gris pour y déceler l'embellie qui annoncerait le retour du beau temps et de la clientèle. Ils posaient sur lui des yeux vides. L'un d'eux montra du doigt sans grand enthousiasme des parapluies et des imperméables poussiéreux alignés comme des stalagtites. Joseph resta de marbre. Le marchand haussa les épaules et recommença à siffler une ritournelle indéfinissable, plaintive, entre ses dents serrées.

Joseph avait oublié la poisseur de l'île sous la pluie. On eût dit que la chaleur ne disparaissait jamais complètement pendant la nuit. Elle s'enfonçait à quelques centimètres sous terre, puis elle émergeait avec l'ondée du matin, emplissait l'air de condensation. Les récits dont il avait gratifié ses amis canadiens prenaient des allures de mensonge. La pluie matinale n'était pas aussi rafraîchissante que dans son souvenir, et il avait complètement oublié la chaleur poisseuse. Comment avait-il pu jurer que l'île n'était pas humide ? Pourquoi ne s'était-il souvenu en toute honnêteté que des douces brises tropicales quand, en vérité, celle qui l'enveloppait maintenant était suffocante ? Le climat était resté absolument le même, c'est sa mémoire qui s'était altérée.

Il marcha jusqu'au bout de la rue, sa chemise lui collait aux épaules. Le trottoir sombre, en mauvais état, semblait glisser sous ses pieds, comme s'il se mouvait de lui-même. Il grimaça, sentit la chair former des plis au coin de ses yeux, s'imagina vaguement en train de déambuler dans Bloor Street devant les magasins, les boulangeries, les delicatessens dégageant des arômes piquants d'Europe centrale tandis que les toitures des édifices à l'angle de Bloor et Yonge se perdaient dans la distance. Il pouvait même se remémorer les bruits de l'été torontois : les voitures, les voix, et, sous ses pieds, la vibration du métro qui filait vers le centre.

Joseph se secoua et ouvrit les yeux, non sans déception. L'hallucination revenait trop souvent, depuis trop longtemps. Il en avait honte et ne pouvait même se confier à sa femme. Il s'en méfiait, aussi : ce souvenir récent ne le trahissait-il pas autant que celui qui l'avait précédé ? Pouvait-on réellement apercevoir les toitures des édifices de Yonge depuis Bathurst ? Il voulait le demander à sa femme en prétextant qu'il ne se souvenait pas, mais elle devinerait sa nostalgie et le transpercerait encore de ses répliques sarcastiques. Elle le traiterait d'imbécile, et elle n'aurait pas tout à fait tort. Deux dislocations ne suffisaient-elles donc pas dans la vie d'un homme ? Une troisième ne prouverait-elle pas qu'il était idiot ?

Leur retour avait été jubilatoire. Parents et amis en avaient éprouvé un sentiment de triomphe qui entérinait la justesse de leur vie insulaire et recluse tout en confirmant l'échec de l'exil. Les premières semaines avaient été un tourbillon ininterrompu de réceptions, de dîners, de rencontres. Joseph eut l'impression d'être une bête curieuse, l'objet non pas du respect mais de la moquerie silencieuse des autres — à lui l'échec, à eux la victoire. L'île sembla se refermer sur lui.

Ils firent l'acquisition d'une maison dans la capitale. La ville n'était pas grande. Située à l'extrême nord-est de l'île, ayant à peine repoussé les limites de la colonie originelle établie par des aventuriers espagnols en quête de l'Eldorado, elle se tournait en permanence vers la mer, préservait son aura de petit havre, d'étape prodiguant un répit au cours d'un interminable périple.

Au début, Joseph s'était efforcé de nier cet aspect de la ville, car la ville et l'île ne faisaient qu'un et, si l'île n'était rien de plus qu'un modeste havre, une escale où rien d'important n'arrivait jamais, accepter la vie qu'elle offrait signifiait accepter une vie de second plan. Un homme qui avait occupé la première place ne pouvait être relégué à la seconde sans se leurrer : sa femme se donnait des airs et lui, il avait peint une enseigne noir et or.

Puis, l'hallucination avait pris forme, recréant Bloor Street, ravivant le souvenir des petits détails du quotidien. Il se surprit à revivre les moments les plus ordinaires : acheter du lait, tirer un journal de la boîte distributrice, glisser un jeton de métro dans la fente du tourniquet, s'asseoir sur un banc de parc. Un frisson le parcourait quand il se disait que ce n'était là qu'une ombre du passé, un passé sans doute à jamais révolu. Le souvenir de la politesse torontoise le troublait ; tout ça avait l'air si lointain maintenant. Il se remémorait le curieux bien-être si souvent ressenti à renseigner un étranger. Chaque indication donnée renforçait son sentiment de stabilité. Ici, dans une île si petite qu'on en faisait le tour en deux heures de voiture, personne ne vous demandait d'indications, personne n'était un étranger. Vous ne pouviez revendiquer l'île : l'île vous revendiquait.

Autrefois, tout le monde connaissait la rue où s'élevait leur maison. On la considérait avec un soupçon d'admiration envieuse, on avait pour elle la même affection que les insulaires éprouvaient pour les ministres du gouvernement et les fonctionnaires qui s'étaient tirés avec l'argent de la caisse : un enthousiasme émerveillé, un amour imparfait. La cause de ce ravissement ? Une maison, à cette époque un domaine, construite, selon la légende, par un général vénézuélien qui avait choisi pour des raisons mystérieuses une vie d'exil et d'anonymat à l'origine de nébuleuses rumeurs. Pour autant que le sût Joseph, personne n'avait jamais aperçu le général ; même son nom, Pacheco, n'était qu'un pseudonyme. C'est du moins ce que voulait la fable ; personne ne s'était jamais donné la peine de le vérifier.

Avec le temps, la maison prit le nom de Domaine Pacheco, et la rue devint la rue Pacheco. Désertée depuis longtemps, presque en ruine, la maison, disait-on, avait été signalée en passant dans un ouvrage écrit par un Britannique qui enquêtait sur les résidences célèbres de la région. Pour la première fois, l'île figurait dans un livre qui n'était pas un manuel d'histoire, pour la première fois, un auteur parlait de l'île hors du contexte de l'esclavage.

La maison était devenue la cible de la frustration des écoliers. Sur le chemin du retour, après l'école, Joseph et ses copains s'amusaient à lancer des pierres dans les fenêtres. Le bruit du verre fracassé résonnait encore faiblement dans son souvenir. Ils avaient baptisé chaque fenêtre du nom d'un de leurs professeurs, ce qui ravivait leur enthousiasme et raffermissait leurs tirs. La plus grande des fenêtres, au troisième étage — le grenier, il le savait maintenant, dans une île où les maisons étaient dépourvues de greniers —. reçut le nom de LeNoir, en hommage au prêtre le plus redouté des écoliers qui n'avaient pas la chance d'avoir une peau claire ou des dons pour le sport. Que ce prêtre fût noir les troublait encore davantage ; c'était un péché bien plus grave que sa vocation. Ils n'étaient jamais parvenus à briser la fenêtre LeNoir. Joseph aurait sans doute mis cet échec sur le compte de la protection divine s'il ne s'était pas très tôt éloigné de la religion. Cela s'était passé très simplement : lors de sa dernière communion, l'haleine fétide du prêtre l'avait envahi au moment même où celui-ci déposait sur sa langue la chair du Christ. Dès cet instant, Joseph confondit hostie et charogne.

La fenêtre LeNoir demeura intacte pendant de nombreuses années, et elle l'était toujours quand, après les examens de fin d'année, Joseph quitta l'île dans l'intention, croyait-il, de ne jamais revenir.

La pluie tombait dru, les gouttes faisaient des plops. L'une d'elles aboutit sur sa tempe et glissa sur sa joue. Il l'essuya et sentit la barbe piquante qu'il ne s'était pas donné la peine de raser le matin.

Le Domaine Pacheco se trouvait à quelques pas. Une jungle d'arbres et de buissons dissimulait les deux premiers étages, le jardin n'était plus qu'un amas de broussailles impénétrables. Par-dessus les arbres, les murs d'un rose éteint, vérolés par l'assaut des pierres et des mangues, avaient commencé à se désintégrer, et le mince crépi tombait par larges plaques en révélant la banale brique grise du dessous. Le crépi restant était lézardé, couvert de fissures dues à l'âge et à l'humidité.

Quand il était étudiant, le gouvernement entretenait le

terrain. Considérée comme une attraction touristique, la maison avait été reproduite dans des brochures et sur des affiches. On avait organisé dans toute l'île un concours de la meilleure rédaction intitulée « Le mystère du Domaine Pacheco », et publié le texte gagnant, tout de prose boursouflée où abondaient les termes « tropical », « verdoyant », « luxuriant » et « exotique », dans une brochure touristique. Mais les touristes ne suivirent pas. Le mystère devint un objet de gêne. Le gouvernement renonça discrètement au domaine. Les Jaycee, de jeunes hommes d'affaires en complets-veston et cravates, qui se démenaient malgré la chaleur, offrirent d'assumer son entretien. Le ministre du Tourisme déclina leur offre avec désinvolture et le ministre de la Culture marmonna inexplicablement les mots « horreur coloniale ». La maison fut abandonnée à ses fantômes.

De la rue, Joseph pouvait apercevoir la fenêtre LeNoir, encore intacte et maculée de saletés. Elle semblait toujours le narguer, et il s'en étonna.

Joseph demanda à son neveu — un garçon précoce qui aimait faire valoir sa connaissance du français et de l'espagnol et qui riait des tentatives maladroites de son oncle lorsque celui-ci s'efforçait de ressusciter les lambeaux de langue qu'il avait acquis dans les mêmes classes, souvent des mêmes professeurs — si les garçons lançaient encore des pierres dans les fenêtres du Domaine Pacheco. Non, lui avait-il répondu, après l'école ils courent voir des films de sexe et les plus vieux vont au bordel. Abasourdi, Joseph avait renoncé à pousser plus loin la conversation.

La pluie tourna au déluge, les gouttes chaudes et épaisses transperçaient ses vêtements, coulaient en rigoles sur son visage et dans son dos. Les arbres et les plantes folles du jardin de Pacheco oscillaient et ployaient sous le poids de l'eau, les feuilles luisaient faiblement dans la pénombre. Les murs roses s'assombrirent sous l'assaut de la pluie qui en dévorait le crépi. La fenêtre LeNoir n'était qu'une tache obscure ; il se souvint qu'on prétendait y avoir vu, la nuit, le visage spectral d'un personnage en uniforme militaire. Cette histoire avait enveloppé l'île de mystère, lui avait procuré une authentique maison hantée, et les jours de pluie, les écoliers qui venaient y lancer des pierres tremblaient de peur.

Sous le coup d'une impulsion soudaine, Joseph chercha une pierre sur le sol. Il ne trouva que de petits cailloux ; on avait depuis longtemps pavé l'accotement de gravier. Déjà les trottoirs se lézardaient par endroits, et de jeunes pousses d'herbe se frayaient un chemin dans les fissures comme des coins qui fendent le roc.

Il passa son chemin, indifférent à la pluie.

Plusieurs voitures étaient garées dans l'entrée de sa maison : celles des amies de sa femme venues en visite. Elles étaient sans doute assises dans le séjour, à boire du café, à déguster des gâteaux de chez Marcel et à feuilleter des catalogues de patrons *Vogue*. Joseph fit un pas en direction du garage afin d'entrer par la cuisine sans être vu. Puis, il se dit : « À quoi bon ? » Il enfonça la main dans sa poche — son argent était trempé et ses doigts déchirèrent le coin d'un billet — et il ouvrit calmement la porte de devant.

Sa femme était debout devant le faux foyer qu'elle avait à tout prix voulu rapporter de Toronto. Les lumières dansantes jetaient sur son caftan des reflets multicolores. Elle faillit laisser tomber sa tasse de café quand elle l'aperçut. Ses amies, troublées, le fixèrent depuis leurs chaises groupées autour de la cheminée.

— Joseph, dit sa femme avec impatience, que fais-tu ici ?

— J'habite ici.

— Et ton travail ?

— Aucun des gars n'est venu ce matin.

— Donc, tu as tout laissé tomber ?

— J'ai remis les travaux d'aujourd'hui à plus tard. Je ne pouvais pas tout faire tout seul.

Elle posa sa tasse sur le manteau de la cheminée.

— Va te sécher. Tu mouilles le plancher.

— Ça vaut mieux que de mouiller son lit, dit son amie Arlene.

Elles éclatèrent toutes de rire.

— C'est ce qu'il faisait quand il était petit, dit sa femme ; n'est-ce pas, Joseph ?

Elle regarda ses amies avant de poursuivre :

— Vous comprenez, c'est si difficile de trouver de bons ouvriers. Joseph a déjà dû congédier trois hommes. On dirait bien qu'il va devoir congédier les autres.

— C'est si difficile de trouver de l'aide, de nos jours, dit Arlene.

— Ils sont comme ça, tu sais, ma fille, dit la femme de Joseph ; ils ne tiennent pas du tout à travailler.

— Ils ont peur de fondre comme du chocolat sous la pluie, dit Arlene.

Sa femme se tourna vers lui.

— Tu veux dire qu'aucun des douze ne s'est présenté au travail ce matin ?

— Pas un seul.

Arlene, noire et potelée, inspira entre ses dents, fit claquer sa langue et se tapota les joues.

— Arrête, fit Joseph. Tu as l'air d'un singe.

Sa femme et Arlene le fixèrent, éberluées. Les autres se contentèrent de boire leur café ou de regarder le foyer d'un œil indifférent.

— Je ne supporte pas les imbéciles, dit Arlene avec mépris.

— Dommage. Tu dois détester être seule avec toi-même.

— Joseph ! s'écria sa femme.

— Je ferais mieux d'aller me sécher, fit-il.

Toujours dégoulinant, il s'en fut vers la chambre à coucher. Parvenu à la porte, il s'arrêta et dit :

— Les gens devraient faire attention quand ils parlent des autres. Vous savez, la paille et la poutre…

Il se sentit tout à coup très las : à quoi bon ? Tous connaissaient l'histoire d'Arlene. Elle avait travaillé comme domestique, carrière rendue fluctuante par la pluie et les maladies imaginaires ; elle n'était en rien différente des employés de Joseph. Si elle jouissait aujourd'hui d'une vie meilleure, c'était uniquement parce que son mari — que l'on qualifiait dans son dos de « travailleur occasionnel », parce qu'il travaillait à l'occasion — avait été nommé ministre sans portefeuille du gouvernement. Depuis, il ne travaillait plus du tout et il avait perdu son sobriquet, mais il avait gagné en revanche un chèque de paye, une voiture, un chauffeur et la respectabilité douteuse d'un poste politique.

Joseph claqua la porte de la chambre et colla son oreille au trou de la serrure : raclements de gorge ; froissements de pages du catalogue *Vogue*. Enfin, sa femme dit :

— Venez voir ce patron.

Roucoulements de oohh et de aahh.

— Regardez celui-ci, dit Arlene.

Il donna un coup de pied dans la porte et jeta sa chemise trempée sur le lit.

La pluie avait cessé et le ciel s'était un peu dégagé. Sa femme et ses amies occupaient toujours le séjour. Il n'était pas encore midi. Ses vêtements avaient formé une tache d'humidité sur son côté du lit ; il savait qu'à l'heure du coucher elle ne serait pas encore sèche. Il passa des vêtements propres, s'assit sur le bord du lit et frotta la plaque humide comme pour la faire disparaître. Il tendit les bras et ouvrit les rideaux : un ciel gris parcouru de nuages ; une végétation trempée et lourde comme des vêtements sur une corde à linge ; le toit du Domaine Pacheco, fer galvanisé rouillé de part en part, si mince par endroits qu'une goutte de pluie suffirait à en projeter de grands éclats à l'intérieur où, à part les chauves-souris, on n'entendait sans doute rien d'autre que l'écho de cette désagrégation. Le domaine ressemblait à un moribond qui entend son propre cœur cesser de battre.

Joseph eut l'impression que quelque chose manquait : les mouches à pluie, ces créatures délicates semblables à des fourmis, aux ailes brunes, dépourvues de dard. Sans défense, les ailes fixées au corps par le plus fragile des liens, elles se désintégraient au moindre contact. Après une pluie particulièrement dense, leurs ailes tombées, presque transparentes, recouvraient le sol et adhéraient aux pieds humides comme la poussière à la laine. Enfant, il les leur arrachait, déposait les insectes ainsi amputés sur la table et les regardait ramper désespérément comme elles s'efforçaient en vain de s'envoler. Parfois, il attachait un insecte au bout d'un long fil, puis il le relâchait et dirigeait son vol. Ces jeux n'avaient pour lui rien de cruel. Ses amis aimaient écraser les mouches, les faire périr par le feu ou les brûler avec la braise ardente d'une cigarette. Si Joseph avait torturé les insectes, il n'avait jamais pu se résoudre à en tuer un.

Aucune mouche à pluie en vue. Pour tout mouvement, celui des nuages et celui de l'eau. En ville, les insectes avaient été exterminés cavalièrement sur une longue période. Ils lui manquaient.

Il entendit sa femme inviter ses amies à passer à table. Il

111

s'attendit un peu à ce qu'elle l'appelle aussi, mais elle n'en fit rien ; il aurait aussi bien pu ne pas exister. Il attendit encore quelques minutes jusqu'à ce que toutes aient émigré dans la salle à manger, puis il se glissa dehors.

L'eau gargouillait dans les canivaux, vrombissait à travers les grillages des bouches d'égout. Dans la rue, ventre en l'air, trempé et collant, un chien mort, comme on en voyait souvent. Les automobilistes ne se donnaient même plus la peine de freiner.

Joseph marcha sans but, traversa des rues et des quartiers, croisa des piétons et se fit dépasser par des voitures. Il ne remarquait rien. Ses pensées erraient à des milliers de kilomètres, dans Bloor Street, dans Yonge Street, au milieu des étals du marché Kensington.

Il était parvenu au square National quand la pluie se remit à le bombarder. Il trouva un abri sous l'auvent d'une boutique, s'y réfugia, croisa les bras et regarda la pluie, les parapluies et les imperméables. Un homme passa à la hâte devant lui, un mouchoir étroitement noué sur sa tête pour se protéger du déluge. Précaution inutile qui rappela à Joseph les admonestations de sa grand-mère lorsqu'elle lui conseillait de ne jamais sortir nu-tête le soir, « à cause de la rosée ».

Au square National battait le pouls de la ville. Des voitures y filaient pleins gaz en klaxonnant, éclaboussaient les trottoirs. Une charrette tirée par un âne, chargée de noix de coco, se dirigeait bruyamment vers le Savannah, un grand jardin plat au nord de la ville où l'on organisait des courses de chevaux à l'époque de Noël. Des conducteurs impatients durent ramper derrière la charrette, tandis que ceux du devant quittaient de temps à autre la file dans l'espoir de doubler.

Joseph regarda sa montre. Il était presque midi trente. Il décida d'aller casser la croûte. Il y avait à l'angle un boui-boui que fréquentaient les fonctionnaires et les employés de banques dont les bureaux bordaient le square. Mains sur la tête en guise de parapluie, Joseph fonça dans la tourmente en direction du restaurant.

L'intérieur était sombre, malgré le réseau compliqué de tubes au néon. Les murs étaient couverts d'annonces de boissons gazeuses et d'affiches touristiques. Sur l'une d'elles, une plage interminable ombragée de cocotiers languides et, en grandes lettres cursives, ceci : « Bienvenue sous le soleil des Caraïbes ». Les mots agirent comme un électrochoc. Joseph résista à l'envie de déchirer l'affiche.

Des tables en métal vert étaient alignées contre un des murs. Quelques clients étaient assis, cravate lâche, sans veston ; ils buvaient de la bière en fumant et en conversant à voix basse.

Tout au fond, à une table que se disputaient des bouteilles vides et un cendrier trop plein, Joseph aperçut un visage familier. Plus ridé, les traits plus tirés que lorsqu'il l'avait connu. Les yeux avaient perdu leur lueur d'intelligence. Mais Joseph était certain de ne pas se tromper. Il s'approcha de l'homme et dit : « Frankie ? »

Frankie leva les yeux lentement, malgré lui, comme si on le tirait d'un rêve éveillé.

— Oui ? fit-il.

Puis, son visage s'illumina.

— Joseph ? Joseph !

Il sauta sur ses pieds en renversant sa chaise. Il saisit la main de Joseph.

— Comment vas-tu, man ? Ça fait des années et des années. Comment vas-tu ?

Il poussa Joseph vers une chaise et, d'une voix énergique, il commanda deux bières. Il alluma une cigarette. Sa main tremblait.

— Tu fumes maintenant, Frankie?

— Ça fait longtemps, man. Et toi?

Joseph hocha la tête.

— Mais est-ce que tu n'es pas allé au Canada? Il me semble qu'on m'avait dit…

— J'y suis allé et j'en suis revenu. C'est comme ça. Et toi? Comment la vie te traite-t-elle?

— Je travaille dans une banque. Agent de crédit.

— C'est bien?

— Pas trop mal.

Joseph but une gorgée de bière. Quelque chose clochait. Ils auraient pourtant eu tant de choses à dire, tant de choses à entendre. Frankie avait été son meilleur ami. Il était le type le plus intelligent que Joseph ait connu. Ce boui-boui était bien le dernier endroit où il se serait attendu à le rencontrer. Frankie rêvait d'étudier à l'université pour devenir professeur. Dans le temps, cette carrière semblait taillée sur mesure pour lui.

Frankie aspira une longue bouffée de sa cigarette; ce faisant, il en froissa et en aplatit le cylindre.

— C'était comment, le Canada? fit-il.

Mais avant que Joseph eût pu répondre, il ajouta:

— Tu n'aurais pas dû revenir. Pourquoi es-tu revenu? Grave erreur.

Il examina sa cigarette.

L'absence d'émotion dans la voix de Frankie affligea Joseph. C'était la voix d'un homme défait.

— Il était temps que je revienne, dit-il.

Frankie s'appuya au dossier de sa chaise et projeta lentement des ronds de fumée en direction de Joseph. Il avait l'air de réfléchir à ce qu'il venait d'entendre.

— Qu'est-ce que tu faisais là-haut? fit-il.

— J'avais une entreprise. J'installais des tapis et des moquettes. Un bon petit business. C'est mon associé qui s'en occupe maintenant.

Frankie regarda ailleurs, vers la porte. Il ne dit rien.

— Est-ce qu'il t'arrive de revoir des copains de l'école? dit Joseph.

Frankie agita sa cigarette.

— De temps en temps. Tu sais, Raffique est mort. Jonesy aussi; et Dell.

Joseph se remémora le visage des garçons vêtus de leur uniforme d'écolier. Il ne parvenait pas à les associer à un événement comme la mort.

— Comment?

— Raffique dans un accident de voiture. Jonesy s'est ouvert les veines à cause d'une femme. Dell... je n'en sais rien. On peut mourir de bien des façons. Ils l'ont trouvé mort dans les toilettes d'un cinéma. Il y avait une fille avec lui. Toute nue. Elle vivait encore. Ils l'ont enfermée chez les fous.

— Et les autres?

Joseph ne voulait pas penser aux disparus. Leur mort emportait avec elle un peu de sa propre vie.

— Les autres? Il y en a qui font quelque chose. D'autres qui ne font rien. Ça n'a pas d'importance.

— Tu n'es pas allé à l'université, dit Joseph.

Frankie rit.

— Non, je n'y suis pas allé.

Joseph attendit une explication. Elle ne vint pas.

— Mais pourquoi es-tu parti du Canada? dit Frankie. Et ne viens pas me raconter qu'« il était temps que tu partes ».

Joseph se frotta le visage, parcourut les rondeurs mal rasées de son menton.

— J'avais dans l'idée de lancer une affaire, de créer des emplois, d'aider mon peuple.

Frankie eut un rire moqueur.

— J'aurais dû me douter que ça ne servait à rien, dit Joseph. On a organisé une fête avant notre départ. Un ami m'a posé la même question. Je lui ai répondu la même chose. Il a dit que c'était de la frime et que tout ce que je voulais, c'était gagner beaucoup d'argent et faire la belle vie. Nous nous sommes querellés et je l'ai foutu à la porte. Le lendemain matin, il m'a téléphoné pour s'excuser. Il pleurait. Il a dit qu'il était jaloux.

Joseph prit encore une gorgée de bière tiède dans le verre embué.

— Pauvre con.

Frankie rit une fois de plus.

— Je ne te crois pas. Tu veux dire que tu as été assez courageux pour partir *et* assez fou pour revenir ici?

Il frappa la table du plat de la main; elle vacilla et une bouteille de bière vide tomba sur le côté.

— C'était toi, l'idéaliste, Joseph. Moi, j'étais plus réaliste. Et moins courageux. C'est pour ça que je ne suis jamais parti.

— Ça fait des années qu'on ne m'a pas qualifié d'idéaliste.

Sa phrase lui parut plus moqueuse que le rire de Frankie.

— Et maintenant, te voilà coincé ici à tout jamais, dit Frankie.

Il secoua vigoureusement la tête, comme un homme ivre.

— Une grave erreur. Une erreur d'idéaliste, Joseph.

— Je ne suis pas coincé ici.

Le soulagement que cette pensée lui apportait le surprit.

— Je peux retourner là-bas quand ça me chante.

— Alors, vas-y.

Frankie avait parlé d'une voix pâteuse, un tantinet agressive.

Joseph hocha la tête. Il regarda sa montre.

— Il est presque une heure, dit-il. Est-ce que tu ne devrais pas retourner travailler ?

Frankie commanda une autre bière.

— La banque ne s'effondrera pas si je n'y suis pas.

— Autrefois, nous pensions que, sans nous, le monde s'écroulerait.

— Ça fait un bail. On était des imbéciles.

Frankie alluma une autre cigarette. Sa main tremblait beaucoup.

— Ici, on serait fou de croire qu'il y a de la place pour nous dans le monde, dans le vaste monde.

— Tu aurais pu devenir historien, dit Joseph. L'histoire était ta matière forte, non ?

— Ouais.

— Tu t'intéresses toujours à l'histoire ?

— Des fois oui, des fois non. J'ai essayé d'écrire un livre. Personne n'a voulu le publier.

— Pourquoi pas ?

— Parce que notre histoire ne mène nulle part. C'est juste un grand trou noir. Un livre à propos d'un trou, ça n'intéresse personne.

— Connais-tu l'histoire du Domaine Pacheco ?

— Le Domaine Pacheco ? Un peu.

— Par exemple ?

— Le type n'était pas un général vénézuélien. Juste un vieux fou, un Argentin. Il était riche. Je ne sais pas pourquoi il est venu ici. Il a vécu dans la maison un bout de temps, puis il est mort, tout seul. Ils ont trouvé son cadavre deux semaines plus tard ; pourri et puant. Il paraît qu'il s'était recouvert le corps avec de vieux sacs de cacao, même la tête. Je pense qu'il savait qu'il allait mourir et qu'après avoir vécu seul tout ce temps il ne supportait pas qu'on le voie dans cet état. Il était fou,

117

probablement. Ils l'ont enterré dans le jardin et ils ont planté un petit écriteau. Il ne s'appelait pas Pacheco, d'ailleurs, c'étaient les gens qui l'appelaient ainsi. Ils avaient pris ce nom dans un film de cow-boys. J'ai oublié comment il s'appelait, mais ce n'est pas important. Pacheco est un nom qui en vaut bien d'autres.

— C'est tout ? Et la maison ?

— C'est tout. La maison, c'est juste une maison. Rien de spécial.

Frankie jeta dans sa bouteille de bière sa cigarette à moitié consumée ; elle grésilla un moment. Il poursuivit :

— R.I.P. Pacheco, sa maison et toutes les autres merdes.

Il glissa une autre cigarette entre ses lèvres, elle retomba sur son menton en repoussant vers le haut sa lèvre supérieure, lui donnant l'air d'avoir des dents de lapin. Sa main tremblait si fort qu'il ne parvenait pas à frotter l'allumette. Ses yeux croisèrent ceux de Joseph.

Joseph ne put soutenir son regard. Il tressaillit.

— Je dois partir, fit-il.

Frankie le salua de la main.

Joseph repoussa sa chaise. Frankie ne le regardait déjà plus, ses yeux injectés de sang semblaient perdus dans le chaos de son esprit.

Joseph désigna l'affiche touristique et proposa au barman de la lui acheter pour cinq dollars. L'homme, obèse, malpropre, la peau grasse, dit : « Non. »

Joseph lui en offrit dix dollars.

Le barman refusa encore.

Joseph comprit : l'affiche faisait partie du mensonge nécessaire.

Le ciel bas était couvert de nuages gris et lourds. Les collines, au nord, à demi masquées par les toits multicolores des

118

bidonvilles, leur pauvreté visible même d'aussi loin, étaient enveloppées de brume comme si la fumée d'un brasier éteint depuis peu ne s'était pas encore dissipée.

Quelques-uns de ses ouvriers vivaient là-bas dans de minables taudis d'une pièce, à trois cents mètres d'un tuyau d'eau potable couvert de mousse. Un temps, la vue de ces taudis avait éveillé la pitié de Joseph. Il était revenu dans l'île, croyait-il, surtout à cause d'eux. C'était vrai qu'il avait dit : « Je veux aider mon peuple. » Mais cette phrase pompeuse et naïve n'était maintenant pour lui qu'un souvenir honteux, comme la première vie de la femme du ministre.

Mais ce n'était pas tout, il le savait. Il avait espéré une sorte de gloire, le triomphe absolu de l'enfant prodigue qui, doté de son nouveau savoir, fait profiter les siens de sa fortune et de sa sagesse. Il avait cru au caractère exceptionnel de son retour, mais ses espoirs avaient été déçus. Tout le monde connaissait quelqu'un qui était un jour rentré de l'étranger — d'Angleterre, du Canada, des États-Unis. Il en vint à détester les phrases toutes faites qu'on lui servait : « À chaque oiseau son nid est beau ; cette île est un véritable Éden ; la vraie vie est ici. » Les petits mensonges du doute et de la peur.

Une chaîne fermait la grille du Domaine Pacheco, mais il n'y avait pas de cadenas : négligence et abandon. La chaîne, épaisse et rouillée, glissa facilement par terre, laissant sur ses doigts une trace grumeleuse d'oxyde de fer. La grille s'ouvrit à peine, freinée par de hautes tiges lancéolées qui s'emmêlaient à sa base. Il se glissa par l'étroite ouverture, les rudes piliers de ciment lui râpèrent le dos, le métal macula sa chemise de rouille. Au-delà de la grille, des herbes folles, trempées et luisantes, enveloppèrent ses jambes jusqu'aux genoux. Quelque peu en retrait, les arbres touffus, solennels, immobiles, conféraient au jardin le calme écrasant d'une jungle.

Marcher, se frayer un chemin, lui coûta un certain effort. La végétation ne cherchait pas tant à repousser les intrus qu'à leur faire obstacle, à leur opposer une sorte de lassitude tropicale. Joseph levait haut la jambe, se dégageait de l'enchevêtrement de vignes, de racines et de ronces, puis laissait retomber lourdement à chaque pas son pied botté, écrasant les feuilles en de petits amas juteux vert et brun, semant une confusion panique dans les colonies souterraines de fourmis. Devant lui, des papillons, tels ces pâtés de couleur qui festonnent la toile d'un peintre, s'enfuirent en voletant, et des grillons, dont les ailes s'entrechoquaient comme des retailles de soie rigide, bondirent en stridulant d'une tige à l'autre, évitant de justesse les sauterelles qui cherchaient aussi à s'enfuir. Une locuste aussi longue et aussi grosse que sa main enfonça ses pinces à travers sa chemise et lui piqua légèrement la peau. Il lui administra une puissante chiquenaude qui la décapita ; le corps se détendit et tomba par terre.

Passé les arbres, Joseph trouva la maison. Il constata que la pierre des fondations était couverte de boue verte et gluante, et que le mur, dont la monotonie était seulement interrompue par une ouverture béante qui avait naguère été une fenêtre, avait perdu toute sa couleur. Il se fraya un chemin jusqu'à l'ouverture et jeta un coup d'œil dans la pénombre d'une vaste pièce. Il enjamba l'appui avec précaution, s'assurant de la solidité du parquet. Les lattes gémirent, mais elles tinrent bon.

La pièce le déçut. Il ignorait ce qu'il aurait souhaité y trouver — il n'y avait pas vraiment songé —, mais le vide engendrait un singulier désespoir. Il eut l'impression que cette pièce avait toujours été vide, qu'aucune émotion, qu'aucun bruit ne l'avait jamais habitée, qu'elle ressemblait à une vieille fille abandonnée en marge de la vie. Il était conscient d'une odeur âcre de végétation récemment troublée, mais il ignorait si elle venait de lui ou de la fenêtre béante.

Il passa dans l'autre pièce, les lattes du parquet grincèrent sous ses pas mesurés ; encore un espace vide, dépourvu de caractère, presque informe dans son abandon. Un escalier menait à l'étage, à une autre pièce vide, massive, poussiéreuse, où des toiles d'araignées traçaient des motifs géométriques fous sur les parois et le plafond. Les lattes du plancher se soulevaient dans les coins. Il se demanda pourquoi on avait retiré toutes les portes, et qui pouvait bien les avoir enlevées. Mais la maison en avait-elle déjà eu ? Peut-être n'avait-elle jamais été qu'un vaste néant ouvert, dont les pièces ne servaient à rien, dont la façade laissait croire au mystère et l'intérieur tuait toute forme d'espoir ?

Il avait souhaité y découvrir un reste de la vie de Pacheco, un infime témoignage de son existence, un lit peut-être, ou un portrait, ou même un unique graffiti. Mais n'eût été la maison elle-même, cette coquille vide tombant irrévocablement en ruine, et des débris d'une rumeur publique qui s'estompait comme les contours d'un rêve, Pacheco aurait aussi bien pu ne jamais exister. Les reliques que le gouvernement aurait pu préserver avaient depuis longtemps été chapardées, sans doute par les derniers ouvriers, ceux-là mêmes qui avaient cavalièrement posé une chaîne à la grille, mettant ainsi un point final à une vie humaine.

Joseph se promena dans la pièce. Ses pas se répercutaient comme des coups de tambour. Sur chaque mur, une fenêtre aux vitres fracassées ; il se pencha à toutes. Il vit une végétation touffue, la jungle qui s'emparait de cet unique lopin de verdure en pleine ville : un panorama que les brochures touristiques auraient qualifié de *luxuriant* et de *tropical,* deux adjectifs qu'il en était venu à haïr. En regardant ainsi dehors, en se remémorant les jardins manucurés de sa jeunesse, il se sentit prisonnier, isolé, un homme dans une île dans une île. Il se demanda pourquoi des gens payaient pour visiter un pareil endroit. La réponse lui vint : le touriste ne s'attendait pas à trouver de la vie ici ; il ne cherchait qu'un simulacre d'aventure ; son billet de retour et son passeport étaient ses gages de sécurité.

Il n'y avait aucun accès au grenier où se trouvait la fenêtre LeNoir. Autre déception : la cible de leur vandalisme d'adolescents donnait sur une pièce autrement sans issue, privée d'air, dégageant un relent de moisi et sans doute imprégnée d'urine de chauves-souris.

Il redescendit l'escalier et sortit par l'enfonçure de la porte principale. L'air était chaud et poisseux ; l'odeur végétale, rendue plus âcre par l'humidité, le prit à la gorge.

Selon Frankie, Pacheco avait été inhumé dans le jardin et un écriteau marquait l'emplacement de sa tombe. Joseph n'avait aucun espoir de la trouver. Tout n'était qu'un amas broussailleux : le jardin, les fleurs, l'ancienne allée des voitures, la tombe de Pacheco, Pacheco lui-même, ce mystérieux Sud-Américain dont le dernier geste fut d'enfouir son nom et sa vie sous un isolement stérile.

Joseph retraça ses pas jusqu'à la grille. À sa gauche, il vit le sentier qu'il avait ouvert à l'aller, l'herbe aplatie et tordue, les brindilles cassées et tombantes, encore lourdes de pluie. Il avait la peau gluante ; une sueur chaude la recouvrit.

Parvenu à l'entrée du domaine, il s'arrêta et se retourna pour regarder la maison une dernière fois : il la vit telle qu'elle était, une coquille trompeuse qui dupait l'esprit. Il chercha un projectile. Les piliers de la grille étaient craquelés à la base, la mousse s'y enfonçait jusqu'au centre. Il détacha un morceau de ciment et le lança en direction de la fenêtre LeNoir. Le verre se brisa, projetant ses milliers de fragments dans le grenier et sur le sol.

À son retour chez lui, sa femme était absente, la maison sombre et silencieuse. Des tasses de café et des assiettes de gâteaux à moitié mangés s'empilaient sur les tables d'appoint. La fausse cheminée était éteinte. Sur le manteau, appuyé contre la tasse de sa femme, tachée de rouge à lèvres, un bloc-notes portant le message suivant : « Suis sortie pour la soirée avec Arlene. On a pris la limousine et le chauffeur, p.c.q. Brian a une réunion du cabinet. Sais pas à quelle heure je rentrerai. » Elle ne s'était pas donné la peine de signer.

Il déchira le feuillet du bloc-notes ; il détestait l'abréviation « p.c.q. » et le mot « limousine » ; les noms « Arlene » et « Brian » lui répugnaient, des noms fictifs choisis en fonction de leur nouveau statut social. Lorsqu'elle travaillait à l'occasion comme domestique, Arlene se faisait appeler Thelma, prénom qui figurait sur son extrait de naissance ; quant à Brian, il s'appelait en réalité Balthazar. Joseph contournait le problème en les désignant par leurs titres : le ministre et la femme du ministre. Ce sarcasme échappait toujours à tout le monde.

Il prit le bloc-notes, un crayon, et s'assit. Il écrivit les mots *Ma chérie*, puis il les raya. Il jeta le feuillet et recommença. Il traça un cercle, puis un triangle, puis un carré : l'ultime désen-chantement ; de tous ses actes, le plus pénible. Finalement, il écrivit en majuscules : J'Y RETOURNE. Il posa le bloc-notes sur le manteau de la cheminée, alluma le foyer et se perdit dans les oscillations synchrones des flammes artificielles.

Au royaume de la poussière d'or

Errent-ils là-bas parmi la foule ? Surveillent-ils ? Pedro, Miguel et Tomás ?

J'ai conscience surtout du soleil, du soleil et du silence. L'un renforçant l'autre. Complices dans la chaleur et l'immobilité. Je remarque que je remarque le sable en suspens dans l'atmosphère, épais comme la poussière qu'on déplace. Ce brouillard doré, granuleux, n'existe pas dans la capitale ; mais ici, dans ma petite ville natale, voilà ce qu'est l'air pour nous : matière et couleur.

À ma droite les tréteaux en bois, le petit groupe figé des spectateurs : visages bronzés captifs de la fatigue, le vide d'une passivité assumée sans peine. Ici et là, les képis pointus, kaki, et les lunettes de soleil à verres-miroirs des agents de police — présence énigmatique, comme d'habitude.

Derrière eux, le square, cette étendue quadrillée et grise, couleur de vieux ossements ; au milieu, telle une formation rocheuse, la fontaine de la Vierge Marie, dont l'eau jaillit de sous ses pieds puis se déverse tout contre l'invisible socle dans le bassin en ciment noirci d'humidité.

Au loin, bornant le square à l'ouest, une rangée d'édifices

à toits plats, d'un seul étage, de la couleur du sable de la place, un ton ou deux au-dessous, excroissances patinées aux volets clos contre la chaleur.

Et par-dessus tout cela, si ample qu'il nous suffoque, fulmine un ciel d'un bleu pâli, décoloré, dirait-on, par le soleil.

Toute cette scène est paralysée par la tension tapie au creux de mon estomac, passive, paresseuse, dévorante.

Un remous derrière moi. Les autres filles — nous sommes dix, à seize ans, c'est moi la plus âgée — se déplacent avec une pointe de frayeur, s'écartent pour laisser passer Lisímaco Gonzalez. Comme d'habitude, il porte un uniforme de la police, chemise kaki, pas lavée depuis longtemps, affichant aux aisselles des cercles concentriques. En passant devant nous, petit, étique, souriant, il dit : « Les filles… »

Il étire le *i,* et ces mots tout simples offerts en guise de salut ressemblent à une déclaration de propriété : les filles…

Il monte l'escalier jusqu'à la scène, s'arrête et nous regarde : ses yeux noirs et ronds, d'un éclat mat, qui ne se fixent sur rien, des yeux peints de statue, nous contemplent furtivement ; puis, aussitôt, l'impatience :

— Venez, dit-il, venez.

Sa main droite, paume en l'air, bat rapidement pour nous inviter à le suivre.

— C'est vous, les vedettes ; pas moi.

Les filles s'assemblent autour de moi : je suis l'aînée, elles viennent à moi comme à un chef.

— Qu'attends-tu, Maria Luisa ? dit Lisímaco Gonzalez. Monte.

Je gravis les premières marches et il se penche comme pour m'aider ; mais ses doigts s'attachent fermement à mon poignet : il ne m'aide pas, il s'empare de moi. La douleur qui traverse mon avant-bras m'arrache un hoquet. Il me tire vers lui, saisit mon bras gauche — sa poigne est celle d'un agent de police — et regarde les autres : « Montez. »

Elles me suivent lentement. Lisímaco Gonzalez nous place en rang au milieu de la scène, face aux spectateurs ; puis il s'adresse à ces visages tendus, aux yeux vides.

— Mes chers amis…

Je regarde au-delà de lui, dans le lointain, par-delà la Vierge Marie, vers les édifices qui, vus d'ici, scintillent dans une buée d'or à quelques mètres du sol : ils sont sûrement là-bas, Pedro, Miguel et Tomás ? J'essaie d'imaginer leur visage, mais je n'y parviens pas, pas encore, pas depuis ce matin d'il y a trois mois. Mes yeux, que la poussière irrite, s'embuent.

— Et maintenant, notre première concurrente, dit Lisímaco Gonzalez.

Il se tourne à demi et fait signe à Consuelo, au bout de la rangée. La poussière d'or tournoie et tourbillonne sous les battements de sa main.

Et dans ce remous, l'espace de quelques secondes, l'espace d'un instant si bref que je sais d'emblée qu'il s'agit d'un mirage, j'aperçois dans la foule cet autre visage : jeune et anguleux, joues lisses et enfantines, lèvres fines pressées sous une fine moustache, regard mort dans l'ombre que la visière de son képi projette sur le haut du visage.

Ces lèvres serrées — commissures tremblantes comme pour réprimer un rire en ce matin de l'*erreur,* son mot, pas le mien — me reviennent en mémoire. Je me souviens de son visage, impassible tel un masque, tourné vers moi ; de cette tension un bref instant transformée en sourire. Et l'horreur de ce moment, une horreur bien plus grande que celle qui m'opprime déjà, se ravive, ses éclats de glace me brûlent l'estomac.

— Et maintenant, la concurrente numéro deux, dit Lisímaco Gonzalez.

Consuelo reprend sa place dans le rang.

Hésitante, dans sa robe blanche toute simple que j'associe aux funérailles et aux fêtes, Rafaela s'approche de Lisímaco Gonzalez.

La chaleur jaune venue d'en haut s'intensifie, s'épaissit, se plaque sur mon visage, granuleuse et sèche comme de la terre morte.

Le bras droit de Lisímaco Gonzalez encercle la taille de Rafaela. Je connais ce geste : amical vu de loin, de près un tantinet offensant. Je suis peinée pour Rafaela, je connais son malaise, je vois son cou se tendre entre les nattes qui retombent sur ses épaules.

Puis je remarque les petites faveurs rouges dont elle a noué ses tresses et j'ai encore plus de peine. Une protestation timide : un minuscule fragment de couleur qui ne crie ni ne geint, mais qui s'impose avec une subtilité voisine de l'amour.

Lisímaco Gonzalez renvoie Rafaela à sa place et me fait signe. Sa main, qui bat avec impatience comme une grande feuille morte secouée par le vent, m'appelle.

La poussière tournoie.

Une main presse mon dos avec insistance, me pousse en avant — qui est-ce ? Ce n'est pas Rafaela. C'est Angela, à ma gauche. Je repousse sa main d'un coup sec et regrette aussitôt ma brusquerie. Je comprends la peur qu'elle ressent.

La poussière devant mes yeux est plus dense, plus compacte. Cela ressemble à l'autre matin : la scène de l'*erreur* — les édifices, les visages, les soldats armés —, je la revois encore sous une pellicule laiteuse, comme si je regardais le monde à travers des lunettes sales.

Je m'avance, je m'approche de Lisímaco Gonzalez, mais je n'ai pas l'impression de marcher. Je ne sens pas les planches sous mes pieds ; je n'ai pas de substance.

— Quel âge as-tu, Maria Luisa ?

— Dix-sept ans.

Les spectateurs lèvent vers moi leurs visages : je ne peux pas les lire. Sentent-ils ce que moi, je sens ? Perçoivent-ils ma honte ?

— Tu écris de la poésie ?

— Oui.

— Quels sont tes sujets ?

— N'importe quoi.

— Les fleurs ? Les petits oiseaux ?

— Oui.

Et le meurtre, ai-je envie d'ajouter.

— Et maintenant, tu prends un petit répit dans tes études dans la capitale ?

— Oui.

— Qu'est-ce que tu étudies ?

— La dactylographie.

Puis, au dernier rang, debout côte à côte, silencieux et immobiles, assombris par la poussière et le soleil : Pedro, Miguel et Tomás.

— Tu veux devenir secrétaire ?

— Oui.

Pedro, Miguel et Tomás !

Mais où sont-ils passés ?

Disparus. Encore une fois.

— Secrétaire, mes amis ! Se-cré-tai-re ! Par la grâce de Dieu et de notre gouvernement, Maria Luisa ?

— Non. Par la grâce des missionnaires. Les Canadiens.

Suit une pause. Je perçois sa confusion. L'espace d'une seconde à peine, il ne domine plus la situation.

— On l'applaudit, mes amis ! On applaudit Maria Luisa !

Des mains s'agitent dans la foule. Je les vois : Pedro, Miguel et Tomás.

Puis, je cesse de les voir.

Le soleil.

Je regagne ma place. Mes yeux scrutent toujours les spectateurs. Ils s'amusent sûrement, ils jouent à se cacher derrière le dos des gens.

Angela me bouscule en s'avançant, je sursaute. Je pousse un petit cri. Lisímaco Gonzalez sourit. Mes oreilles me le disent : c'était un petit cri de plaisir. La honte, bouillante, envahit mon visage.

Rafaela glisse son bras sous le mien.

— Tu es couverte de sueur, Maria Luisa.

— Pedro, Miguel et Tomás, ils sont ici, Rafaela.

Elle retire son bras.

— Non, Maria Luisa, ils sont morts.

— Je les ai vus. Parmi les spectateurs.

— Pas eux, Maria Luisa. Le lieutenant Morales, oui. Il est là.

— Toi aussi, tu l'as vu ?

— Il était là. En képi.

— Alors ils y sont aussi.

— Morales n'est pas mort, Maria.

— Mais ils le suivent partout. Là où il va, ils vont aussi.

Je scrute la foule, mes yeux vont de-ci de-là. Ils sont ici, j'en suis sûre, ils jouent avec moi.

Pedro, Miguel et Tomás.

Dans la chaleur. Dans la chaleur torride.

Le temps est suspendu dans un mélange dense de chaleur et de poussière d'or.

La peau me pique, le front me fait mal ; l'air siffle dans mes narines obstruées.

Devant moi, rien ne bouge. Lisímaco Gonzalez, alangui,

chemise kaki noire de sueur, aux côtés d'Estela, la dernière concurrente. Les spectateurs immobiles ; la Sainte Vierge, toujours figée sur son socle de cristal.

Seuls résistent les édifices qui scintillent tels des reflets dans une eau trouble, derrière eux et au-dessus d'eux l'immense ciel vide, une explosion de néant bleu pur.

Un remous devant moi sur la scène. Des formes, des figures recroquevillées en tas.

Et voici qu'ils sont là : Pedro, Miguel et Tomás. Étendus à mes pieds.

Pedro, couché sur le dos, sa tête tournée de l'autre côté, ses mains posées sur son estomac comme un homme rassasié, cheville droite nonchalamment croisée sur la cheville gauche, ses bottillons de foot boueux, qu'on dirait couverts de glaçage au chocolat.

Miguel, face contre terre, bras en croix, un tapis de sang pourpre s'épandant sous sa poitrine.

Tomás, sa tête sur les jambes de Miguel, ses yeux vitreux posés sur moi, son cerveau jaillissant du trou au côté gauche de la tête, la bouche ouverte sur un cri silencieux.

Lentement, les yeux fermés, Pedro tourne sa tête vers moi et sourit.

Miguel referme ses bras, se tourne sur le côté, si bien que des morceaux de chair et du sang jaillissent de sa poitrine, il sourit et ouvre les yeux, deux ovales blanc de corail, puis il se remet sur ses pieds d'un bond. Son agilité me surprend. Sous eux, leur ballon de foot, aplati et imbibé de sang, un ovale noir et rouge.

Les lèvres de Tomás se ferment et esquissent un mince sourire. Il se relève avec difficulté, son cerveau pendouille et excrète un liquide verdâtre qui trempe ses cheveux englués de sang, se répand par-dessus l'oreille et sur l'épaule.

Étendu immobile, Pedro dit :

— Salut, Maria Luisa. On t'a bien eue, n'est-ce pas ? Tu croyais qu'on ne reviendrait pas, non ?

— On jouait au foot, Maria Luisa, dit Tomás ; ne sois pas fâchée.

— On doit s'entraîner tout le temps, dit Miguel. S'entraîner, s'entraîner, s'entraîner !

Pedro et Miguel scandent : « On doit s'entraîner, s'entraîner, s'entraîner ! »

Ils m'entourent, écorchés, ensanglantés, parlant à l'unisson, une seule voix et pourtant trois voix différentes, des voix que je connais et que je ne suis pas sûre de connaître.

— Tu es très belle, Maria Luisa.

— Tu es née pour être reine, Maria Luisa.

— Reine de la police !

— Même si tu n'es que reine d'un jour.

— Il faut espérer que la couronne ne sera pas trop lourde, Maria Luisa.

— Nous avons un cadeau pour toi.

— Pour te féliciter.

— Nous *savons* que tu vas gagner, Maria Luisa.

— Pour la reine !

— Pour la reine de la police !

— Ferme les yeux, dit Tomás.

Je ferme les yeux.

— Tends les mains.

Je tends les mains, paumes ouvertes. Le cadeau, son métal tiède, est lourd dans mes mains. Je le reconnais au toucher, j'en devine la forme ; je prends conscience de son pouvoir.

C'était avant la venue des soldats. Les garçons, sales et déguenillés, en uniformes de combat volés, mal assortis, avaient passé la semaine en ville pour se restaurer, se reposer, fourbir leurs armes. Un soldat de mon âge, plus jeune, je pense, que le lieutenant Morales venu ensuite avec ses hommes réquisitionner la ville pour le gouvernement, m'avait montré son arme.

— C'est un AK 47, avait-il dit en désignant les caractères étranges ; une arme russe.

Nous nous étions étonnés tous deux que quiconque puisse comprendre un alphabet aussi curieux ; et nous étions tombés d'accord pour dire qu'une personne qui savait les lire devait être bizarre et, sans que nous sachions pourquoi, digne d'admiration.

J'ouvre les yeux. Cette poussière, cette poussière qui me fait penser à de l'or broyé.

Pedro, Miguel et Tomás ont disparu.

Dans mes mains, l'AK 47 : la crosse en bois abîmé, le canon, les saillies en métal anthracite.

De chaque côté de moi, mes amies, mes compétitrices, au visage mat huileux et luisant, au regard rendu vitreux par la chaleur suffocante.

Et devant moi, prisonniers de la chaleur et de la poussière, le ciel, les édifices, la Vierge Marie, les spectateurs et, dans son uniforme trempé, Lisímaco Gonzalez.

Il s'adresse à la foule. Ses paroles ne passent pas la rampe, elles s'écrasent à ses pieds.

Mais je n'ai nul besoin d'entendre ses mots pour savoir ce qu'il dit, car Lisímaco Gonzalez fait son boulot, il sert ses maîtres de la capitale, des maîtres qu'il ne connaîtra jamais, qu'il ne comprendra jamais. Les tueries auront lieu. Son seul vrai problème consistera à se rappeler qui il doit tuer quand l'ordre de tuer lui parviendra.

Je crois que c'est pour cette raison que je le hais, pour cette raison que j'oriente l'arme dans sa direction, pour cette raison que je presse la détente et que je regarde, sans émotion, une rangée de trous zébrer son dos de gauche à droite, minuscules roses à cœur noir.

Il se retourne, sourit : de longues dents que blanchit la noirceur de ses yeux plissés. Il tient dans ses mains un petit trophée en argent et une couronne en carton recouverte de papier métallique. Il s'approche de moi, grandit, me cache les spectateurs.

Le soleil plombe, la chaleur réchauffe la chaleur dans une buée d'or.

Il se tient face à moi, exsudant une odeur salée de moisi.

La couronne sur ma tête.

Le trophée dans mes mains.

Une étreinte : haleine chaude, odeur de cigarette, puanteur âcre de sa transpiration.

Un baiser : la joue droite, la joue gauche. Ses lèvres s'attardent, s'entrouvrent, le bout de sa langue mouillée glisse sur ma peau.

Un lézard, je vois un lézard.

Il s'écarte de moi. Enfin. Et là où sa langue m'a touchée, une petite brume se lève en emportant avec elle le goût de ma sueur, une petite brume : ma honte devenue visible.

— Salue, dit-il, salue le peuple. Tu es la reine. La reine de la police.

Je lève la main droite.

Encouragés par Lisímaco Gonzalez, les spectateurs, hésitants, commencent à applaudir. Leurs paumes se rejoignent et s'écartent, lentement, sans bruit, l'air épais absorbe leur claquement.

Soudain, le trophée bouge dans ma main gauche. Il s'amollit, devient malléable, fond, comme s'il allait se répandre par terre, le métal s'anime d'une vie inexplicable.

Je le tiens plus serré, des deux mains, pour soutenir son

poids, pour l'empêcher de m'échapper. Aussitôt, il s'allonge, durcit, s'alourdit, sa forme m'est déjà connue. Mes yeux parcourent lentement le lettrage anguleux, plus familier qu'auparavant mais toujours merveilleux, gravé dans le métal.

Je lève les yeux, mon regard glisse par-delà les spectateurs qui applaudissent, par-delà la Sainte Vierge du square, par-delà les édifices, jusqu'au ciel, jusqu'au soleil.

Et juste avant que je m'en détourne, quand mes paupières se ferment et qu'une obscurité scintillante emplit ma tête, ils viennent vers moi, Pedro, Miguel et Tomás, sourcils joyeusement arqués, proférant à l'unisson des mots incompréhensibles d'une voix rude et fantastique, et leurs paroles, musique entêtante et magique, louangent des choses non imaginées depuis leur séjour inimaginable, loin, loin au-delà de mon royaume de poussière d'or.

Jeux d'ombres

1.

L'horloge sonna un coup. Il était huit heures.

Deux pigeons, éclats noirs et symétriques contre le bleu du ciel, piquèrent de haut et atterrirent brusquement sur le toit rouge du campanile. Les aiguilles de l'horloge — sabres en laiton depuis longtemps ternis — étaient comme toujours arrêtées à quatre heures dix-sept.

« Du matin », songea-t-elle en faisant un bond en pensée dans le temps, jusqu'à cette nuit d'il y a plusieurs années — dix ans ? douze ans ? — où ils avaient été secoués et stupéfiés à l'aube par un tremblement de terre dont elle se souvenait avec précision comme du cauchemar dont on se réveille : murs oscillant comme poussés par la brise, verre fracassé, aboiements de chiens, éclats de lumière dansante.

La direction de l'école ne s'était jamais donné la peine de réparer l'horloge. Ses aiguilles ne bougeaient plus ; elle sonnait maintenant un coup à l'heure, deux à la demi-heure, selon un sens rudimentaire et très original de la ponctualité. Il était donc toujours une heure. Si bien que le séisme, mineur, digne de notoriété dans cette seule petite ville, acquit par cette immobilité, cet abandon, une immortalité certaine.

137

Elle se demanda si quelqu'un d'autre avait noté ce détail.

Elle se demanda aussi pourquoi elle avait passé toute sa vie, naguère lourde de responsabilités, dans un lieu aussi éloigné de tout.

Parvenue en haut de l'escalier, Mlle Jackson dut s'arrêter. Sa respiration, plus laborieuse que d'habitude, la surprit.

Elle avait fêté deux jours plus tôt son quarantième anniversaire de naissance ; trois jours plus tôt, elle avait reçu un coup de téléphone, une communication lointaine noyée dans la friture, et une voix inconnue, distante comme celle d'un lecteur de nouvelles du BBC World Service, lui avait annoncé le décès de sa mère. L'étrangeté de cette voix — celle d'une voisine, une voisine dont elle ignorait tout — et son terrifiant anonymat lui avaient fait plus mal que l'annonce même du décès : elle n'avait plus personne.

Elle pressa les livres contre sa poitrine — attitude défensive, elle le savait, apprise des prêtres de l'école qui portaient ainsi leur Bible — et s'engagea dans le long couloir, ouvert à droite sur le ciel et la cime des palmiers, fermé à gauche par un mur couleur crème et les portes grises des classes. Les lattes du parquet cédaient un peu sous ses sandales. D'au-delà les hauts murs d'enceinte de l'école — crème, eux aussi, leur sommet pyramidal d'un gris moucheté ; des couleurs si discrètes, avait-elle toujours songé, pour une île tropicale — lui parvenaient les vibrations aiguës de la circulation : klaxons, pneus, voix confuses dans une cacophonie de protestations. Même à cette heure matinale — le soleil n'était pas encore haut et projetait l'ombre de l'école sur le parc de stationnement, en bas —, la fumée des tuyaux d'échappement avait déjà réchauffé l'atmosphère qui s'imprégnait d'une odeur de roussi.

M. Rahim était au bout du long couloir, cravate nouée lâche et manches de chemise roulées jusqu'aux coudes comme s'il se préparait à un travail manuel. Ses cheveux gominés et grisonnants étaient soigneusement coiffés. En raison d'un début d'embonpoint, sa chemise forçait à la taille. Il porta la main droite à son menton qu'il gratta distraitement, moins parce qu'il était perdu dans ses pensées, songea-t-elle, que parce qu'il était un homme calmement satisfait. La pierre rouge à son doigt scintilla dans le soleil.

Elle n'aimait pas M. Rahim, et M. Rahim ne l'aimait pas. On le disait nationaliste — ce qu'il ne niait pas. Dans une réunion du personnel enseignant, il déclara un jour qu'elle était une étrangère dans un pays — *son* pays — qui ne voulait plus de la présence des étrangers. Mais elle se doutait bien que sa remarque avait des motifs moins nobles, plus viscéraux, remontant à une certaine nuit d'il y a vingt ans, quand la solitude et l'alcool lui avaient fait rechercher un refuge dans ses bras. Elle savait qu'il lui suffirait de l'inviter pour que, plus nationaliste pour un sou, il accoure auprès d'elle; ce nouveau colonialisme commode l'amusait.

Il se tourna vers elle, la regarda des pieds à la tête; puis, sans un salut, il pénétra rapidement dans l'obscurité labyrinthique du salon des professeurs.

Le salon des professeurs: il la narguait tous les matins. Même grandes ouvertes, les portes vitrées ne laissaient pas pénétrer la lumière qui balayait le reste de l'école. Dans cette pénombre, au milieu des pupitres abîmés — petits meubles de bois couverts de livres, de papiers, de stylos, de tasses de café, de cendriers et de cendre répandue —, les professeurs dormaient ou bavardaient pendant leurs heures de liberté. Le fait qu'il n'y ait pas d'autres livres que des manuels, pas d'autre sujet de conversation que les ragots et les jérémiades, l'ennuyait ; elle percevait là une sorte de trahison, comme si la pénombre de la pièce eût pénétré au cœur même des êtres qui l'habitaient. Cet endroit parlait de fermeté d'intention, mais aussi de défaite. Elle se remémora tristement M. Bain, grand, imposant et sûr de lui, qui, entre ses cours, lisait les classiques grecs dans le texte et qui, par un bel après-midi, posa sa tête sur les pages d'un Euripide et mourut sans bruit, tandis qu'une mousse blanche comme des bulles de liquide vaisselle bouillonnait entre ses lèvres charnues et entrouvertes. Ils avaient partagé une amitié intellectuelle nourrie d'intérêts communs — pour elle, la seule amitié du genre — et, dans les moments de stress, elle ressentait sa perte avec une déchirante acuité.

Ce matin, elle choisit d'éviter le salon des professeurs et de se rendre directement à son premier cours.

Elle se demanda si M. Rahim avait enlevé la photo pornographique qu'il avait punaisée à son bureau la semaine précédente, une petite photo grossièrement découpée dans un magazine, montrant une femme nue aux seins exagérément gros et à la moue invitante. Elle avait protesté discrètement, et pour toute réponse il lui avait souri en examinant à loisir ses seins menus. L'éclat pourpre de ses gencives l'avait hantée comme une vision de cauchemar.

Les quatre portes de sa salle de cours étaient ouvertes. Hautes et larges, elles offraient la classe aux regards extérieurs. Avant d'entrer, elle eut un moment d'hésitation, se méfia de la lumière éclatante qui transformait les portes d'en face en grandes dalles d'un jaune opaque. Cela n'aurait pas dû être ; les portes auraient dû être verrouillées ; il n'y avait que deux clés, la sienne et celle du doyen ; il lui en avait fait la promesse.

Pourtant, sa classe était la seule qui ne fût pas fermée.

En face, le couloir carrelé — les portes de ce côté avaient aussi été ouvertes avec un cynisme palpable — brillait dans le soleil maintenant haut sur les collines à l'est, les collines dont le flanc ouest était mangé par des bidonvilles.

Mlle Jackson posa ses livres sur la table et regarda autour d'elle. Le dénuement de la classe vide lui devint apparent. Les parois, dont la couleur crème lui rappelaient les murs des postes de police créés sous l'administration britannique, n'étaient pas décorées. Deux ampoules nues, qu'on allumait seulement dans la pénombre qui précédait un orage, étaient suspendues à des fils électriques en plastique gris. Les pupitres en bois usé, creusés d'un sillon pour les crayons et les stylos, percés d'encriers dont on ne se servait plus, formaient des rangées compactes.

Elle était plus perplexe qu'en colère et, obéissant à un réflexe, elle eut un instant une réaction d'animal traqué, tête basse, yeux plissés, narines légèrement dilatées qui reniflent. Mais elle ne perçut rien que d'agaçantes vapeurs d'échappement.

Une mélancolie soudaine l'envahit et ses muscles se relâchèrent. Elle se tourna vers les portes ensoleillées du côté est. La balustrade du balcon, aux colonnettes de béton en forme d'urnes, grises comme un ciel d'orage ou de pays en guerre — comme si on avait voulu, avait-elle souvent songé, reproduire dans ces terres aux couleurs primaires et voyantes la solennité traditionnelle d'un pays plus ancien et plus nordique —, projetait son ombre grasse sur les carreaux luisants. Sur les collines lointaines, les toitures en tôle galvanisée des bidonvilles étincelaient là où la rouille ne les attaquait pas encore, tandis que la végétation toujours intacte des sommets affichait un vert que la rosée assombrissait provisoirement. Le ciel, d'un bleu aussi solide et aussi intimidant que celui du grand large, annonçait une autre journée cuisante comme celles qui avaient desséché sa peau jusqu'à lui donner la texture d'un cuir souple.

Le paysage — comme ce mot lui paraissait étranger depuis qu'elle le désignait par l'expression locale « les collines » —, ce paysage, perçu naguère comme un sujet d'aquarelle, ne sut la raviver, l'enfonça même un peu plus dans la dépression.

Elle avait perdu tout sens du pittoresque. Elle avait très tôt appris malgré elle que le pittoresque n'existe pas en soi mais que c'était une illusion, un gauchissement de l'esprit d'observation qui parvient à nous convaincre que la pauvreté est belle, l'atrophie charmante, et qu'un taudis vaut bien une hutte. Elle avait depuis longtemps cessé de poser sur l'île un regard de touriste et partageait le dégoût des insulaires envers ceux dont l'unique intérêt était d'en tirer profit. Elle sentait maintenant qu'elle était du pays ; un seul doute la tenaillait encore : force ou faiblesse, cuirasse ou défaut ?

Cuirasse ou défaut : ce matin, le doute pesait lourdement sur elle. Sa tristesse s'approfondit et ses pensées revinrent six ou sept mois en arrière quand, par un matin pareil à celui-ci, soleil, ciel et vague odeur de gaz d'échappement, elle était arrivée très tôt à l'école dans le but de chercher à la bibliothèque un extrait de critique littéraire qu'elle désirait soumettre à ses élèves. La vue des portes ouvertes de sa classe avait piqué un instant sa curiosité et elle avait pensé : « Je n'ai pas entendu souffler le vent cette nuit. »

Elle avait facilement trouvé le livre qu'elle cherchait dans la vaste pièce haute de plafond. Des années auparavant, elle avait servi de salle de réunion, mais depuis que le collège privé, jouissant de subsides de l'État, avait dû se démocratiser et accueillir tout un chacun, on l'avait transformée en bibliothèque et en salle d'étude à l'intention des non-catholiques dispensés des classes de religion. Elle se souvint de la poussière qui montait du livre telle une brume ensorcelée en se mêlant à l'air jauni par un soleil tamisé, danse aqueuse de fibre et de grain, de poudre

142

et d'étincelles. Sur les murs verts et ombragés, les portraits ternis des anciens proviseurs, durs visages d'Irlandais au regard sévère contre un arrière-fond mystérieux et lugubre, avaient battu en retraite devant le jeu des formes et de la lumière.

Elle avait emporté le livre dans le couloir. Encore une fois, le soleil, les klaxons, le crissement des pneus, l'odeur de roussi : elle se souvint d'avoir éprouvé un sentiment d'assurance, une satisfaction qui lui venait d'habitude par bouffées enveloppantes, d'une malencontreuse brièveté.

La sensation avait duré : le léger balancement de son sac à main ; la fragilité rugueuse et rassurante du livre entre ses doigts ; le rappel, à chacun de ses pas, de sa force, de son assurance. La force, notion inédite pour elle, comme si elle n'avait encore jamais pu croire à sa propre réalité, à laquelle, du reste, elle ne croyait que rarement, au moment le plus inattendu. Pourtant, la sensation avait duré jusqu'à ce qu'elle pénètre dans sa salle de cours.

Là, au beau milieu de sa table de travail, elle avait trouvé deux gros boudins d'excréments humains tout luisants qui puaient et se liquéfiaient dans le soleil matinal.

Et cette fois encore, dans un mouvement de terreur et de révulsion, son souvenir prit fin.

L'horloge sonna un coup. La dure lumière qui pénétrait par les portes se resserra, affûta ses angles, se fit géométrique pour copier la silhouette allongée de la porte là où le sol était nu, dessiner des formes anguleuses et précises là où elle rencontrait les vieux pupitres en bois.

Son regard suivit le tracé de la lumière dont la précision s'accentuait à mesure que le soleil montait plus haut dans le ciel. La porte laissait maintenant passer une bande solide, aiguë, déchirante de jaune, qui fit danser devant ses yeux d'aériens diamants.

Une ombre trancha le rayon et, en plissant les yeux, elle reconnut le père Gries, sa soutane blanche qui tombait en plis sur son corps flétri, ses longs doigts osseux et tremblants qui tendaient devant lui une Bible aux pages écornées, reliée en cuir noir fendillé.

Il ne la vit pas. Sa façon de méditer la parole biblique, souvent si intense, était devenue légendaire, et parfois c'est à peine si son corps était présent. Il arrivait que les garçons, avec cette cruauté propre à leur âge, lui adressent des sourires et des obscénités, sachant que sa surdité les mettait à l'abri des reproches ; il leur rendait innocemment leur sourire et il les bénissait. Dans ces moments-là, elle le haïssait et souhaitait sa mort.

Pourtant, dans ses phases de lucidité, il inspirait la terreur. Sa réputation le précédait ; on disait que, lorsqu'il enseignait encore, il lançait des compas à la tête des plus récalcitrants, leur assenait des coups de pied et de poing, et qu'au moins une fois il avait blessé un garçon jusqu'au sang en visant juste avec une brosse à tableau. Cette réputation, grossie par la légende comme elle s'en doutait bien, elle y croyait pourtant. Chaque fois que, par hasard, son regard venu des antipodes se posait sur elle, son estomac se nouait et, l'espace d'une seconde, elle se sentait transparente, vulnérable.

Il s'arrêta exactement au milieu de la porte et plongea intensément son regard dans sa Bible. Le soleil qui ricochait sur la blancheur de sa soutane l'enveloppait d'un duvet jaune, comme un être qui s'embrase avant de se désintégrer. Puis il leva les yeux et les tourna vers elle.

— Mademoiselle Jackson.

— Bonjour, père Gries.

Ses cheveux blancs, fins comme des cheveux de bébé, retombaient sur son front telle une dentelle en loques. Les lèvres, étroites et serrées, bougeaient silencieusement dans son visage décharné, laissant entrevoir les dents croches et noires, précoce butin d'anthropologue. Elle recula, ainsi qu'elle le faisait toujours, devant ce spectre momifié qui s'offrait à ses yeux.

— Le père Small est mort, dit-il.

— Oh, toutes mes condoléances, père Gries.

Le père Small avait été le compagnon de promenade du père Gries, un autre vieux prêtre étique vivant à la lisière de l'utile. Il n'avait pour ainsi dire pas existé dans l'esprit de Mlle Jackson, il avait été à peine plus qu'une chair animée, si bien que son regret manquait de vigueur. Il ressemblait à celui qu'elle aurait ressenti pour un animal domestique en deuil de son compagnon, une compassion légère, vite oubliée.

— Ma mère est décédée il y a trois jours, dit-elle, regrettant aussitôt cet aveu trop intime.

Le père Gries porta la main à son oreille.

— Quoi ? Qu'avez-vous dit ?

Elle ne répondit pas et il laissa retomber sa main, visage neutre, regard vide.

Elle songea : « Enfin. Ils commencent à mourir. »

— Père Gries, pourquoi mes portes étaient-elles ouvertes ce matin ?

Il leva les yeux sur elle. Il n'avait pas entendu, ou n'avait pas compris, comment savoir. Puis il se détourna lentement, pas à pas, en se balançant légèrement de droite à gauche, et il poursuivit sa promenade dans le couloir lumineux.

Mlle Jackson songea : « Espèce de vieux fou. »

L'horloge sonna un coup. Il était trois heures. Le soleil arrivait maintenant de l'ouest en traversant des nuages de pluie qui se coagulaient, lumière d'un ambre plus épais, lumière sans éclat, lourde comme du jaune d'œuf.

La journée avait été pénible. Ses élèves s'étaient révélés

agités, inattentifs, moins discrets que d'habitude dans leurs échanges murmurés. Plus tôt, elle avait dû expulser un garçon de la classe ; elle s'était aussi efforcée d'en humilier un autre, mais elle avait échoué si lamentablement que l'humiliation s'était retournée contre elle. Elle avait fait appel à l'humour, sans succès, et sa colère s'était heurtée à un mur. Les garçons semblaient tous plongés dans une passivité non pas tant solide que poreuse, élastique, ductile ; c'était une forme subtile de représailles. Une ambiance de torpeur à caractère actif régnait dans la pièce, une ambiance dont elle n'avait encore jamais fait l'expérience. Ses tentatives pour parvenir à la vaincre l'avaient vidée de son énergie et amenée au bord de l'hystérie.

La stridence de la cloche de l'école l'interrompit à mi-phrase. Contrairement à son habitude, elle ne trouva pas la force de crier par-dessus le vacarme : plus que jamais, songea-t-elle, cette sonnerie marquait la fin du combat. Pourtant, les visages — noirs, bruns, blancs — la fixaient avec plus d'attention, dans une sorte d'expectative. Son hystérie prit de l'ampleur et elle rassembla ses papiers les mains moites.

— Vous ne voulez donc pas rentrer chez vous ? fit-elle.

En réalité, elle voulait dire : « Que se passe-t-il ? Pourquoi ce comportement ? » mais les mots se solidifiaient dans sa tête, refusaient de passer la frontière de ses lèvres.

— Pas de foot, aujourd'hui, Sanders ? dit-elle.

— Non, mademoiselle Jackson, répondit Sanders.

Elle avait envie de les injurier, de les haïr.

— Allez-vous-en, dit-elle ; puis elle se leva en repoussant sa chaise.

Un par un ils se levèrent, rangèrent leurs papiers, fermèrent leurs livres, remirent le capuchon de leurs stylos. La lenteur de leurs gestes la frappa et, encore une fois, elle décela dans leur réticence une certaine expectative.

Elle s'éloigna rapidement de l'estrade, consciente qu'ils observaient ses moindres gestes. Des chasseurs, songea-t-elle, des chasseurs à l'affût.

Visibles dans la porte, les collines, dont l'éclat du matin avait dévoilé la laideur comme un scalpel dénude une plaie, s'enrobaient maintenant d'une lumière plus douce. Les angles s'étaient arrondis, la rouille ressemblait à des ombres, et les taudis prenaient des allures de maisons accueillantes. Elle aimait et détestait à la fois ce panorama. Une aquarelle qu'elle aurait pu peindre pour mieux la déchirer ensuite.

Le père Gries, sans sa Bible, l'attendait dans le couloir.

Il dit, « Mademoiselle Jackson », d'une voix claire teintée d'une lucidité qu'elle reçut comme une menace.

— Bonjour, père Gries.

Elle s'éloigna d'un pas rapide.

— Un instant, mademoiselle Jackson.

Elle s'arrêta, consciente que ses élèves ne bougeaient plus.

Le père Gries repoussa la mèche blanche sur son front d'un geste vif et nerveux. Ses cheveux, fins et légers, retombèrent aussitôt, comme sans vie. Dans le clair-obscur, les tavelures de ses mains et de son front ressortaient comme des ombres infiltrées sous la peau.

— J'ai un message pour vous, dit-il. De la part du proviseur. Il désire vous voir.

Par-dessus les collines, le ciel s'était assombri. Des nuages gris s'agglutinaient derrière dans un mouvement presque imperceptible. Le bidonville s'obscurcit, perdit son aspect accueillant. Elle savait que dans les petits taudis on allumait des lampes au kérosène qui jetaient une lueur claustrophobique. Quelque part, soudain, monta une mince colonne de fumée noire qui s'épaissit rapidement. La luminosité tourna à la conflagration : de l'endroit où elle se trouvait, dans quelques

147

minutes, avec un peu d'imagination, on pourrait croire à un feu de joie, métamorphose de la destruction.

— Très bien, mon père. J'irai voir le proviseur demain matin, avant mes cours.

— Non, mademoiselle Jackson ; il désire vous voir tout de suite.

Maintenant, elle distinguait la flamme, interminable langue jaune à l'éclat si intense que, par contraste, le paysage alentour en paraissait tout noir.

Le père Gries prit son bras et la poussa doucement en avant.

— Voyez-vous l'incendie, mon père ? fit-elle.

Il ne répondit pas, et elle se demanda si sa lucidité lui échappait.

Il la conduisit au bout du couloir, puis lui fit passer les portes qui menaient aux bureaux. Ils pénétrèrent dans une vaste pièce sombre que seuls éclairaient les trois vitraux de l'autre extrémité, des vitraux si petits que la pièce demeurait plongée dans la pénombre et que les fenêtres ressemblaient à de minuscules taches de couleur suspendues dans le vide.

Ses yeux s'habituèrent à l'obscurité, elle vit que le parquet de bois ciré brillait et que les murs lambrissés captaient eux aussi l'éclat mat des fenêtres. Dans un coin, derrière la vitre d'un compartiment, la téléphoniste de l'école était assise dans un halo vert qui déteignait sur son visage et ses cheveux. Mlle Jackson songea à la mort.

C'est seulement quand ils s'approchèrent du bureau du proviseur — porte fermée, reconnaissable seulement au bouton en laiton — que Mlle Jackson distingua le garçon recroquevillé sur une chaise face à la porte. Il leva la tête à leur arrivée et, avant qu'il ne la baisse de nouveau, elle reconnut son profil : les cheveux souples soigneusement aplatis, le front haut, le nez délicat au-dessus de lèvres étonnamment charnues prolongées par un menton rond, le cou musclé que bordait le col d'une chemise bleue.

Elle s'arrêta, l'esprit soudain vide de toute pensée. L'étau du père Gries se resserra sur son bras.

— Nous ne vous avons pas espionnée, dit-il. Je veux que vous le sachiez. Ce sont les garçons. Ils nous l'ont dit. Ils vous haïssent.

Elle fit face au père Gries et s'aperçut que sa poigne forte était due au malaise qu'il ressentait, qu'elle ne lui était pas destinée. Ni soutien ni contrainte : de la peur.

La lumière dense qui pénétrait par la fenêtre réfractait sur le visage du père le blanc de sa soutane : elle distingua son crâne dans sa gaine de peau tavelée.

Un mépris sans bornes l'envahit.

2.

Un court moment, la porte refermée, verrouillée, lui apparut comme un salut. Mais, aussitôt, elle sut qu'il ne s'agissait que d'une trêve.

Son chez-soi : la familière odeur de moisi s'incrusta autour d'elle. Elle ferma les yeux et s'appuya mollement contre la porte ; les lattes raboteuses des jalousies qui l'encadraient lui coupaient le dos.

Une bande de soleil délavé, compacte et solide, entra par la fenêtre ouverte, n'illuminant que la poussière fibreuse qui y flottait et un morceau de tapis décoloré. La pièce était telle qu'elle l'aimait : au crépuscule, un domestique jeu d'ombres. Ce lieu parfaitement clos lui procurait une illusion de fraîcheur qu'elle en était venue à confondre avec le bien-être. L'horloge, invisible parmi les lourdes étagères de livres, faisait entendre son tic-tac monotone — bruit de baguette sur une plaque de tôle — qui se répercutait à travers les murs et les lattes du parquet.

Elle se redressa. Ce geste lui coûta un effort, elle eut l'impression de ne plus avoir de squelette. Quand elle ouvrit brusquement les yeux, des feux de Bengale zébrèrent l'obscurité telles des étoiles filantes. Elle eut un bref mouvement de panique. Elle songea : « Du calme, rappelle-toi où tu es. » Puis elle éprouva une sensation de vide, comme une évaporation interne, ensuite elle ne ressentit plus rien. Le tic-tac de l'horloge semblait résonner au fond d'elle.

Elle laissa tomber par terre son sac et son parapluie, ils firent un seul bruit sourd, puis elle s'approcha de la masse sombre du fauteuil et s'y assit lourdement. Elle songea : je voudrais disparaître.

Ses yeux maintenant habitués à la pénombre parcoururent la pièce : partout de l'ombre, l'ombre superposée à l'ombre, gris sur gris, noir sur gris, le vide rendu plus vide par l'obscurité. La pièce lui parut plus grande qu'elle n'était en réalité, elle s'y sentit plus à l'étroit que d'ordinaire.

Dans la bibliothèque, rectangle noir, l'éclat mat d'une cuillère en argent : *À Mlle Jackson, qui nous nourrit si bien à la cuillère. La classe de sixième supérieure.* Ainsi, elle avait déjà été utile, appréciée. Déjà été en sécurité. Il lui sembla voir maintenant dans cette cuillère, dans cette inscription, les reliques de quelqu'un d'autre.

Elle ferma les yeux et tout devint noir, dedans, dehors. Elle n'avait pas de visage, pas de mains, pas de pieds. Le corps n'existait plus. L'horloge tic-taquait encore, résonnait comme un métronome enfermé sous une voûte, ne marquait plus le temps mais bien la distance, ne la poussait plus en avant mais en arrière. Des visages : père, mère, tantes, oncles. Des voix :

— Pourquoi tiens-tu tant à aller dans ce pays perdu ?

— Traître. Tu vas me donner un baiser en t'en allant, et ça me tuera.

— Promets-moi que tu ne nous oublieras pas, Victoria, ma chérie.

— Tu as reçu tous tes vaccins, Victoria ?

Dominer la situation : elle les chassa volontairement de ses pensées.

De nouveau l'obscurité, un peu de lumière aussi. C'était bon. Elle songea : « J'ai rejoint la mort. »

Elle en fut reconnaissante.

Les coups frappés doucement se mêlèrent au tic-tac régulier de l'horloge comme de légers battements de tambour.

Elle avait dormi. La bande de soleil avait disparu et l'obscurité était totale : ni poussière, ni scintillement, le calme solidifié.

Les coups frappés, plus vite mais pas plus fort, empiétant sur le bruit de l'horloge, ressemblaient à de l'eau vive sur de l'aluminium : sourds et nets à la fois, d'un mordant subtil.

Son corps s'enfonçait lourdement dans le fauteuil en tissu et une pellicule de sueur tiède recouvrait sa peau comme une membrane. Elle tendit un bras que lui cachait l'obscurité, mais la chaînette de métal terminée par un gland était là où elle savait la trouver. Léger raclement du métal sur du métal, cliquètement du métal sur du verre creux. La lumière, dansant au rythme de l'ampoule, dessina un cercle d'un jaune franc qui inonda le fauteuil, une table de bout en bois sombre et, sur le parquet, l'angle d'un tapis persan affadi.

Les coups cessèrent. L'horloge et la cuillère luisaient faiblement dans la bibliothèque.

Elle se leva avec peine, ses muscles raidis comme du vieux

caoutchouc. Quelqu'un l'appela doucement de la porte, dans un murmure qui déguisait la voix.

— Qui est là? demanda-t-elle.

La réponse lui vint dans un souffle :

— Ouvre, Victoria.

— J'ai dit, qui est là?

— C'est moi. Sayed.

— Sayed?

Elle mit un moment à replacer le nom : M. Rahim. L'irritation la gagna.

— Que me voulez-vous?

— Ouvre-moi, Victoria.

— Je vous en prie, monsieur Rahim, allez-vous-en.

— Victoria, ouvre cette porte.

Elle ne dit rien, ne bougea pas. À sa droite, l'horloge faisait toujours entendre son tic-tac régulier.

Le cognement recommença, plus net et plus rapide, courant contre l'horloge, résonnant comme des coups de marteau. Puis il cessa.

— Ouvre la porte, Victoria.

— Que voulez-vous?

— Je veux te parler.

Elle s'approcha de la porte.

— Nous n'avons rien à nous dire.

— Ouvre, Victoria.

Deux coups frappés.

Elle songea : « Il se sert de sa bague. » Elle détesta le bijou avec passion.

Elle était dans une chambre à coucher, dans une maison inconnue, et la lumière, claire comme un éclair emprisonné, éblouissante au point d'émettre des éclats bleus, parvenait d'au-dessus d'elle et révélait une chambre parfaitement rangée : grand matelas recouvert d'un couvre-lit à motifs bleus ; dans un coin, une armoire en bois pourvue de miroirs, dans l'autre, un lavabo — bouchon, savonnette, verre disposés avec soin — et, au-dessus, une petite glace mouchetée du noir de la décrépitude. Les murs étaient d'un vert clair, poudre de bébé et poussière d'âge dansaient dans l'air ambiant.

Elle savait qu'elle n'était pas seule. Elle sentait une autre présence : son père, peut-être, ou sa mère. Mais, songea-t-elle, ne sont-ils pas morts tous les deux ? C'était pourtant sans importance. Il, ou elle, était là, et cela aussi importait peu. Leur présence était une réalité mathématique qui appartenait à un univers parallèle au sien, qui demeurait pour elle sans conséquence.

Par la fenêtre, tel un tableau peint sur un tulle noir, brillaient les lumières de la maison d'en face : une salle à manger, trois personnes à table, un jeu de cartes, bouches ouvertes sur des mots et des rires. La scène, suspendue dans l'obscurité de la nuit, flottait dans un espace situé bien au-delà de la route inondée de noir.

Cette obscurité, cet infini nocturne du pays, ce noir total, aussi enveloppants que l'intérieur d'un cercueil scellé, la terrifiait. Ils étaient synonymes de danger, d'étouffement. Ils abolissaient tout ce qui échappait à la lumière électrique, annulaient l'espace physique, évoquaient un monde spectral. Leur puissance l'effleurait aussi.

Dans la maison au-delà de l'obscurité, on continuait de jouer aux cartes, un homme à droite, un autre à gauche, une femme blonde en face. La table était de bois massif et sombre, soigneusement poli, le mur derrière la femme était nu, d'un banal blanc crème.

Un vrombissement emplit la nuit, celui d'un moteur

poussé à sa limite. Le bruit vient de la gauche, avec une accablante brusquerie, envahit la pièce. Un éclair de mouvement zèbre l'obscurité ; une moto, son conducteur en silhouette contre la lumière qui baigne les joueurs de cartes ; le rugissement d'une moto en détresse ; le véhicule plane dans les airs, éjecte le motard, pénètre dans la maison, plonge par-dessus la table, sa roue avant s'écrase sur la femme blonde et la cloue au mur, les hommes debout crient : « Va te faire foutre ! Va te faire foutre ! V-a t-e f-a-i-r-e f-o-u-t-r-e ! », conscients de la futilité de leur obscénité, de leur impuissance. Deux petites filles courent dans la lumière, elles pleurent, une femme les poursuit les bras ouverts dans le vain espoir de les étreindre.

Victoria, les nerfs en boule, terrifiée, se demande pourquoi les petites filles veulent échapper à cette étreinte réconfortante.

— Allez-vous-en, dit-elle.

Les coups redoublèrent. La porte tremblait, secouant bruyamment les pênes lourds dans leurs gâches.

Elle appuya sur la poignée et la porte s'ouvrit brusquement. Elle recula. M. Rahim, dont elle ne parvenait à voir que la chemise blanche, entra lentement dans la pièce. Elle l'entendait respirer.

— Donc, c'est fini, dit-il.

— C'est fini.

— Enfin.

— Pourquoi êtes-vous ici ?

Il fit deux pas en avant, si bien que la lisière de la lumière capta son visage moite. Il avait les yeux bouffis, fatigués.

— Voilà donc ce que tu as fait de cette maison. Une tombe. Pas étonnant que tu n'aies jamais invité personne. Enfin, presque personne.

— Asseyez-vous, je vous prie, dit-elle.

Cette courtoisie lui parut étrange.

— Où ?

Elle lui indiqua le fauteuil.

— Est-ce qu'il s'asseyait là, ton élève ?

— C'est donc ça ? Vous êtes jaloux ? Après tant d'années ?

Une image s'était gravée dans son cerveau : un petit jardin rempli de buissons fragiles et de caisses en carton, une clôture en planches. Par-dessus le bout arrondi des planches, multipliées à l'infini, l'arrière décrépit des mêmes maisons qui se trouvaient à sa gauche, hors de son champ de vision. Des maisons ordinaires, sortes de boîtes de trois étages aux murs en carton, plaquées le long de la rue dans une parodie d'architecture.

Le ciel par-dessus la clôture était gris, si uniforme dans sa couleur et si plat qu'il en paraissait feint. L'image que lui renvoyaient les replis de sa mémoire était si parfaite qu'elle exsudait même l'odeur âcre des fumées d'usine.

Parfois, des personnages y bougeaient : père, mère, oncles, tantes. Leurs visages, devenus après vingt ans un souvenir flou, lui apparaissaient de leur propre gré. Ils venaient, repartaient, se transformaient, se fondaient les uns dans les autres. Ils se tenaient droits et raides, plissaient les yeux dans le soleil bas, d'une pâleur transparente et vaporeuse contre la clôture sombre. Dans son esprit, leurs corps, leurs vêtements participaient des broussailles : êtres fragiles, immatériels, dépourvus de substance, rien d'autre qu'une théorie de spectres, un simple jeu d'ombres.

Ces gens n'avaient pas l'habitude de prendre des photos. Le jour de son départ, ils possédaient en tout et pour tout une seule photographie, hors foyer dans son cadre lourd, la photo de mariage des parents : le père, en uniforme militaire ; la mère — toujours sévère — en blanc trompeur. Ce blanc, une rebuffade : il expliquait, pensait-elle, la solitude remémorée, l'enfant isolée avec ses poupées dans une maison dominée par l'instinct maternel.

Ainsi les photos, ainsi les lettres. La famille optait pour l'absence de registres, pour l'autoeffacement par omission.

Si bien que, vingt ans auparavant, lorsqu'elle s'était embarquée à bord du navire rouillé qui devait la conduire dans l'île, la rupture avait eu lieu, inaperçue, innommée, inadmissible. Les coups de téléphone, la friture, la voix amincie et métallique, avec le temps s'étaient limités aux échanges annuels : vœux d'anniversaire suivis de la litanie des morts récentes. Les années passant, la liste des morts s'était allongée, les voix — qui exprimaient sans cesse les mêmes souhaits et inquiétudes comme si elles relisaient chaque fois le même texte — s'étaient raréfiées.

Il se fit narquois.

— Ne sois pas stupide, Victoria.

Puis il se détendit, il s'affaissa sur ses hanches, il enfonça ses mains dans les poches de son pantalon.

— Ferme la porte.

Il se dirigea vers le fauteuil, ses talons claquèrent sur le parquet, puis furent amortis par le tapis persan. Il examina le fauteuil, haussa les épaules, s'y assit. Appuyant ses coudes, il la fixa par-dessus ses mains jointes en pyramide. Elle lui tourna le dos avec lenteur et referma la porte. Le verrou cliqua doucement.

— Comment peux-tu supporter cette maudite horloge ? fit-il.

— Que voulez-vous, monsieur Rahim ?

— Sayed.

— Que voulez-vous ?

— Tu n'as pas l'air bouleversée.

— Je ne le suis peut-être pas.

— Il fait sombre ici, Victoria. Allume quelques lampes.

— J'aime ça comme ça.

Il abaissa ses mains, les replia sur ses genoux ; la pierre rouge de sa bague scintilla dans la lumière. Il appuya sa tête contre le dossier et ferma les yeux.

— Pourquoi es-tu venue ici, Victoria ? Que signifie tout cela ?

Question impertinente. Elle eut envie de le railler.

— Tout quoi ? La vie ?

— Pourquoi pas ? C'est ta vie.

— Ma vie ?

Elle répéta les mots lentement, pour elle-même, comme si elle y cherchait une signification occulte, quelque chose de plus.

— Ma vie ? Elle n'a aucun sens, aucun but. Pas vraiment. Une vie en a-t-elle jamais ? Je ne crois pas. Ce n'est qu'un des petits mensonges qu'on doit inventer jour après jour, pour continuer. Il faut inventer ; puis il faut croire à ce qu'on invente. C'est ça, le plus difficile.

— Qu'est-ce que tu as inventé ?

— Je me suis dit que je voulais venir ici, pour aider les gens. Pour enseigner.

— Pour apporter la civilisation aux colonies.

C'était à son tour de se moquer.

— Ensuite, j'ai changé d'idée. Je me suis dit que je voulais peindre quelques aquarelles.

— Et tu es restée vingt ans.

Il joignit les mains, doigts entrecroisés, et se mit à frotter vivement ses pouces l'un contre l'autre.

— Tu es venue prendre ce que tu avais à prendre, Victoria. Comme n'importe quel touriste, et encore pis. Tu es restée toute une vie.

Impossible de jouer nulle part. La maison imposait un rigoureux silence. Le jardin était petit et encombré, les nuages gris et bleu électrique fermaient l'horizon comme un couvercle. Elle pouvait sentir les puanteurs d'usines frôler sa joue. Les rues du quartier, leurs maisons jumelées qui rapetissaient dans le lointain jusqu'à se perdre toutes ensemble dans une pitoyable grisaille, lui étaient étrangères. En la protégeant d'elles, sa mère l'avait maintenue dans l'ignorance.

Ici, en errant dans le jardin, en foulant les rares herbes malingres, en appuyant quelques minutes son pied sur un outil rouillé ou une caisse pourrie, elle sut pour la première fois ce que signifiait l'ennui.

Et ici, peu après son neuvième anniversaire — à peu près en même temps qu'elle découvrit l'existence des maîtresses de son père et que les indispositions, les retraites de sa mère trouvèrent ainsi une explication simple et brutale —, elle s'élança en quête d'aventure.

Un pied sur une caisse en bois, une jambe par-dessus la clôture arrondie : dans son souvenir, il n'y avait ni peur ni fébrilité, seulement une envie de sauter.

Le jardin du voisin la déçut, il n'était qu'une copie du sien ; même herbe rare, mêmes outils rouillés, une négligence familière. La maison aussi aurait pu être la sienne, si ce n'était des rideaux de dentelle orange de la fenêtre de la cuisine.

Elle avait osé faire un pas en avant qui ne lui avait rien apporté. Avec horreur, elle comprit que le jardin suivant, puis l'autre, puis l'autre encore étaient tous identiques : rectangles de couleurs affadies et de métal rongé par la rouille, l'étincelle d'un rideau.

— Si c'est pas la petite morveuse d'à côté.

Le garçon, plus âgé qu'elle, se tenait devant la porte de la maison. Ses cheveux blonds sales, trop longs, couvraient ses oreilles et retombaient par mèches sur ses yeux.

— Je te connais, dit-il.

La porte s'ouvrit et un autre garçon, de la même taille et du même âge, mais qui portait des cheveux frais coupés, sortit et vint se placer à ses côtés.

— Propriété privée, dit le premier des garçons. Qu'est-ce que tu fous ici ?

Elle voulut sauter la clôture, mais dans cet inconnu devenu familier puis redevenu inconnu, il n'y avait pas de caisse.

Puis elle sut ce qu'était la terreur : ils l'empoignèrent. Une main la bâillonna, pressa durement sa chair contre ses dents. Ils la poussèrent par terre : ses bras nus pétrirent la douceur fraîche de l'herbe quand des mains plus fortes que les siennes les soulevèrent au-dessus de sa tête et les plaquèrent sur le sol. Quelqu'un retroussa sa robe et d'autres mains fouillèrent un secret jusque-là aussi intime que son haleine. On lui écarta les jambes. Une chair chaude martelait son ventre, l'intérieur de ses cuisses, comme fouillant.

Puis, la douleur.

La main sur sa bouche se fit plus dure. Pouce pressé contre ses narines : elle suffoquait. Ses cuisses ouvertes supportaient un poids inconnu ; elle eut l'impression qu'on les déchirait.

Le garçon haleta. Ses mouvements ralentirent. Si vite qu'elle en fut surprise, le poids, les mains disparurent. On la remit debout. La douleur la pliait en deux. Ses jambes tremblaient.

Un des garçons dit :

— Va chercher l'échelle.

On la poussa bientôt vers la clôture. Quelqu'un apporta l'échelle métallique et l'appuya contre les planches. Ils lui firent mettre le pied droit sur le premier barreau, ils se démenaient en silence, elle les entendait respirer. Leur rage s'était apaisée et leur peur, elle ne l'ignorait pas, surpassait la sienne.

Ses jambes refusaient de bouger. Le garçon blond, que la panique envahissait, gravit l'échelle en la tirant par le bras tandis que l'autre la poussait. Le blond, un pied sur l'échelle et l'autre sur la clôture, la tira jusqu'en haut et, d'une poussée, la fit retomber de l'autre côté.

La maison, l'herbe, la clôture, le ciel : dans sa chute, son regard enregistra des détails flous et elle érafla son coude droit sur le bois rude de la caisse.

Elle ne bougea pas. Impossible d'isoler sa douleur : la douleur était partout.

Enfin, recouvrant ses forces, elle se leva et entra chez elle en catimini.

Plus tard, la caisse en bois servit d'explication à son coude écorché, à sa robe souillée : elle avait grimpé, elle était tombée.

Le lendemain, son père jeta les caisses au rebut.

Mais quelque chose d'essentiel — elle ignorait quoi — avait changé. Sa mère, toujours distante, s'éloigna encore davantage. Elle eut l'impression que sa mère connaissait la vérité ; ou que si elle ne la connaissait pas, elle aurait dû la deviner. En refusant d'admettre les faits, en ne lui portant pas secours, elle avait tué en elle tout désir de lui ressembler.

L'eau était plus verte de l'autre côté : le vert translucide d'une émeraude impure, marqué par endroits de pailles brun clair quand, dans les profondeurs, un courant malicieux venait troubler le sable.

Du pont du navire, l'île lui avait paru grande, plus massive que dans son imagination : des monticules vert olive ondulaient derrière le port puis pâlissaient en bandes gris clair qui se fondaient dans les nuages anthracite. Une colline escarpée surgie d'une étroite plaine côtière servait d'arrière-fond aux hangars ravagés du port. Derrière et juste au-dessus des constructions, la toiture rouge triangulaire de ce qui lui sembla être un campanile transperçait le vert. Des fronces de foudre frappaient son sommet rongé par les nuages.

Une bruine légère mouillait le pont, mouchetait son tailleur, tenue convenable dont le poids lui pesait déjà.

Une partie de la ville devint visible : toits rouges ternis de pluie, arbres au feuillage inconnu, minuscules maisons agrippées comme par miracle au bas des pentes. Le campanile, non, la tour de l'horloge maintenant perceptible montra sa face lézardée par les aiguilles de bronze.

Sur les toits des longs hangars ballaient des Union Jack. Sur les quais, des dockers flânaient parmi des amas de caisses, tandis que des marins à l'allure militaire, en uniforme blanc, quittaient ou regagnaient le ponton gris d'un grand navire de guerre américain accosté un peu plus loin.

Elle avait déniché un poste dans une école secondaire réputée, dirigée par des prêtres catholiques, anglais et irlandais, avides d'engager du personnel étranger et compétent avant que l'indépendance imminente de l'île leur impose des professeurs locaux. Elle aurait pour responsabilité d'enseigner la littérature anglaise aux classes supérieures — Shakespeare, Chaucer, Austen, James et les sœurs Brontë — et de préparer de simples cerveaux d'insulaires aux défis posés par les examens d'entrée à Cambridge. La tâche lui parut gigantesque et, au bout d'un certain temps, elle en vint à la considérer à l'égal d'une mission.

En cet instant précis, face à cette île — plus verte qu'elle n'avait cru : elle avait imaginé un paysage poussiéreux et aride —, son esprit missionnaire s'affadit. L'air étouffant était lourd d'humidité. On aurait pu s'y noyer.

Elle fantasma : elle resterait à bord, elle ferait demi-tour, rien de cela n'aurait lieu ; elle n'aurait dilapidé que quelques semaines de sa vie.

Puis, elle songea au soleil : le faîte rouge de la tour de l'horloge contre les collines vertes, les huttes sorties tout droit d'une imagination d'enfant, les arbres. Elle se dit : « Quelques semaines, au moins, quelques aquarelles. »

Elle fouilla dans son sac et trouva son passeport. Un réconfort.

— La vérité, monsieur Rahim. Sayed. Vous voyez, je fuyais. C'est ce que font les gens comme moi. Nous fuyons une chose ou une autre. Quelqu'un, l'ennui, notre lieu de naissance. Les gens comme moi qui désirent venir en aide aux autres sont des fuyards en quête de repos, de protection. Nous aidons les autres par égoïsme, c'est tout. Nous devons aider les autres pour survivre, pour camoufler nos terreurs.

Son front était frais de sueur. Elle avait les mains moites. Là, une vérité connue mais jamais admise lui apparut dans toute sa netteté, dans tous ses détails. Les mots surgirent, enrobés de pensées, de visions jusque-là inconnues d'elle.

— Le père Gries, par exemple. Ce vieillard décharné. Qu'a-t-il fui ? La guerre ? Hitler ? Une femme ? Je me demande bien ce qu'ils fuient tous, ces lâches en soutanes. Gries a eu de la chance ; il est parvenu à se débarrasser de ce qu'il fuyait. Il mourra ici, en lieu sûr.

— Et toi ?

Il ouvrit les yeux et la regarda fixement : un éclair brilla dans ses noires orbites.

— Tu ne peux pas rester ci.

— Je ne peux pas retourner là-bas.

— Pourquoi pas ?

— Il ne me reste plus personne.

— Et ta mère ?

— Elle est morte.

— Depuis quand ?

— Il y a trois jours. Quatre jours. Je ne sais plus.

— Condoléances.

— Ce n'est pas la peine. Je n'ai pas besoin de condescendance. Surtout pas de vous.

— Comment était-elle ?

La banalité de la question — comme si son univers ne s'était pas écroulé, comme si elle ne détestait pas intensément cet homme — l'étonna, la soulagea. Elle réfléchit un instant avant de répondre.

— Je ne sais pas très bien. Elle ne se confiait à personne.

— Mais tu étais sa fille.

— Et après ?

Elle leva la main vers son visage et parcourut ses traits du bout des doigts.

— Je lui ressemble, vous savez.

Le front trop large, le nez trop rond, les joues trop amples, les lèvres trop minces.

— Ordinaire.

Elle songea : aucune harmonie.

— Parfois, quand je me regarde dans la glace, j'aimerais pouvoir me remodeler, un peu plus ici, un peu moins là.

— Je ne te trouve pas ordinaire, Victoria.

— Vous êtes un imbécile, monsieur Rahim.

— Je suis là pour toi.

— Ne soyez pas stupide.

— C'est toi qui es stupide, Victoria.

Sa voix durcit.

— Pourquoi un élève, Victoria? Pourquoi un petit Noir?

— Qu'est-ce qui vous préoccupe? Son âge ou la couleur de sa peau?

— Qu'est-ce que tu crois? Oui, je suis raciste. Il faut l'être, ici. Si tu l'ignores encore, tu ne sais rien de cette île. Les Indiens détestent les Noirs, et les Noirs détestent les Indiens. C'est comme ça.

— Et les Blancs? Ils ne sont bons qu'à baiser, c'est ça?

Ses yeux se remplirent de larmes.

— Je vais vous le dire, pourquoi un élève. Parce que c'est le genre de personne qu'on recherche en venant ici. Quelqu'un de simple, de pas compliqué. Quelqu'un qui ne nous attirera pas d'ennuis.

— Et aussi quelqu'un que tu peux contrôler. Tu domines toujours la situation.

— Pourquoi pas?

— Tu sais que ce sont les élèves qui t'ont dénoncée?

— Je le sais.

— Tu es une imbécile, Victoria. Mais tu as raison sur un point. Il n'y a rien ici pour toi. Tu ferais mieux de t'en aller.

— Pourquoi cela vous préoccupe-t-il autant?

Il baissa les yeux sur ses doigts croisés. Puis, lentement, il fit craquer ses jointures et grimaça, comme de fatigue.

— Je suppose que je suis curieux de savoir si tu partiras vraiment.

— Salaud.

D'une minceur compacte et fragile comme s'il avait souffert de malnutrition dans son enfance, M. Rahim, arrivé par la vedette de la police en compagnie des douaniers, monta à bord. Sûr de lui quoiqu'un peu agité, il affichait, songea-t-elle, l'assurance d'un initié. Son accueil — corps raide, sourire en coin, légère inclinaison de la tête — avait quelque chose de fabriqué, et son affairement fébrile, tandis qu'il la guidait dans les formalités de son arrivée, l'émut. On la traitait comme une marchandise précieuse, trop importante pour subir les délais qu'entraînent la bureaucratie et les tampons. Il bousculait les agents, leur brandissait ses documents sous le nez, les assurait que tout était en règle, exigeait des tampons, des tampons, des tampons. Personne ne semblait lui accorder une attention particulière, mais il obtint tous les tampons voulus, dont l'encre violette de mauvaise qualité macula les documents.

— Je vous en prie, monsieur Rahim, dit-elle ; la traversée a duré trois semaines. Quelques minutes de plus ne changeront rien. Calmez-vous, s'il vous plaît.

Mais il continua de se démener, tandis que le poids de ses bagages semblait lui allonger les bras. Elle le suivit, serrant contre elle son sac à main, posant le pied avec précaution sur l'étroite passerelle en métal. Il l'attendit sur le quai et leva sur elle un regard triomphant. Elle s'en étonna : « Il pose pour la galerie. »

Comme elle parvenait au bas de la passerelle, il dit : « Attention. » Elle vit le quai sombre et humide de mazout. Il y avait partout de petites flaques d'eau noire boursouflées à la surface par des nappes luisantes et huileuses.

Il la conduisit dans un vaste hangar vide, à l'exception d'une haute pile de caisses dans un coin et d'une grappe d'hommes obèses en vêtements mal coupés, chemises déboutonnées sur leur poitrine noire en sueur, qui discutaient autour de liasses de documents multicolores.

La sueur coula dans son dos, s'appuya sur l'attache de son soutien-gorge, puis poursuivit sa descente et trempa la ceinture de la jupe. Il avait fait plus frais sur le pont du navire ; ici, l'air était bouillant, visqueux. Elle songea : « Ce serait plus facile de l'absorber par intraveineuse. » L'image lui plut ; elle décida de l'inclure dans une prochaine lettre.

Ils quittèrent le port à bord d'une petite voiture grise.

— C'est la voiture de l'école, dit-il avec une fierté nonchalante.

Désinvolte à l'excès, il tenait le volant du bout des doigts de la main gauche, son bras droit rabattu sur la vitre baissée. Elle remarqua à son majeur une grosse bague en or sertie d'un rubis synthétique. Elle était trop grande, seule sa jointure noueuse l'empêchait de glisser. Elle perçut là une tentative ratée pour être à la page, pour se parer, et trouva la bague belle dans sa laideur.

Il emprunta de petites routes, longea d'interminables clôtures de béton peintes en blanc ou en crème qui laissaient voir les cimes épaisses et vertes des arbres, des toitures rouges, des corniches en bois délicatement sculpté. Tout lui parut enfermé et dégager une ambiance sévère, une impression d'enfermement à laquelle elle ne s'était pas attendue.

M. Rahim aussi lui parut impénétrable, strict. Dans la voiture, sa petite taille devenait encore plus évidente. Il était si délicat et si soigné que même son économie de mouvements semblait exubérante, surfaite. Il se concentrait farouchement sur la route, les lèvres serrées, les yeux humides et plissés.

— Êtes-vous le chauffeur de l'école ? fit-elle.

Sa bouche se crispa ; sourire ou grimace, elle ne sut le dire. Comme la Joconde, songea-t-elle, mais sans sa délicatesse.

— Non, répondit-il ; le prof d'histoire et de géographie.

— Oh, je vous demande pardon.

Il hocha la tête et elle ne sut si oui ou non elle l'avait blessé.

— Quel type d'homme est le père Gries ? fit-elle. Il m'a

envoyé des tas de lettres, toutes très officielles. L'homme ne s'y révèle pas. Il réfléchit à sa question, klaxonna une fois pour alerter un chien errant.

— C'est un prêtre, dit-il enfin. Ils oublient parfois qu'ils sont aussi des hommes.

Le sarcasme de ses propos l'étonna et lui plut. Elle attendit qu'il poursuive.

— C'est le doyen des études. Un Allemand. Un mathématicien. Il est ici depuis toujours. Il a eu une vie difficile pendant la guerre. J'étais élève à cette époque. Nous aimions à croire qu'il était espion. Cela nous donnait l'impression de participer aux hostilités. Jusqu'à l'arrivée des Américains, bien entendu. À ce moment-là, nous n'avons plus eu besoin du père Gries. Les uniformes, les jeeps, la police militaire ont suffi à nourrir notre imagination.

Il eut un rictus et afficha des dents proéminentes, blanches devant, jaunies sur les côtés. La peau de son front dégarni se plissa, le faisant paraître encore plus maigre.

— C'est un homme réservé et froid. Ne vous attendez pas à de l'affection.

— Il vous déplaît, n'est-ce pas ? dit-elle.

Il se tourna pour lui faire face, détachant pour la première fois ses yeux du chemin. Il sourit.

La voiture s'engagea dans une rue plus large bordée de petites boutiques et de magasins. Devant, la tour de l'horloge qu'elle avait aperçue du navire.

— Voilà l'école, dit-il.

Des édifices de deux étages couleur crème, toitures grises et haut mur d'enceinte, crème également et couronné de gris. En longeant la grille — elle remarqua les murs épais comme ceux d'une prison —, elle songea : « Quelques aquarelles. »

Sa nervosité n'échappa pas à M. Rahim. Il posa sa main sur la sienne. Elle voulut la retirer, mais il retint ses doigts : son contact était tiède et doux.

— Ne vous inquiétez pas, dit-il. Tout ira bien.

— Il n'était pas le premier, monsieur Rahim. Voyez-vous, j'éprouve une certaine peur. Et un certain besoin. J'ai peur des hommes et j'ai besoin d'eux. Pour tenter de trouver ce que je ne crois pas possible de trouver. Un homme en qui je puisse avoir confiance.

— Donc, tu as couché avec tes élèves ? Et qu'espérais-tu trouver en eux ? La confiance ? La maturité ? Tu dis des bêtises, Victoria.

— Qui êtes-vous pour me parler ainsi ?

— Celui avec qui tu as couché un soir. Un seul et unique soir. C'est tout ce que tu as su donner. Mais tu ne donnais rien, tu prenais. Tu n'es qu'une garce et une égoïste.

— Oui.

Elle dit ce mot dans un sifflement.

— C'est juste. Et vous, qu'est-ce que vous êtes ? Un na-tio-na-lis-te ?

Elle étira les syllabes avec l'accent de l'île, pour leur donner plus de mordant.

Il eut un rire théâtral.

— Non, Victoria. Je ne suis qu'un autre des garçons de l'île avec qui tu as couché. Et je me fais vieux.

Il rit à nouveau et son rire, moins contrôlé, avait quelque chose de maniaque.

— Je veux voir si tu as changé. Déshabille-toi.

— Salaud. Sortez.

— Je me fais vieux, Victoria. Toi aussi. Les poils sur ma

poitrine — tu te souviens des poils sur ma poitrine ? — grisonnent. Depuis un moment, je me demande si tu grisonnes aussi. Soulève ta jupe et écarte les jambes.

— Foutez le camp ! hurla-t-elle ; son cri se répercuta en écho dans toute la maison.

— Salope. Tu ouvres bien les cuisses pour un élève.

Il se leva de son fauteuil et elle se précipita sur lui. Il recula contre la lampe ; danse de lumière et d'ombre. Elle sentit sa bague mordre son menton et tomba à la renverse, heurta sa tête sur les lattes du parquet. Il agrippa sa robe, tritura le tissu, déchira sa petite culotte, et enfin, elle fut offerte à sa vue, genoux maintenus ouverts par des paumes moites. Elle l'entendit haleter, sa poitrine se serra, elle attendit la douleur, le poids.

Il défit sa fermeture éclair d'un mouvement brusque et elle sentit qu'il se frottait contre elle : il était mou. Il appuyait plus fort, se frictionnait contre sa chair, mais il demeurait flasque.

Elle sut qu'il ne pourrait rien faire de plus.

Il se redressa et recula, tenant toujours ses jambes écartées avec ses mains.

Puis, il rit : un rire sonore, interminable. Des gouttelettes de salive se répandirent en pluie sur l'intérieur de ses cuisses. Il retira ses mains. Il n'en finissait pas de rire.

En bredouillant, il dit : « Gris, Victoria, gris. »

Ses pas rapides martelèrent le parquet. La porte s'ouvrit, claqua. Et son rire résonna encore, puis finit par se confondre avec le cliquètement de la serrure.

3.

Le ciel était une masse noire et grumeleuse : elle en sentait le poids dans l'air, dans l'obscurité humide de la nuit. La pluie, soudaine et drue, qui ne lavait rien, avait ranimé des odeurs d'égout. Une putréfaction sourde coagulait l'atmosphère : elle songea à du sang plus très frais.

L'école était plongée dans le noir. Ici et là, une ampoule faiblarde projetait une lumière grisâtre : éclairage inefficace. Elle n'avait jamais vu l'école inanimée ; elle sommeillait, se gonflait et s'affaissait dans une lente respiration. Les lueurs de la rue principale voisine aiguisaient les arêtes de la tour de l'horloge, bloc noir surplombant la masse.

La grille était cadenassée. Elle en empoigna les barreaux encore mouillés, en sentit la peinture lisse et, dessous, le métal piqueté par la corrosion. On avait pris l'habitude de verrouiller la grille deux ans auparavant, lors des émeutes ; et la méfiance, tangible à l'époque, ne s'était jamais apaisée.

Elle emprunta le trottoir qui longeait le mur d'enceinte. Sans rien pour l'éclairer, la chaussée offrait des reflets verts, puis jaunes, puis rouges en provenance des feux de circulation tout proches. Elle parvint à l'entrée qu'utilisaient les prêtres le soir, une porte en métal gris discrètement ménagée tout au bout du mur. On la lui avait montrée pendant les émeutes, dans un moment de panique où il avait semblé que, pour sauver sa peau, il n'y avait d'autre choix que se réfugier à bord des navires de guerre américains et britanniques au mouillage dans le port. Elle se pencha pour chercher le loquet près de la base humide. La porte s'ouvrit.

Plongée dans l'obscurité, la cour ressemblait à l'océan la nuit : une étendue plus qu'infinie, enveloppante. Elle se sentit happée. Les lignes blanches des espaces de stationnement luisaient faiblement, tels des moutons d'écume, uniformes et gelés.

Elle traversa à pas rapides la vaste cour qui lui devint plus familière à mesure qu'elle s'approchait de l'édifice. Elle remarqua distraitement qu'elle avait les pieds nus : la rugosité du ciment mouillé était une nouveauté pour elle, et elle traîna la plante de ses pieds sur ses aspérités, chatouillement et douleur. L'escalier, puis le couloir du rez-de-chaussée, carrelage lisse et glissant ; un autre escalier, puis le couloir de l'étage, le contact sec du bois usé et sans vie. Elle vit au bout du couloir l'applique lumineuse au-dessus d'une des portes du salon des professeurs : les portes verrouillées, les panneaux de verre moulurés de blanc. La pensée de M. Bain, puis la pensée de la photographie de M. Rahim la firent sourire. Elle bifurqua à gauche vers un escalier étroit qui conduisait au deuxième, l'étage des prêtres. Elle avait toujours trouvé étrange qu'une porte n'en interdise pas l'accès : l'autorité — appréhendée ou maudite — érigeait sa propre barrière. Quand elle posa son pied sur la première marche, la force de cette autorité la paralysa. Elle lutta contre son inertie et grimpa l'escalier à toute vitesse ; parvenue en haut, elle se trouva en face d'un long couloir étroit recouvert de moquette où un éclairage tamisé révélait les lambris de mauvaise qualité et, à intervalles réguliers, les embrasures profondes des portes en bois sombre avec leurs petites plaques de carton blanc : Père K. Huggins, Père R. Reginald, Père P. Rodriguez, Père H. Lebrun, Père H. Gries. Elle s'arrêta devant la porte du père Gries, saisit la poignée et la tourna lentement. La porte s'ouvrit sur une petite chambre sans fenêtre : lit défait, bureau encombré de papiers, étagères, livres, documents, un grand crucifix, quelques photos d'un homme en uniforme. La pièce, mal ventilée, en pagaïe, témoignait d'une vie très désordonnée.

Le père Gries n'était pas là. Elle se demanda où il pouvait bien être, puis elle le devina : les compagnons les plus intimes des personnes décédées sont ceux-là mêmes qui ont senti la caresse d'un vent glacé.

Elle sortit de la chambre sans en refermer la porte et se

rendit au fond du couloir. À l'angle, devant elle, elle jeta un coup d'œil par les portes ouvertes dans une vaste pièce où des rangées de cierges projetaient une lueur uniforme, accentuant la pénombre environnante jusqu'à la rendre impénétrable.

Elle s'approcha de l'entrée, maintenant enhardie, sûre d'elle-même. Massif au point de paraître occuper tout l'espace, le cercueil ouvert du père Small avait été hissé devant les cierges. Une statuette de la Vierge Marie, les mains jointes dans une attitude de prière, penchait la tête vers ses sombres profondeurs.

Victoria ne perçut au début que les cierges, la Vierge, le cercueil : un réseau de lumière et de lignes en suspens dans l'obscurité. Elle crut s'être trompée, et que le père Gries n'avait pas recherché la compagnie du mort mais la sienne propre, pour panser ses blessures anciennes et s'engager sur la brève voie de son avenir.

Puis, sur sa gauche, un mouvement, un éclair blanc : elle sut qu'il était là. Tapi, crut-elle. Et, un court instant, un instant si bref que la pensée lui vint non pas en mots mais en images, elle se demanda s'il était assis, son chapelet enveloppant étroitement sa main, sa Bible sur les genoux, à s'imaginer étendu dans le cercueil sous le regard suppliant d'une Madone en plâtre.

— Père Gries, dit-elle.

Il se leva, s'approcha lentement et lui parut grotesque dans la lueur des cierges.

— Mademoiselle Jackson, fit-il sans manifester de surprise.

— Je suis venue présenter mes respects.

Il acquiesça, et elle reçut ce calme, cette acceptation comme une attaque. Il la regardait, lèvres entrouvertes à la façon des vieillards, mâchoire tombante, sa soutane blanche et ample tombant sur lui comme un rideau mal drapé.

Elle s'approcha du cercueil et se pencha sur un visage méconnaissable, jaune et gris, aux sombres creux orbitaires, au nez quelconque fondu dans la chair, aux lèvres scellées comme si elles luttaient contre la douleur. Elle aperçut un masque, rien de plus, le masque d'un visage qu'elle n'avait jamais vu doté de vie. Elle aperçut sa mère.

Elle se retourna. Le père Gries la fixait toujours. Mais elle constata qu'il ne la voyait pas, que ses yeux, ouverts sur le vide derrière le cercueil, balisaient l'infini.

— Père Gries, dit-elle.

À l'éclat de son regard elle sut qu'il l'écoutait : elle se sentit devenir maîtresse de sa soudaine lucidité.

— J'ai quelque chose à vous montrer.

Elle fit un pas, s'éloigna du cercueil, s'approcha de lui.

— Regardez, père Gries.

Elle fit glisser fermement sur son bras droit la bretelle de sa robe, puis celle de son soutien-gorge, dégagea sa chair du bonnet en tissu. Le regard du prêtre suivit ses mouvements, s'accrocha enfin au sein nu.

— Oui, regardez, espèce de vieux fou, avez-vous déjà vu un sein de femme ? En avez-vous rêvé ? En avez-vous désiré ?

Elle se rapprocha de lui tandis qu'il fixait sa chair nue et blanche.

— Touchez, père Gries. Allons, touchez.

Elle prit la main du prêtre, la dégagea du chapelet qui l'entourait et en attira les doigts raides et froids à sa poitrine. Elle l'y pressa, en réchauffa la peau au contact de sa paume.

Ses yeux fixaient toujours sa main qui tenait celle du vieillard. Le visage de ce dernier restait imperturbable, lèvres entrouvertes, regard distant et vide.

Puis, la main du père Gries bougea. Lentement, du bout des doigts d'abord, il la referma sur le sein en pressant celui-ci comme on éprouve la maturité d'un fruit.

Elle relâcha la main du prêtre. Les muscles de son visage se contractèrent, ses dents du haut mordirent celles du bas.

La pression s'accrut sur son sein, le tétin lui fit mal. La main qui caressait son sein, les doigts qui en appréciaient la rondeur confirmèrent son jugement au sujet du prêtre et achevèrent de la dégoûter. Jugement et dégoût ne faisaient qu'un.

Elle porta la main au cou du vieillard, peau mal rasée, flasque et rude. Elle enserra fermement la pomme d'Adam.

Il se plia en deux, s'agrippa la poitrine.

Il me supplie, songea-t-elle. Il me demande pardon.

Puis elle se dit : « Ce vieux salaud est en train de faire une crise cardiaque. »

Elle l'observa, fascinée. Il semblait lui faire une révérence exagérée ; sa pose avait même un soupçon d'élégance.

Combien de temps restera-t-il ainsi ? se demanda-t-elle. Est-ce qu'il va tomber ?

Elle glissa sa main derrière la tête du prêtre et lui donna une petite poussée. Il grogna, manqua d'air ; le son la terrifia. Puis il tomba vers l'avant, lentement, légèrement, toujours étonnamment fluide. Sur le sol, la peur le replia en position fœtale, il se serrait toujours le cœur. Puis son bras mollit, il eut un hoquet, se figea dans le néant.

L'escalier n'était pas très long, elle le savait, mais l'ascension lui parut interminable. L'obscurité était totale, les marches hautes, la montée à pic. Les muscles de ses cuisses s'échauffaient, ses rotules grinçaient comme rongées par la rouille. Les parois de ciment rugueux l'enserraient, compressaient l'air, l'aspiraient et imbibaient tout le reste d'une odeur humide de moisissure. La sueur chatouillait son front, son cou, son dos, sa poitrine, araignées courant sur sa peau. Elle ne savait plus ce qui était en haut, ce qui était en bas, elle avait l'impression de se balancer en tombant comme en rêve. Elle plongea en direction du mur, y chercha un appui. Ses paumes touchèrent le ciment ; il lui sembla caresser du papier de verre. Elle s'appuya fortement à la paroi en quête d'équilibre, les aspérités mordirent sa joue et son sein. Elle poursuivit son escalade. Puis, sa main rencontra du métal, le mécanisme de l'horloge ; elle sut qu'elle était presque parvenue au sommet de la tour. Un instant, elle resta agrippée au métal, froid et dur comme un rejet, puis elle s'en arracha, pressée maintenant d'atteindre l'endroit où il n'y avait plus de murs, où la petite toiture rouge s'appuyait sur quatre colonnes cornières comme des pilotis de hutte, où, enfin, il y avait de la lumière.

Mais au loin seulement. Aucune lueur ne pénétrait dans la tour. L'éclat de la rue principale se reflétait sur l'extérieur, traversait la petite pièce en ne posant ici qu'un scintillement, là une lueur sourde, comme des étoiles éteintes. À travers la dentelle sombre d'un arbre, elle aperçut l'arc brisé des feux de pont d'un navire, panorama de fête, incomplet et dérisoire vu d'en haut.

— Éteints, fit-elle.

L'écho lui répondit. Ainsi répété, le mot ressemblait à ceux de quelqu'un d'autre.

De son père. Ou de sa mère.

« Pourquoi veux-tu donc aller dans ce pays perdu ? »

« Traître. Tu me donneras un baiser en t'en allant, et cela me tuera. »

« Promets-moi que tu ne nous oublieras pas, Victoria chérie… »

Pourtant, c'étaient eux qui étaient devenus, qui avaient toujours été des ombres.

L'image lui revint : le petit jardin de buissons fragiles et de

175

caisses de rebut, la clôture en lattes de bois, les maisons identiques, le ciel gris saturé de fumées d'usines.

Y retourner : l'horreur.

En disgrâce : une horreur plus grande encore.

Revenir à rien, de rien, sans rien ; rentrer avec pour tout bagage une poignée d'ombres. C'était la pire horreur de toutes : prouver qu'ils avaient eu raison.

Sous elle, l'horloge sonna un coup et le bruit tranchant, persistant, ponça son cerveau jusqu'au vide, n'y laissant que la conscience de la dévastation lovée comme un serpent au creux de son estomac.

Ici, cependant, elle ressentait du bien-être, son cerveau était libre, le chaos disparu. Elle éprouva une sensation de pureté ; elle crut pouvoir voler. Elle voulut capturer cette sensation, la conserver à tout jamais.

Elle se hissa sur le parapet, s'y assit en faisant pivoter ses jambes et demeura là, pieds ballant dans le vide. Elle releva sa jupe, découvrit ses jambes, goûta l'air humide et épais.

Un jeune et souriant M. Bain prit place à ses côtés.

— Nous sommes des ombres, Victoria. Voilà notre problème. Le vôtre, le mien, celui de Gries. Notre époque est depuis longtemps révolue. Nous sommes d'un autre âge. Aucun de nous n'est le bienvenu ici. On n'a pas besoin de notre présence. Nous sommes des parias.

Elle regarda autour d'elle une fois de plus. L'obscurité, les lumières changeantes : un panorama du néant. Et dans ce panorama, dans cette vision de l'infini, d'un univers sans espoir, elle découvrit une joie privée de souvenirs.

Elle se laissa tomber vers l'avant dans un mouvement facile, tout naturel, sans penser à rien, sûre de faire ce qu'il fallait, rendue joyeusement au point de non-retour. La nuit, les lumières, les parois de la tour tournoyèrent devant ses yeux : la chute brouillant tout, la chute lente vers le sol. Son bras droit, emporté par la rotation de son corps, heurta bruyamment le métal et l'horloge sonna un coup. Puis un deuxième. L'air comprima sa gorge. Tout devint noir. L'horloge sonna encore, et encore, et encore.

La dérive des continents

La pièce, un vide rectanglaire entre deux parois de béton, ressemble à un puits d'ascenseur. La lumière blafarde de la lampe posée sur le comptoir de la réception révèle des murs fatigués, bleu ciel ; à ma droite, un escalier s'enfonce dans la pénombre où, en me concentrant, je parviens à déceler une grande porte. Devant moi, discutant avec le concierge — un gros homme aux yeux fatigués, aux épaules voûtées et à la voix théâtrale où perce une patience étudiée ou de la lassitude —, deux Espagnols, un homme et une femme, jeunes, dépenaillés comme s'ils avaient marché pendant des jours, de peine et de misère. La femme, dont le regard alterne entre l'attention farouche de qui ne comprend pas et une fatigue extrême, se tait, reste un peu à l'écart, tandis que leurs bagages, fermés par des courroies et des bouts de ficelle, s'appuient sur ses jambes.

— Cinquante francs par personne de caution pour la literie, dit le concierge.

L'Espagnol s'agite. Il ne parle pas bien le français.

— Mais nous partons demain matin. Quatre heures. Nous pas beaucoup d'argent.

— C'est une caution. On vous remboursera demain matin.

179

— Mais pas beaucoup d'argent.

Il se fait suppliant maintenant, il parle tout bas.

— Pas de caution, pas de literie. Un point c'est tout.

— Vous avez peur que nous vous vole vos draps?

Le concierge ne répond pas, roule patiemment son stylo entre ses doigts.

L'Espagnol dit :

— Mais comment je suis sûr que vous me rendre mon argent demain matin?

— Et comment puis-je être sûr que vous me rendrez mes draps demain matin?

— Nous pas des voleurs.

Sa voix devient stridente.

— Vous me donnez cinquante francs, je vous donne votre literie. Demain matin, on fait l'échange. C'est le règlement, ce n'est pas compliqué. Cinquante francs chacun, s'il vous plaît.

Il conserve sans effort un ton égal. Il sait qu'il a le dessus.

L'homme se tourne vers la femme et marmonne rapidement quelques mots d'espagnol. Elle fouille dans la poche de son jean et lui tend une petite liasse de billets, mince comme une tablette de gomme à mâcher. Il en retire avec peine deux coupures de cinquante francs qu'il lance sur le comptoir ; son mouvement de poignet dénote à la fois le mépris et la résignation.

Le concierge prend l'argent et, sans rien dire, sans même un regard, n'exprimant qu'une impénétrable passivité, il leur tend deux piles de draps blancs. Il montre du pouce la pénombre en haut de l'escalier.

— Par là, dit-il à l'homme.

Et à la femme :

— Toi, de l'autre côté.

Agitée, la femme, qui ne comprend pas, pose sur son ami

un regard désespéré. Il explique, lui montre l'escalier opposé à celui qu'il doit prendre ; de toute évidence, elle n'aime pas devoir se séparer de lui. Mais il la repousse en ronchonnant, prend les draps, enfile son sac à dos et s'engage dans l'escalier sans se retourner. Elle le suit des yeux, puis regarde sauvagement le concierge.

— Par là, mademoiselle, dit-il plus gentiment en pointant l'escalier du doigt.

Soudain soumise, le regard apeuré, elle prend ses draps, traîne son sac à dos jusqu'à l'escalier et disparaît dans la pénombre qui l'enveloppe.

Le concierge, imperturbable et indifférent, s'adresse à moi :

— Passeport, s'il vous plaît, monsieur.

Je lui tends mon passeport et une coupure de cinquante francs, je prends les draps qui me sont destinés et m'engage à mon tour dans l'escalier tandis que les bretelles de mon sac à dos pressent ma chair telles des mains lestées de plomb. Le visage de la femme espagnole, sa terreur devant une chose aussi simple, ne me quittent pas. Ils expriment la précarité des choses, comme si, dans son esprit, face à ce qui l'attend, elle se tenait sur le bord friable d'un précipice. Ce regard n'est pas nouveau pour moi ; au contraire, je l'ai vu souvent, de nombreuses fois en de nombreux endroits, ce regard qui est une variante récente, plus tragique, de la dérive des continents. Les Arabes en Angleterre, les Turcs en Allemagne, les gitans en Espagne, les essaims de vagabonds dans les bars, les chambres dérobées et les ruelles d'Amsterdam. Partout, dans les rues, les métros, les coins perdus, errent les hippies — ce mot si étrange, si suranné, évocateur d'une époque antérieure à la mienne —, ces hommes au crâne dégarni et ces femmes grisonnantes portant des colliers de verroterie, des bracelets et des sacs à dos, une guitare sur l'épaule, tels des réfugiés suspendus dans le temps, personnages vieillissants prisonniers d'un passé qui ne s'accroche plus qu'à eux, comme la poussière et la suie qui recouvrent les édifices célèbres ou anonymes d'Europe. La peur mélancolique des égarés s'écoule de leurs yeux, ils ne voyagent plus par désir mais par la force de l'habitude et de la nécessité, non pas séduits par l'inconnu mais perdus dans cet inconnu.

Ils me fascinent, ces visages, ces regards, ces yeux. Ils m'attirent ; car ils semblent héberger des vérités qui se situeront toujours très au-delà de mon atteinte et de ma sécurité.

Le matelas — sur la couchette inférieure d'un lit à deux ponts dont la couchette supérieure s'encombre des épaves pêle-mêle d'un autre voyageur — est, comme d'habitude, mince et nu, presque une planche. L'oreiller, d'une dimension encore plus désespérante, se distingue à peine du drap que j'ai négligemment jeté sur le lit. Quatre ampoules très fortes nuisent au sommeil ; la lumière, réverbérée presque avec violence par les murs bleu ciel, semble se rassembler au milieu de la pièce pour exploser dans tous les angles en écrasant les ombres.

Étendu dans mon jean si délavé qu'il en paraît blanc et mes chaussettes parsemées de reprises inégales, maladroitement exécutées par un novice en la matière, je ressens la fatigue de mes six mois d'errance : d'une petite ville à l'autre, d'une grande ville à l'autre, de train en car et de car en train, d'un visage et d'une langue à l'autre aussi vite qu'on zappe en regardant la télé. Un éventail insaisissable de physiques, de styles, de voitures, d'édifices, de paysages. Et les cathédrales ! Seigneur, les cathédrales ! Kilomètres d'arcs-boutants, amas de flèches et de gargouilles : la piété infinie sculptée dans la pierre.

Puis, les musées. J'y ai renoncé très tôt, j'ai renoncé aux toiles et aux statues, aux siècles et aux continents exhibés sous verre, quand l'impression m'est venue que l'Europe entière est un musée, les hommes et les femmes de simples gardiens ; quand j'ai compris que, sitôt conclue une étape de sa vie, l'Europe en exposait les reliques dans des vitrines aux tristes étiquettes, passé — lointain et proche — proprement emballé.

Et maintenant que je suis étendu sur le matelas à peine perceptible, maintenant que je sens les lattes du sommier contre mon dos, la question qui s'était imposée à moi deux semaines auparavant me revient : après tout ce temps, après tous ces kilomètres, qu'ai-je donc appris ?

Je me suis amusé parfois. J'ai ressenti colère, irritation, stupéfaction. Souvent aussi, de l'ennui, tout simplement. J'ai vu des tas de choses, rencontré des tas de gens. Mais toujours en passant, expériences plus inachevées qu'un rêve, visions en tous points chimériques, notes infrapaginales à jamais fragmentaires, n'offrant en guise de récompense pour ce mouvement perpétuel que des images et des sensations.

Qu'ai-je appris ? Je ne me suis donné à rien ; qu'aurais-je pu apprendre ?

Je tends la main droite vers le sac à dos glissé sous le lit, trouve la pochette extérieure, l'ouvre et en retire mon journal, un petit livre relié à fermoir en laiton. Sur la couverture de feutre brun roux, douce et tiède au toucher, les lettres cursives, dorées, de mon nom : *J. T. Farrell*. James Timothy. Un nom ordinaire, me vient-il tout à coup ; incontestablement banal.

Je n'ai rien noté dans mon journal depuis quelque temps. Cela fait plusieurs jours qu'il ne se passe rien qui vaille la peine que j'en parle. Mais, en tournant les pages, je suis surpris de constater que je n'ai plus rien écrit depuis deux mois. La dernière entrée me déprime : la brève description — si brève, dans

183

un style télégraphique, que j'y détecte un ennui naissant — de ma rencontre avec une prostituée de Munich. « Deux sous la botte ! Deux sous la botte ! » criait-elle obstinément avec un fort accent. Je m'étais faufilé en courant parmi la foule, poursuivi par ses imprécations : « Sauhund ! Con ! Fag ! Hijo de puta ! » Spectacle forain d'une vulgarité internationale.

Après l'Italie, j'avais gribouillé « Finis les portails d'églises, s'il vous plaît, finis les retables, finis les crucifix. »

Je tends les doigts d'instinct vers le stylo encastré dans la reliure, mais quand j'y touche, je décide qu'il n'y a rien à écrire, que je n'ai toujours *pas envie* d'écrire quoi que ce soit. J'aimerais plutôt me réfugier dans une cafétéria, commander un café dans une langue qui ne requiert aucune gymnastique, puis sauter dans le métro et rentrer à la maison, prendre une douche, dîner, me coucher. Je m'aperçois que j'éprouve la même sensation qu'après une visite de quelques heures au Royal Ontario Museum ou au Musée des beaux-arts d'Ottawa : j'en ai assez du vieux, de l'emprisonné ; j'ai besoin de temps pour assimiler et emmagasiner ce que j'ai vu ; besoin de temps ensuite pour respirer l'air plus frais de ce qui n'a pas encore été inventé.

Je dépose le cahier à côté de moi sur le drap et je ferme les yeux, le visage tourné vers le mur pour échapper à la lumière.

Des voix puissantes — un accent britannique — résonnent dans le couloir, puis dans la chambre. Agacé, j'ouvre les yeux et me tourne vers la porte. Deux hommes, jeunes mais au visage vieilli, à la peau épaisse et flétrie par les intempéries, entrent ensemble. Des serviettes humides drapent leurs épaules nues. Leurs cheveux, encore mouillés, ne sont pas coiffés, et leur teint — dont la lumière indiscrète de la chambre fait ressortir le gris sous-jacent — rappelle le marbre des statues, terni par les éléments.

Ils ne font pas attention à moi, traversent la chambre jusqu'à leurs lits superposés encombrés de musettes et de havre-sacs défraîchis. L'un d'eux se frictionne le dos avec sa serviette, comme s'il lui démangeait ; plus désinvolte, l'autre enfile une chemise blanche qui se tache bientôt de plaques humides.

L'homme à la serviette dit :

— Tu te souviens de la Hollandaise ? Son nom, c'était quoi déjà ?

— Hildie ? Tildie ? répond son copain en rentrant négligemment sa chemise dans son jean.

— Non-non-non, Hildie, c'était l'Allemande. Une reprise de la Bataille d'Angleterre. Sauf que, cette fois, c'est *moi* qui lançais des bombes.

Son copain rit en passant avec difficulté un peigne dans ses cheveux blond sale.

— Vous faisiez un sacré vacarme. De quoi réveiller les morts.

L'homme à la serviette s'assied sur le lit du bas et se souvient.

— Pas seulement les morts, Henry. Elle était super.

— Combien de fois, cette nuit-là ? Trois ? Quatre ?

L'homme à la serviette sourit, puis éclate d'un rire rauque.

— Je ne m'en souviens pas. Mais elle a fait des miracles à répétition.

— Lève-toi et marche, Lazare. Encore et encore et encore.

L'homme le fouette d'un coup de serviette, envoie voler le peigne, et tous deux, pliés en deux, rient avec exagération.

J'appuie mon avant-bras sur mes yeux et j'écoute leur conversation avec de plus en plus de répugnance. Je voudrais qu'ils s'en aillent, car ils me rappellent mes deux aventures amoureuses du début du voyage, des rencontres brèves qui avaient entraîné dans leur sillage confus un malaise et une solitude encore inconnus de moi.

Mais ils ne partent pas, énumèrent les aptitudes variées des filles qu'ils ont baisées en Italie. Ils m'apparaissent soudain telles des machines distributrices de sperme qui disséminent leurs échantillons un peu partout comme d'incontrôlables matous en chaleur, puis qui se livrent, dans leurs périodes de repos, à un délectable inventaire de détails techniques, à des descriptions publiques de leurs prouesses pubiennes.

Cette pensée me retourne l'estomac et un goût de suri envahit ma bouche. D'un mouvement brusque, je roule hors du lit, enfile mes bottes de marche — éraflées et poussiéreuses, lacets rouges aux bouts effilochés — et quitte la lumière éclatante de la chambre et du couloir pour l'obscurité du vestibule où le concierge, presque somnolent, lit un livre dans le halo jaune d'une lampe, puis je sors dans l'air fébrile d'un crépuscule tranquille.

Le ciel nuageux est d'un gris uniforme qui semble déteindre sur les pavés de la large rue. Des arbres, dont le vert plein s'estompe, bordent le trottoir d'en face ; derrière ces troncs fins et noirs, les boutiques et les cafés sont fermés. Le trottoir est désert et le silence lui-même, si monotone d'habitude, semble bruire imperceptiblement.

Soudain, une petite voiture tourne le coin à toute allure, fonce à côté de moi et disparaît au bout de la rue. J'envie les gens qui se hâtent de rentrer chez eux. Le vrombissement du moteur s'estompe, remplacé par un silence inerte et une intensification quasi perceptible du gris environnant. On dirait que la ville s'enfonce en elle-même, aspirant toute vie à l'intérieur des maisons comme dans les gros villages — je le sais bien —, quand l'heure entre chien et loup suscite un retrait qui est presque une désertion.

Je me rends au bout de la rue jusqu'au grand square au milieu duquel s'élève un monument, un colonne en béton surmontée d'une femme, poitrine nue, dans une pose théâtrale. Des graffiti et des affiches, visibles mais illisibles dans la lumière mourante, recouvrent le socle du monument. L'obscurité noie les édifices tout autour du square, à l'exception de deux d'entre eux : un bar désert derrière les chaises blanches, les tables orange de sa terrasse, un hôtel et son enseigne aux néons criards. Aucun n'est invitant et je me demande un court instant que faire. Casser la croûte ? Je n'ai pas vraiment faim. Continuer ma promenade ? L'exploration que rien n'attise exige maintenant de moi un certain effort. Je suis las, je le sais, de ne jamais aller nulle part.

À côté de moi, sur le trottoir, une cabine téléphonique ; tout à coup, j'aimerais pouvoir appeler quelqu'un, mais personne ne m'est facilement accessible. Puis je constate que le téléphone est dépourvu de combiné et de fil. Une sorte d'indice.

Mon visage reçoit une faible goutte de pluie. Sans réfléchir, je reviens sur mes pas à la hâte, avec soulagement, je rentre à l'auberge, à mon lit misérable, à la lumière crue, aux voix affligeantes.

— Excusez-moi.

Une voix forte résonne dans les couloirs. Des bottes martèlent l'escalier.

— Excusez-moi.

Mes épaules me font souffrir et la douleur monte graduellement le long de mon cou avec une sorte d'entêtement.

— Excusez-moi.

J'ouvre les yeux et j'aperçois un visage que la lumière ombrage.

— Oui ?

— Ahh.

L'homme se redresse, ses cheveux aux épaules, noirs et épais, captent la lumière et la fractionnent en étincelles. Il a un visage carré et robuste, aux traits généreux, un visage qui inspire à la fois la confiance et la méfiance, un visage qui, avec ses yeux rieurs et son sourire franc, désarme.

— Vous êtes américain? dit-il.

L'accent est britannique, mais la prononciation, soignée et délicate, comme si chaque mot recevait une caresse avant d'être prononcé, provient de toute évidence d'une langue plus rude, plus solide.

— Non; canadien.

Sa question et ma réponse, répétés ces derniers mois au point de devenir une sorte de litanie, m'irritent; ils me rappellent la jeune Américaine — californienne et basanée — qui, hier soir à bord du train, m'avait dit avec sarcasme : « Avez-vous un drapeau canadien sur votre sac à dos, comme *tous* les Canadiens? » J'avais eu envie de la frapper, mais je m'étais contenté de lui répondre : « Oui. Nous ne ressentons pas le besoin de dissimuler notre nationalité. » Puis je l'avais plantée là et je m'étais frayé un chemin dans le couloir encombré de passagers jusqu'à une autre voiture.

— Excusez-moi de vous déranger, poursuit l'homme; avez-vous un…?

Il cherche ses mots.

— Pour la bière. Pour ouvrir les bouteilles.

Et ses mains, grandes, aux ongles sales, feint de décapsuler une bouteille.

— Un décapsuleur.

— Oui, c'est ça. Un décapsuleur.

— Non, je suis désolé.

Je ferme les yeux dans l'espoir qu'il s'en ira.

— Vous êtes canadien, avez-vous dit ?

— Oui.

Je suis de plus en plus agacé.

— De Montréal ?

— Non. D'une petite ville dont vous n'avez jamais entendu parler. En Ontario. Mais vous n'avez sans doute jamais entendu parler de cette province non plus.

Je garde les yeux fermés, mais le son de ma propre voix m'apaise.

— J'étudie à l'Université de Toronto.

— J'ai fait la connaissance d'un Canadien une fois. À Londres. Très gentil. Très aimable.

— Vous n'êtes pas… êtes-vous britannique ?

— Non-non.

Il a un ricanement sonore qu'il étire, et je comprends que ma question a ravivé en lui des souvenirs, des images qu'il veut savourer, fût-ce une seconde ou deux.

— Non, je suis espagnol.

J'ouvre les yeux et me redresse.

— Vous parlez très bien l'anglais.

— J'ai vécu un an à Londres. Je voulais apprendre l'anglais.

Ses yeux rencontrent les miens ; son maintien — physique élancé et costaud, jean noir, chemise marine et veste noire — dégage une assurance détendue. Son attitude n'a rien d'hésitant.

— Je m'appelle Enrique, fait-il.

— James.

Je tends la main. Enrique la serre brièvement, avec fermeté. La rudesse de sa peau me surprend. Le contraste est frappant entre son élocution soignée et précise et la dureté noueuse de sa main : chacune semble évoquer un passé différent.

— Je suis dans une autre chambre, en compagnie d'un

ami. Nous nous apprêtions à dîner. Voulez-vous vous joindre à nous?

— Merci, non, je suis fatigué.

— Nous n'avons pas grand-chose. Du saucisson, du pain, des pommes, quelques bouteilles de bière. Mais nous serions heureux de les partager avec vous.

Son invitation est teintée d'une sincérité très vieille Europe, d'une élégance qu'au début de mon périple j'avais espéré trouver quotidiennement, mais dont je n'avais le plus souvent constaté la présence que pétrifiée, dans les objets de bois sculpté ou de pierre ciselée. Ses paroles, ses façons ont quelque chose d'anachronique et de plaisant à la fois.

— Merci, m'entends-je dire; j'en serais ravi.

Nous parcourons le couloir jusqu'à une chambre plus vaste, un dortoir rempli de simples couchettes, certaines drapées de blanc, d'autres réduites à un matelas mince et gris. Enrique me précède jusqu'au fond de la pièce. À demi étendu sur un lit, un homme grand et mince aux cheveux blond filasse mal coupés et mal coiffés, au visage exsangue de malade. Enrique nous présente.

— Voici Carlos. Carlos ne parle pas très bien l'anglais.

Il s'adresse à Carlos en espagnol, en parlant très vite, et je l'entends prononcer mon nom. Carlos sourit faiblement, avec une réticence qui n'a pourtant rien de distant mais semble s'excuser et créer une sorte de neutralité désintéressée. Nous nous serrons la main, geste bref et mou, et avant même que je ne m'assoie sur le bord du lit à l'invitation d'Enrique, le regard de Carlos se perd par-delà le plafond, à des années-lumière.

Tandis qu'Enrique sert le repas — il développe le saucisson, tranche les pommes au moyen d'un canif, appuie les capsules des bouteilles de bière sur le montant en métal du lit, puis les frappe de la paume, et la bière mousse et jaillit des bouteilles à moitié ouvertes — j'observe le contraste entre les deux amis : le premier, brun et costaud aux lèvres épaisses et expressives ; le second, blond et délicat, aux lèvres fines et exsangues qui se fondent discrètement dans le reste du visage ; Enrique, débordant de vitalité, s'affaire avec délices autour de la nourriture ; Carlos, languissant, les yeux bleus, pâles, presque éteints. Si je les avais croisés dans la rue, sans leur parler, j'aurais pris Carlos pour un Britannique égaré et souffrant de malnutrition. Je me serais d'instinct méfié de l'allure de gitan d'Enrique.

Et pourtant, c'est Enrique qui me tend maintenant une moitié de pomme et une épaisse tranche de saucisson avec une courtoisie désinvolte et chaleureuse, c'est lui qui essuie une bouteille de bière avant de me la tendre.

— Vous êtes en voyage ?

J'inclus d'emblée Carlos dans mon regard, bien que je sache qu'il ne comprend pas mes paroles.

— Oui, mais ce n'est pas un voyage de plaisir.

Enrique place une bière dans la main de Carlos, repliant presque les doigts de ce dernier autour de la bouteille.

— Nous cherchons du travail.

Il se hisse sur le lit voisin, croise les jambes et glisse une bouchée de saucisson entre ses lèvres. Il mastique en parlant.

— Il y a beaucoup de désoccupation au Espagne maintenant.

— De chômage.

— De chômage. Excusez-moi. Je ne parle pas très bien votre langue. Je n'ai pas pu rester à Londres aussi longtemps que je l'aurais souhaité. Des ennuis d'argent. Comme toujours.

— Vous en avez manqué ?

— Mon père est décédé subitement. Il a laissé beaucoup de dettes. Les avocats se sont enrichis. Et de très riche, ma famille est devenue très pauvre.

191

— Donc, vous avez dû quitter l'Angleterre.

— Ma mère a cinq autres enfants, tous plus jeunes que moi. Elle avait besoin d'aide pour les nourrir.

Il casse en deux une tranche de pomme et en mange la moitié.

— Mais il n'y a pas de travail en Espagne en ce moment.

Carlos, toujours étendu, sirotant sa bière, ne mangeant pas, s'adresse à toute vitesse à Enrique en espagnol. Enrique répond, parle lui aussi très vite, et éclate d'un rire rauque ponctué de « Eyyy, Carlos ! Eyyy, Carlos ! »

Je m'étonne de saisir le sens de sa réaction. Le rire un peu forcé, le ton plaisant destiné, de toute évidence, à rassurer son interlocuteur. Riant encore, Enrique me dit :

— Carlos est inquiet. Il me rappelle que nous devons nous rendre à la gare ce soir.

— Vous partez ?

Cette perspective me déçoit, et je m'en étonne. Les gens vont, les gens viennent. Au bout d'un certain temps, tout cela a cessé de m'impressionner. Les rencontres, comme tout le reste de ce voyage, ne sont que des frôlements évanescents.

— Pas ce soir, non. Il n'y a plus de train, et nous devons nous reposer. Non, nous espérons trouver des gens comme nous. C'est parfois le meilleur moyen de savoir où il y a du travail.

— Quelle sorte de travail cherchez-vous ?

J'éprouve un soulagement physique, un apaisement soudain de ma tension.

— Les vendanges.

— Il y a de l'argent à gagner à faire ça ?

— Oui. Un peu. Nous gardons ce qu'il nous faut pour continuer, et nous expédions le reste à nos familles. Ce n'est pas beaucoup, mais c'est mieux que rien.

— Et quand il n'y aura plus de raisin?

— Nous verrons. Nous penserons à cela plus tard.

Il se tourne vers Carlos, et ils parlent en espagnol, les voix conservent leur cadence particulière : celle d'Enrique, pressante, à l'énergie retenue ; celle de Carlos, un murmure qui s'écoule lentement entre des lèvres tirées et pâles.

Je finis ma pomme et mords dans mon bout de saucisson, une viande rouge et épicée, compacte, qui imprègne ma bouche de gras piquant. Tandis qu'Enrique et Carlos conversent, érigeant autour d'eux la mince paroi d'exclusion créée par une langue qu'ils sont seuls à partager, je fais le vide dans mon esprit et laisse mon regard errer autour de la pièce. Des murs bleus, des ampoules nues projetant des ombres dans les coins, des lits faits, des lits défaits. Mes oreilles goûtent les douces modulations de leur échange, les sonorités de la langue sont elles-mêmes poésie. Ils parlent à tour de rôle, Enrique d'une voix pressante et nette, la voix de Carlos méditative et somnolente. Parfois, leurs voix se superposent, s'interrompent, les sons s'échappent, sautillent, cherchent énergiquement à prendre le dessus, les murmures de Carlos se précipitent dans les vides des propos pressants d'Enrique, puis battent en retraite devant son timbre percutant et sombrent dans un silence fait d'expectative tendue.

Sur fond de conversation, je retourne en pensée au début de mon périple, à nous trois, John, Grady et moi, sac au dos, bottés, munis d'une ceinture à porte-monnaie, quittant l'université au beau milieu de nos études, séduits par l'Europe, attirés par le romantisme d'une plus grande intimité avec l'histoire. John, l'ingénieur doutant de sa vocation, plus attaché à sa guitare qu'aux théories de la structure ; Grady, qu'ennuyaient les sciences politiques, incapable d'accorder de l'importance à quoi que ce fût ; et moi, James, de plus en plus imperméable

193

même à la bonne littérature, m'éloignant sans m'y être attendu de tout texte imprimé.

Beaucoup de choses ont changé depuis que notre avion nolisé, bondé de passagers, a décollé avec un retard, six mois auparavant. Nous avons laissé John à Londres, la première étape de notre voyage, pour qu'il y fasse soigner la maladie que lui avait transmise une jeune prostituée d'Amsterdam. Grady a très tôt flotté vers des paradis artificiels, quand il eut décidé soudain que quelque chose avait de l'importance. J'ai poursuivi seul ma visite des musées et des églises, mes promenades dans les rues assombries par la saleté et le sang séché de l'histoire. Plus tard, le moment venu de nous rejoindre, Grady ne s'est pas présenté et John, transformé, s'était déjà intégré à un autre groupe.

Où nous étions-nous trompés? Je me le demande. En partant, tout simplement? Ou plus tard, dans les ruelles humides de Venise ou à Francfort, chez les filles de rue — cet Hadès de chair plus réel que l'autre? Nous étions-nous seulement trompés? D'où venaient cette sensation de vide, cet ennui qu'allégeait seul un agacement passager? John les a ressentis très tôt et a recherché un apaisement, une distraction dans le sexe vénal; selon moi, Grady en avait toujours souffert et il a trouvé une échappatoire dans les concoctions subventionnées d'un débit de drogue. Je me souviens avec tristesse de la fascination qu'exerçaient sur Grady les seringues qui jonchaient les rues des bas quartiers d'Amsterdam. Je ne comprenais pas, je ne comprends toujours pas un tel envoûtement. Dans notre petite ville ontarienne, gonflée en août par les vacanciers, on pouvait acheter n'importe quoi, les ruelles regorgeaient de ce genre de rebut. Amsterdam n'était guère qu'une copie un peu plus grande, un peu plus étendue de notre petite ville, une phase institutionnalisée de l'adolescence, transformée en mode de vie.

194

La conversation prend fin et le silence subit me ramène à la réalité : les lumières, les murs, les lits, Enrique, assis jambes croisées, Carlos mollement étendu.

— Nous devrions aller à la gare, dit Enrique. Voulez-vous nous accompagner ?

Après l'espagnol, son anglais semble plus terne, plus froid, son accent britannique moins perceptible, plus laborieux.

— Pleut-il encore ?

Enrique parle à Carlos en espagnol et, s'appuyant avec peine sur son coude, Carlos jette un coup d'œil par la fenêtre au-dessus de lui sur la nuit opaque et noire. Enfin, il se retourne et s'assied.

— Pas dé plouie, dit-il.

La rue est toujours humide, les arbres sombres et lourds de feuilles mouillées, les pavés noirs et creusés de sillons comme le dos d'un grand alligator. Les lumières des édifices — rares, faibles lueurs rouges ou blanches disséminées çà et là dans la ville tout à fait recluse — ne percent pas l'obscurité, semblent même accentuer la profondeur et l'étanchéité des portes, des persiennes fermées sur le monde extérieur.

Nous marchons en silence au milieu de la rue, Enrique et moi les mains dans les poches de notre jean, Carlos, grand et mince, apparemment replié sur lui-même, tête enfoncée entre les bosses de ses épaules.

J'aime l'obscurité, son silence enveloppant. J'y puise une libération, une retraite du tourbillon qui m'a entraîné ces derniers mois. Voir ceci, voir cela. Faire ceci, faire cela. Ici, en fin de soirée, dans cette petite ville de France, il n'y a rien à voir, rien à faire. On dirait que je ne dois rien à personne, que je n'ai d'obligation envers personne, pas même envers moi-même.

Tandis que je savoure ce sentiment de légèreté, je me sens pénétré par un afflux de vitalité nouvelle. Mes yeux tombent sur mes bottes et il me semble presque voir cette énergie les pousser, marcher à pas lents et cadencés, accordés avec le rythme des chaussures usées de Carlos et d'Enrique. Je respire profondément l'air humide et songe avec plaisir que, cette nuit, l'esprit tout à coup libre, je dormirai bien.

Nous arrivons au bout de la rue, à la placette que j'avais vue plus tôt dans la soirée. Tout comme alors, les seuls signes de vie proviennent du café — vide, vu d'ici — et de l'hôtel. Les autres édifices et le monument ont été bus par la nuit, si bien que les deux faisceaux lumineux et leur éclat lointain ressemblent à des poignées de lumière jetées dans le vide nocturne d'un paysage de campagne.

Nous nous arrêtons en bordure du petit square, nous regardons, nous fouissons ce tout qui nous berce et nous prive de notre équilibre. Carlos murmure quelque chose à Enrique, qui réfléchit un moment et marmonne une réponse. C'est un échange inquiet, à voix basse, où perce le désespoir, une conversation propre à la nuit et au silence. Ils pénètrent ensemble sur la place.

Je m'apprête à leur emboîter le pas, mais un scrupule, abrupt et inattendu, me retient. Je m'aperçois que je suis tout à coup très agité. Dans les poches de mon jean, mes mains deviennent moites et froides. Les muscles de mon dos se courbent sous la tension.

Enrique se retourne et m'appelle.

— James, venez. Vous rêvez ?

Je m'approche d'eux, mes cuisses répugnant à bouger. Ils m'attendent, puis recommencent à marcher lentement sur la place sombre et déserte.

Je réfléchis à ma nervosité, me pose des questions : Pourquoi, de tous les clients de l'auberge, m'ont-ils invité, moi, à partager leur repas? Pourquoi m'ont-ils demandé de les accompagner dans leur promenade, loin de tous? Ma main s'empare nerveusement de ma ceinture à porte-monnaie. Ce sont des Espagnols sans le sou, leurs familles ruinées les attendent en Espagne. Je suis canadien, ni riche ni pauvre, parcourant l'Europe à satiété. Je perçois de plus en plus la fatidique logique qui s'échafaude autour de nous, et je me vois tomber, lentement, dans le néant, prisonnier de la douleur et de la confusion. J'aimerais qu'une voiture fonce sur nous pleins gaz, que de ses phares, du crissement de ses pneus elle fende notre cocon durci.

L'air calme de la nuit n'est plus seulement frais, l'humidité me pénètre, recouvre mes os d'une moiteur glacée. Un tremblement incontrôlable s'empare de mon bras droit.

Nous délaissons l'obscurité palpitante de la placette et nous nous engouffrons dans la rue presque noire qui mène à la gare. J'en éprouve du soulagement, mais à peine. Ma méfiance, injustifiée, je le sais, une méfiance dont en même temps j'ai honte, échappe à ma rationalité. En regardant mes bottes, droite, gauche, parcourir malaisément les pavés, je me creuse la tête pour trouver une excuse et rentrer à l'auberge. Mais une autre vision, l'image d'un couteau vif, d'une chute dans les ténèbres, s'impose à moi, et des bouffées de panique à peine contrôlée, telle la lave en fusion que retient une fragile membrane, attaquent avec insistance le calme apparent que je parviens malgré tout à conserver.

Nous poursuivons notre avancée, sans parler, accompagnés par le bruit mou de nos chaussures sur les pavés.

Carlos allume une cigarette, la flamme jaillit du bout de l'allumette et, un court instant, tout brille dans son scintillement, son visage ressemble à un spectre flottant.

De nouveau, c'est l'obscurité et, avec elle, l'odeur âcre, presque acide d'un mauvais tabac. Enrique marmonne et Carlos lui tend sa cigarette. Il en aspire goulûment la fumée, si bien qu'une lueur rouge se projette sur son visage et en épaissit les traits — nez large, sourcils broussailleux — jusqu'à la caricature.

Bientôt, plus tôt que je n'aurais cru, la gare devient visible au tournant, faiblement éclairée par des lampes encastrées dans ses murs. Elle semble barricadée, abandonnée, déserte. Enrique et Carlos parlent tout bas, avec nervosité, et pressent le pas.

L'entrée principale, fermée, accentue cette impression d'abandon. Je perçois le désespoir subtil qui s'est emparé d'Enrique et de Carlos : s'il n'y a personne pour les renseigner, que feront-ils demain matin ? Où iront-ils ?

Nous restons un moment sous la lumière blafarde d'une lampe, cherchant à percer la pénombre. Puis, sans un mot, Enrique nous quitte et disparaît dans le noir en contournant l'angle du mur.

Carlos, courbé et silencieux, les mains dans les poches de son jean, une cigarette suspendue à ses lèvres, fixe la nuit. J'ai soudain pitié de lui. Il ressemble à un petit garçon qui a grandi trop vite, incapable de composer avec des circonstances qui lui déplaisent. Je voudrais le rassurer, lui prodiguer un mot d'encouragement, serrer son épaule pour luï faire comprendre que l'univers n'est pas aussi vide, aussi froid qu'il n'y paraît.

Mais, comme s'il devinait mes pensées, Carlos s'éloigne, revendique pour lui-même un espace plus grand.

Je me demande où est passé Enrique et je m'approche prudemment de l'angle du mur. Je constate que ma nervosité s'est estompée toute seule. Au cœur de l'ombre, l'obscurité pâlit. Je discerne des silhouettes humaines contre un fond de nuit, deux personnages recroquevillés sur un banc sous ce qui semble être une couverture, et un autre — Enrique — penché au-dessus des premiers, qui s'appuie du bras contre le mur de la gare. Ils parlent tout bas, ils échangent des murmures non de conspiration mais d'intimité, avec affection, comme s'ils se connaissaient.

Enrique offre des cigarettes, frotte une allumette, et dans la pâle lueur de la flamme deux femmes — au visage jeune et fatigué, encadré de cheveux noirs et raides — tendent avidement leur cigarette. Puis, la lumière s'éteint et il ne reste plus que deux pastilles rougeoyantes qui flottent et sautillent devant des visages de nouveau éclipsés.

— Buenas noches, adios, dit Enrique.

Sa voix, plus forte, dispense une chaleur généreuse. Il se tourne vers moi et s'avance d'un pas énergique, il me prend amicalement le bras et appelle Carlos.

— Allons-nous-en, dit-il.

— Est-ce que vous les connaissez? fais-je en regardant une dernière fois en direction du recoin obscur.

— Non, nous venons tout juste de faire connaissance.

— On aurait dit que vous les connaissiez, à votre façon de parler avec elles.

— Elles ont très peu d'argent. Elles sont forcées de dormir ici. Elles ont un train tôt demain matin. Du travail. Nous aussi.

Il annonce la nouvelle à Carlos, et pour la première fois de la soirée, Carlos rit, devient plus expansif, non sans quelque réserve.

Carlos parle pendant tout le chemin du retour. Enrique, débordant de vitalité, fredonne un air entre ses dents, rit d'une plaisanterie de Carlos, sa voix confiante, ferme, détendue, résonne dans la nuit déserte, se heurte à l'obscurité, remplit le petit square sombre, nous devance dans la rue, pénètre au fond des ruelles et traverse les portes closes. Il parle avec plaisir de sa vie à Londres, des femmes qu'il a connues, des femmes qu'il a aimées. Et il rit, sans retenue, dans une joie débridée. Je perçois dans ce rire l'écho d'une liberté encore inconnue de moi, une délivrance intérieure, et j'accueille ces sons, je m'en délecte, je m'en émerveille. Et je sais que je veux connaître aussi cette sensation, ce goût de vivre subitement électrisé.

Quand nous parvenons à l'auberge, le concierge dort, la tête appuyée sur le comptoir. Il bouge à peine quand nous nous engageons dans l'escalier.

Nous nous arrêtons à la porte de ma chambre.

— Nous verrons-nous demain matin ? fais-je.

— Nous devons partir très tôt, répond Enrique. Avant l'aube.

— Dans ce cas, bonne chance. Et merci.

Je tends la main.

Carlos la serre brièvement, puis recule. Il a hâte d'aller dormir.

Enrique prend ma main dans les siennes, une poignée ferme, enveloppante.

— À un de ces jours, peut-être, dit-il. Au Canada.

— On ne sait jamais. Pourquoi pas ?

Je sais que je mens, Enrique le sait aussi, mais ce mensonge nous convient. Des images, incomplètes, fragmentaires, un voyage aux bords effilochés. Mais cette image-ci, celle d'une vie arrivée un instant au sommet, restera, formera un tout scintillant, conférera de l'importance à une expérience jusqu'ici insatisfaisante.

Enrique me serre l'épaule, puis ils se hâtent tous deux vers leur chambre au bout du couloir.

En entrant dans la pièce sans lumière, aux couchettes occupées par des formes enveloppées dans des draps blancs, je me dis que j'aimerais bien partir avec eux. Mais je sais que c'est absurde.

Je me déshabille, me glisse dans le lit, remonte le drap jusqu'au menton.

Un murmure me parvient du fond de la chambre.

— Elles se croient fichument douées.

Le ton geignard dénote la déception.

Une autre voix répond.

— Grandes parleuses, petites faiseuses. C'est frustrant.

— Salopes de Françaises. De toute façon, c'est une ville de merde.

Je ricane sous cape. Les voix se taisent. Et juste avant de m'endormir, je songe avec plus de plaisir que de regrets à la sécurité dont je jouis.

Un déjeuner de Noël

La petite maison se dressait dans une rue crasseuse voisine de Bathurst, et j'étais consterné à l'idée de passer le midi de Noël ici, dans ce secteur que je traversais à la hâte tous les jeudis soir après avoir fait ma lessive au lavoir du quartier. Mes hôtes m'étaient inconnus, et je m'étais laissé entraîner par mon ami parce que je n'avais nulle part où aller, rien d'autre à faire, et qu'il me semblait malvenu de passer seul ce Noël tempétueux, dans une chambre glaciale, avec un livre pour toute compagnie.

La porte — peinture écaillée et bois visiblement humide — s'ouvrit devant un homme d'âge mûr, bedonnant, vêtu d'un t-shirt blanc et d'un pantalon brun en polyester, tissu qui, à la moindre humidité, irrite la peau et procure un sentiment de malaise général.

— Joyeux Noël, dit-il en serrant la main de mon ami. Entrez. Donnez-moi vos manteaux.

Mon ami me présenta.

— Vous êtes de Trinidad, vous aussi ? s'enquit Raj, notre hôte.

— Oui.

Il avait le visage mince comme une lame, le corps empâté. Sa poignée de main était timide et sa présence avait quelque chose d'inopportun. Il drapa nos manteaux humides sur son bras et nous offrit à boire.

Mon ami opta pour une boisson gazeuse.

— Mon estomac supporte pas l'alcool, man. Ça va toujours pas.

— Et vous ?

Raj me fit signe du menton.

— Ce que vous avez, dis-je, toujours désireux de m'enfuir. Rhum et Coca-Cola ?

— O. K. Asseyez-vous.

Il disparut derrière une porte que traversait un arôme presque visqueux de cari grillé et d'ail brûlé.

Mon ami me présenta aux autres. Là, nu-pieds, assis par terre à côté de la stéréo, Moses et ses favoris. Près de lui, dans un fauteuil maladroitement recouvert de vinyle rouge, l'épouse de ce dernier, Pulmatee, une femme minuscule si anonyme d'aspect qu'elle passa tout l'après-midi à se fondre dans le décor. Sur le canapé rouge en angle avec le fauteuil de Pulmatee, l'épouse de notre hôte, Rani — une femme austère qui me salua du menton en s'essuyant les mains sur un chiffon —, et une jeune fille, cousine de Rani, qui abandonna son air maussade pour exhiber deux proéminentes dents en or.

Le silence était lourd. Manifestement, notre arrivée avait interrompu une dispute familiale.

Rani, en tapotant ses mains avec le chiffon, dit à Moses :

— En tout cas, c'est son affaire s'il veut l'inviter. Il a qu'à la nourrir s'il a pitié d'elle.

Moses haussa les épaules et porta à ses lèvres une bouteille de bière suintante.

Raj apporta les verres et, en marmonnant, me fit asseoir sur le canapé, coincé entre une Rani en sueur et les montants de métal froid.

Je le remerciai et il marmonna un timide « Il n'y a pas de quoi », comme si, n'ayant pas souvent l'occasion de prononcer ces mots, il en avait perdu l'habitude.

J'allumai une cigarette, et Rani se leva en grognant pour m'apporter un cendrier.

— À Noël, y a rien comme l'hospitalité trinidadienne, hein, mon garçon ? Surtout quand t'es loin de ta famille.

Moses exhiba ses dents blanches et, sans me douter qu'il avait parlé à mon intention, je décelai dans ses mots un arrière-goût de sarcasme, peut-être involontaire.

— C'est juste, dis-je en tripotant ma cigarette ; y a rien comme ça.

— Comment va le travail, Moses ? fit mon ami.

— C'est pas facile, man. Tu bosses du matin au soir, tu t'épuises, et eux, ils sont jamais contents.

— Ils savent pas se détendre, tu vois, Moses, fit mon ami ; y a que bosser qui compte pour eux ; bosser, bosser, bosser. Et ça finit jamais. Je te dis, y a pas que les femmes qui bossent à en plus finir, hein ? Chez nous, si t'avais pas envie de travailler, tu travaillais pas, et c'est tout. Mais ici... comment tu peux être heureux à vivre comme ça jour après jour, hein ? Tu peux me le dire ?

Moses ne put le lui dire. Ils hochèrent la tête tristement.

Je regardai autour de moi, sensible à un certain chaos, à un désordre qui me mettait mal à l'aise. Dans un coin, je vis une étagère de fortune, deux caisses d'oranges clouées ensemble et peintes pour imiter le chêne. Dessus, la statuette criarde d'une femme aux seins nus dans une robe au drapé négligent, entourée de vigne en plastique et surmontée d'une rose artificielle. Dans le coin opposé trônait mollement un faux petit sapin de Noël ayant connu des jours meilleurs. À sa base, une crèche en plastique : une Marie bleue, un Joseph rouge, un

Jésus violet, une vache verte et un âne orange. Une moquette rouge délavée couvrait le sol. Les murs verts avaient été ornés n'importe comment de cartes de Noël, certaines datant des années précédentes, et de cartes postales incongrues montrant des divinités hindoues. Ont eût dit que décorer était moins synonyme d'embellissement que de remplissage, une pointe de couleur ici et là.

Moses en était encore à expliquer à mon ami pourquoi il trouvait si difficile de vivre à Toronto quand la porte s'ouvrit sur une grosse femme d'environ vingt-six ans, à la peau blanche et au teint brouillé, qui chantait à tue-tête. Tous les regards se tournèrent vers elle et, surprise, elle cessa de chanter.

— Pourquoi ne dansez-vous pas ? s'enquit-elle.

Moses la regarda en souriant.

— On attendait que tu commences, Ann. Où est ton mari ?

— Il se prépare. Il va souper chez ses parents.

— Toi, tu y vas ?

Elle secoua une tête couverte de cheveux brun filasse.

— Non. Je ne veux pas les voir.

Sa voix trahissait une animosité tenace et décourageait la moindre question.

Rani et sa cousine exhalèrent un soupir mordant et disparurent dans la cuisine.

J'inclinai la tête vers Ann.

— Quel est votre nom ?

Sa question avait un ton si familier qu'elle m'indisposa.

Je lui répondis et elle m'observa un moment, comme pour lire dans mes pensées. Elle avait des yeux minuscules, si noirs qu'ils semblaient avoir absorbé un peu du néant universel. Leurs cernes n'étaient peut-être pas de vrais cernes ; ils ressemblaient à un maquillage savant, leur perfection même les trahissait. Le reste de sa personne — des cheveux mal lavés aux chaussures élimées couleur argent — était si chiffonné, l'application de son rouge à lèvres si bâclée, que l'ombre sous ses yeux ne pouvait être artificielle : elle en disait plus long qu'on n'aurait cru à première vue.

Elle se laissa tomber sur le canapé et croisa les jambes dans une pose masculine. Son pantalon bleu poudre formait des plis sur ses cuisses obèses, et ses pieds sales, retenus par les larges courroies de ses chaussures du soir, se tortillaient au rythme d'un air qu'elle était seule à entendre.

— Tu fais quoi, comme travail, Ann? demanda Moses d'une voix tendancieuse.

— Rien, répondit-elle. Je ne veux pas de patron. Sauf mon mari. Si j'avais à travailler, je ferais le plus vieux métier du monde. Prostituée. Parce que tout le reste, c'est aussi de la prostitution. On vend toujours son corps et ce qu'il est capable de faire.

— Veux-tu travailler pour moi? fit Moses, avec malice.

Raj, debout à ses côtés, rougit d'embarras.

Imperturbable, Ann dit :

— Mon mari connaît des souteneurs capables de te briser les os.

Elle grimaça et détourna son regard.

— Je viens de Terre-Neuve, dit-elle tout à coup. Je rêve de retourner là-bas.

C'était une déclaration étonnante, presque un aveu. Ses mots restèrent suspendus dans les airs; même Moses ne sut qu'en faire.

— T'as des frères? des sœurs? fit-il enfin.

Ann s'anima visiblement.

— Huit frères et sept sœurs, dit-elle fièrement.

— Vous connaissez pas le contrôle des naissances, par là? dit-il.

— Les femmes de Terre-Neuve ne sont pas pour la contraception ; elles disent que ce n'est pas naturel. Et puis là, il n'y a pas — en tout cas, il n'y avait pas — de télé, de cinéma, rien. Absolument rien. Le soir, on ne pouvait rien faire d'autre que baiser.

Elle éclata d'un rire sonore.

Mon ami renifla, intimidé. Raj fit mine d'examiner la stéréo. Moses pouffa de rire. J'allumai une autre cigarette. Rani et sa cousine se montrèrent dans la porte et tendirent l'oreille ; elles souriaient.

— Je veux dire, vous ne pouvez pas imaginer comme c'est beau, poursuivit Ann en frottant une allumette. J'aime ce pays. La chasse. La pêche. Quand tu remontes tes casiers à homards, tu as du homard frais. Tu n'as rien à acheter. Tout est gratis. Pas comme dans ce trou d'enfer en béton, plein d'âmes damnées.

Son amertume subite nous surprit. On entendit de nouveau le silence, des traînements de pieds, des raclements de gorge.

— C'est pas une vie difficile, là-bas ? fit Moses.

— Non, dit Ann doucement en baissant les yeux vers ses doigts croisés sur ses genoux. C'est beau. Imagine, tu te lèves à dix heures, à onze heures, tu dors aussi longtemps que tu en as envie, puis tu sors couper une ou deux brassées de bois pour le poêle, un poêle à bois, évidemment. Je rêve de retourner là-bas. Je déteste ça, ici…

Ses yeux se remplirent de larmes.

— Pourquoi t'es venue, alors ? demanda Moses en repoussant le bras de Raj qui cherchait à le retenir.

Ann se frotta les yeux avec ses jointures blanches.

— Quand j'avais quatorze ans, mes parents ont voulu que je me marie avec le fils de mon oncle. Je me suis enfuie.

— Ils voulaient que tu te maries avec ton cousin ?

Elle acquiesça, une larme tomba sur le bout de son nez.

— Seigneur, comme j'ai envie de retourner là-bas, gémit-elle. Je déteste Toronto. Les gens sont si froids, personne ne m'aime.

— Moi, je t'aime, dit Moses en minaudant.

— Chaque fois que je pense m'être acclimatée, il arrive quelque chose qui me déprime.

— Comme quoi?

— Comme mon mari qui amène quelqu'un à la maison, fit-elle en reniflant.

— Une autre femme?

— Non. Il veut que j'amuse ses amis.

Puis, elle secoua la tête pour montrer qu'elle ne dirait plus rien.

— Il faut que j'aille nourrir le bébé, dit-elle.

Elle se hâta de sortir.

— Elle habite en haut, dit Moses à mon ami.

Sans un mot, Rani prit la cigarette qu'Ann avait laissée dans le cendrier et l'écrasa. Rani ne fumait pas; la cigarette continua de se consumer.

— Moses, tu ne devrais pas... dit Raj.

— Ahh, Raj, si on peut pas s'amuser un peu, man.

Dos au mur, mon ami grogna sans se compromettre. Nos regards se croisèrent. Je ne pus deviner ses pensées.

— Je sais, murmura Raj; mais pousse-la pas à bout, elle a beaucoup de problèmes.

Moses ricana.

— Elle te donne quelque chose, ou quoi, man? Pourquoi tu prends toujours sa défense, hein? Hé, Rani, surveille bien Ann et ton mari, t'entends, ma fille?

Rani grimaça, lui jeta un regard dur et disparut une fois de plus dans la cuisine. Raj secoua la tête et se tourna vers

Pulmatee. Pulmatee baissa les yeux ; elle était moins imperturbable qu'absente.

— Quelqu'un veut une bière ? fit Moses en se levant et en époussetant le fond de son pantalon.

— Venez manger, dit Rani de la cuisine ; il est tard.

Ç'aurait été le moment idéal pour partir et j'allais demander à Raj de me donner mon manteau quand il me prit brusquement par le coude pour m'entraîner vers la cuisine.

C'était une vaste pièce, trois fois grande comme le séjour, avec une haute fenêtre sur le jardin enneigé. Il y avait peu de placards, et les appareils électriques — cuisinière et frigo piquetés de rouille — semblaient avoir été disposés au petit bonheur la chance. À côté du frigo, une penderie ouverte où s'entassaient des pardessus : une penderie dans une cuisine ? Puis, je compris : pour des motifs inexplicables, on avait interverti ces deux pièces, renversé le plan de la maison. Ce qui avait naguère été le devant était devenu l'arrière, et vice versa.

L'air chaud et humide sentait le cari, l'ail et l'huile brûlée. Ma peau devint moite et une goutte de sueur glissa sur ma poitrine.

Au beau milieu de la pièce, la table semblait drapée dans une solitude qu'accentuaient les couverts soigneusement disposés devant chacune des chaises. Raj m'indiqua ma place. Je dis « merci », mais cette fois, il choisit de ne pas répondre ; il hocha la tête, toujours timidement.

Quand nous fûmes enfin assis autour de la table — Moses, en grognonnant, avait réussi à compliquer ce geste pourtant simple —, la cousine de Rani déposa devant nous un plateau de *roti* chaud. Puis elle ricana derrière sa main. En riant, Moses désigna le plateau de pain.

— Il en a de la chance, lui.

Raj et mon ami rirent aussi, tout comme Rani et même,

avec retenue, Pulmatee. Je ne comprenais pas. Moses m'expliqua.

— Regardez le dessin sur la nappe.

Je distinguai un pommier, un homme à la nudité pudiquement dissimulée par une feuille, une femme nue, les seins cachés par le plateau chaud, une pomme à demi mangée dans sa main : jardin d'Éden délavé.

— Il en a de la chance.

Moses ricana, et cela ressemblait à un râle d'agonie.

Rani m'apporta une portion de poulet au cari. Elle eut pour moi un sourire doucereux de grand-mère et dit :

— Il y en a beaucoup, si vous en voulez encore, vous n'avez qu'à demander, O. K. ? Faut pas vous gêner.

Les autres avaient déjà commencé à manger. Personne ne parlait et, longtemps, on n'entendit que des bruits de mastication énergique et de profonde respiration, comme si manger était une tâche ardue. Pulmatee, Rani et sa cousine, debout contre la cuisinière, nous observaient en parlant à voix basse. Je me concentrai sur mon assiette en m'efforçant de ne pas entendre les lapements de Raj et, après l'avoir vue une fois, de devenir aveugle à la salive qui dégoulinait de la bouche ouverte de Moses.

Je songeai à Ann, au spectacle qu'elle nous avait donné, à son mari, à son bébé, aux horreurs d'une existence que je ne parvenais même pas à imaginer. Je me demandais depuis quand elle vivait à Toronto : elle n'avait pas d'accent. Jamais je n'aurais pu deviner qu'elle était originaire de Terre-Neuve.

Comme par hasard, la porte d'entrée s'ouvrit en grinçant et la voix d'Ann, à la fois forte et faible, douloureusement théâtrale, se répercuta dans la cuisine.

— Salut, chéri. Je t'aime. *Je t'aime.*

Moses ricana.

— C'est un Chinois.

Rani et sa cousine débarrassèrent la table. Raj rota trois fois en se frottant l'estomac. Nous regagnâmes le séjour. C'était au tour des femmes de manger, et nous leur laissâmes la cuisine.

Ann était toujours à la porte, saluant son mari de la main. Des yeux, Moses me fit comprendre que c'était de la frime, qu'elle jouait un rôle pour la galerie, une dérisoire pantomime. Nous ayant entendus, elle se retourna et referma la porte dans son dos.

Moses hurla de rire : la fermeture éclair de son pantalon était ouverte.

Embarrassée, Ann dit :

— Oh, comment ça se fait ?

Elle saisit chaque côté de l'ouverture et, prétendant vouloir libérer son pull, écarta la fermeture éclair et montra sa petite culotte rose.

— Ooooh, fit-elle, feignant l'horreur.

Moses lui offrit en souriant de l'aider. Elle accepta. Il tirailla doucement la fermeture éclair, en prenant son temps, et après quelques secondes, la referma.

— Merci beaucoup, dit Ann, avec désinvolture.

— Il n'y a pas de quoi, répliqua Moses.

Ann indiqua une tache humide sur son t-shirt.

— Il faut que je me change. Le bébé a vomi sur moi.

— Tu peux te changer dans la chambre, Ann, dit Raj en ouvrant une porte jusque-là fermée.

— T'as encore besoin d'aide, Ann ? s'enquit Moses.

— Pas cette fois-ci, merci.

Elle semblait offusquée.

— Ça te fait rien que le bébé soit tout seul là-haut ? fit Raj.

— Non. S'il pleure, je l'entendrai.

Elle referma la porte de la chambre sur elle.

Mon ami rit et dit à Moses :

— Tu ferais bien de te laver les mains, man. On sait pas ce qu'il y avait dans son pantalon.

Rani entra dans le séjour.

— Et jette ton verre, fit-elle en ricanant.

Raj eut un petit rire. J'allumai une cigarette.

Ann sortit de la chambre et se rendit dans la cuisine. Moses l'arrêta et lui montra la bouteille de rhum reproduite sur son t-shirt propre.

— C'est du bon rhum ? demanda-t-il.

Elle parut perplexe, puis dit en piaillant comme une écolière :

— Oui. Très.

— Laisse-moi goûter, dit-il.

— Il est bon.

Sa voix durcit : elle ne dominait plus la situation.

— Je veux m'en rendre compte par moi-même.

— Non. Je suis mariée.

— Puis après ? Moi aussi, je suis marié.

— Tu ne connais pas mon mari. Si tu le connaissais, alors tu pourrais.

Elle eut un rire forcé et voulut s'éloigner de lui. Il la saisit au poignet. Sans un mot, elle donna une tape sur sa main, et il la libéra. L'air blessé, irritée, elle s'enfuit dans la cuisine.

— Pousse pas, Moses, dit Raj. Elle se fâche parfois. Tu l'agaces trop.

Moses pouffa de rire.

— C'est quoi qu'elle te donne, hein ? C'est quoi ? T'aimes les gros nichons ? Où vous faites ça ? En haut ? En bas ?

— Oh, merde, Moses.

Raj eut un geste d'impuissance.

Ann sortit brusquement de la cuisine, un sourire aux lèvres et les larmes aux yeux. Elle fila vers la porte et disparut.

Cette fois, elle ne revint pas.

Je bus un autre rhum avec Coca-Cola, puis, prétextant un malaise, je m'enfuis. Une infinie solitude me tenaillait et des pincements de tension parcouraient mon échine.

Tandis que je m'éloignais dans la tempête, je jetai un dernier coup d'œil sur la maison aux murs de briques rouges dépareillées, au balcon décrépit. À l'étage, le logement d'Ann était plongé dans l'obscurité. Je vis Pulmatee, à la fenêtre du séjour de l'appartement de Raj. Elle regardait dehors, elle regardait la neige. Elle paraissait triste.

Fantoches et carton-pâte

Il avait plu tôt ce matin-là. Puis, le vent s'étant levé, il avait chassé les nuages dont s'était revêtu le ciel comme d'un vieux pull gris. La transformation fut radicale : le vent froid et mordant apporta son propre nuage, un long nuage blanc, vif, poussé par la hâte d'un ciel prodigieux. Ombre et lumière modifiaient le paysage plus rapidement que l'œil ne pouvait le capter. C'était comme regarder tour à tour, vite, vite, le négatif et le cliché d'une même photographie ; le regard était piégé, les objets perdaient leur réalité, si bien que, là-bas, même la silhouette angulaire du parking de l'aéroport semblait immatérielle.

Sa posture, pieds écartés, mains derrière le dos, était nonchalante. C'était une attitude factice, une pose. Seuls ses doigts le trahissaient : même entrecroisés, ils bougeaient, jouaient, se frottaient les uns aux autres, dépensaient leur énergie par à-coups, comme de petites nuées de poussière. Ils tenaient un bout de papier, peut-être un billet de théâtre grand format ou une liste d'épicerie. Mais en y regardant de plus près, on y distinguait un passé, des plis et des lignes sombres d'un brun lumineux dus non pas aux salissures, mais à des années de froissement.

Il desserra les doigts, prit le papier dans sa main droite. Il le souleva à la hauteur des yeux, mais ne le regarda pas tout de suite. Un lent assombrissement du paysage dessina son reflet dans la paroi vitrée devant lui et, pendant un moment, il y observa son visage : carré, potelé, regard inexpressif prisonnier d'épaisses lunettes rondes, cheveux si clairsemés que, dans cette lumière tamisée, il en paraissait chauve. Puis, son corps : imperméable de coupe quelconque, corpulence compressée sur une petite charpente, une silhouette costaude qui le surprit.

Le soleil darda soudain ses rayons et effaça son image. Dehors, un homme en salopette blanche qui trimballait un balai et un sac à ordures glissa à ses côtés en pourchassant un verre en carton. Ce personnage absurde, cette tragi-comédie sur pattes, l'irrita. Il fit la moue, creusant ainsi davantage le tracé de ses joues et, enfin, comme dans un mouvement de colère, il regarda le papier qu'il tenait à la main.

C'était une photographie dont les contours noirs, blancs et gris s'étaient fondus avec le temps en un flou désespérant, si bien que l'image n'avait aucune définition, aucun contraste, comme un dessin à l'encre sur du papier de mauvaise qualité. Mais son souvenir redonna leur netteté aux lignes, redéfinit les contours, et un visage féminin se révéla à son œil exercé. La femme avait un sourire mince, non pas hésitant mais dé-pouillé, un sourire, il le devinait, puisé pour l'appareil photo dans une réserve soigneusement rationnée.

La photographie ne lui fit aucun effet. Elle était devenue trop familière au fil des ans, et il ne la regardait plus que pour tenter d'y déceler les ravages du temps : comment les joues avaient pu s'affaisser, les yeux se bouffir, le front se rider. Mais c'était au-dessus de ses forces. Le portrait était trop sta-tique, il avait remplacé l'élasticité de la mémoire, si bien que le visage imprimé n'était plus un visage mais un agencement figé de traits.

La femme, sa femme, avait presque cessé d'être vraie.

Il glissa la photographie dans la poche de son imper et tourna un peu la tête pour regarder l'écran des arrivées suspendu au mur derrière lui. Un changement était survenu : les lettres ARR suivaient maintenant le numéro de son vol.

Quelque chose en lui sursauta.

Non qu'il eût souhaité éviter de se souvenir. Cela lui aurait coûté un trop grand effort.

Et il s'était rendu à l'évidence : le souvenir ne deviendrait jamais un mythe pour lui. Une telle métamorphose l'aurait épuisé, l'aurait usé ; et cette usure, cette sensation de vie évanouie, il l'aurait injustement léguée à sa fille. Aussi, ce qui pour lui n'avait pu devenir mythe avait rapidement acquis de la substance aux yeux de leur fille. Elle n'avait pas de recul, n'ayant d'yeux que pour la nouveauté. Il vit là une force, une façon d'aller de l'avant.

Elle avait aujourd'hui vingt-sept ans. Alors, elle en avait cinq.

Il avait aujourd'hui cinquante-quatre ans. Alors, trente-deux.

Vingt-deux ans : une vie entière.

Pourtant, il n'avait pas oublié. La pluie, la boue qui transformaient la nuit en une vague glutineuse ; le fracas des canons, si proches, semblait-il, qui lacéraient les sensations puis les engourdissaient ; les nuées interminables de fumée noire contre lesquelles le soleil ressemblait à un disque incandescent et rouge ; les cadavres et les tronçons de cadavres entassés dans les tranchées, la nuit, pourrissant dans les tranchées le jour ; et les colonnes de réfugiés — devant, à côté, derrière —, des hommes, des femmes, des enfants au regard neutre à force de souffrance, qui avaient tout laissé derrière eux, avançant sans urgence comme des êtres qu'on a dépouillés de tout sauf de leurs réflexes, des êtres qui ne possèdent rien que la conscience de leur perte et un sentiment paralysant d'usurpation, les victimes d'un viol de masse. Même la terreur, alors, avait été au-dessus de leurs forces.

Pourtant, aucun souvenir n'était plus vif que la chaleur qui avait alors empli sa main, qui s'était pressée mollement contre sa poitrine, épuisée.

Il n'avait rien caché au regard de sa fille. Elle avait vu, comme lui, la tête tranchée d'un voisin au bord de la route ; elle l'avait aidé à repousser des chiens affamés et devenus fous ; elle avait creusé la terre mouillée en quête de racines ; elle avait regardé avec lui, dans une sorte de torpeur, une mère qui s'apprêtait à dépecer le cadavre de son mari pour nourrir ses enfants, qui n'étaient plus que l'ombre d'eux-mêmes.

Il était reconnaissant qu'elle ait tout oublié. Elle se rappelait avoir joué dans le sable, s'être amusée avec des chiens, elle se rappelait les visages, les mouvements ; elle avait rayé le carnage de ses souvenirs.

Lui n'avait rien oublié. Mais il se souvenait aussi de la chaleur de sa fille, une chaleur lourde de terreur, il se souvenait de la nuit, de l'infanticide envisagé, du dégoût de ses propres mains, de la pure déraison. Et pourtant, mystérieusement, ce n'était pas un mauvais souvenir.

C'était une époque grise, une époque de violence, quand la folie des hommes avait détrôné les lois humaines ; c'était un ensemble d'images fragmentées, informes, une suite d'expériences sans temps d'arrêt. L'histoire en marche, épisodique, sa fille et lui, de simples particules insignifiantes dans le chaos des événements. Aucune des certitudes habituelles n'y trouvait sa place. C'était une époque étrange, qui exigeait des réponses étranges et se soldait par des dénouements étranges. Il n'y avait plus de centre, tout était devenu imprévisible.

Or, père et fille avaient péniblement traversé le pont de fer noir qui leur offrait une sécurité, des milliers de kilomètres de chaos les avaient séparés de l'épouse, de la mère, ils n'avaient été qu'une famille décimée parmi d'innombrables familles décimées, réfugiés soudés par la souffrance en une masse unique que les photographes de guerre captaient dans les éclairs de magnésium.

Décimée : par les responsabilités professionnelles, par la guerre civile. Les blessés requéraient les soins d'un médecin ; sa main droite, qu'un scalpel infecté avait lacérée, était gonflée de pus. Chirurgienne plus habile que lui, sa femme s'enfonça dans la nuit munie de son sac d'instruments. Il savait quelles horreurs l'attendaient : amputations sans anesthésie, viscères répandus, corps aux innombrables déchirures, le sang moins précieux que l'eau. Ces images, rouges, brillantes, époustou-flantes d'intensité, s'étaient imposées à lui dans un brouillard de fièvre quand il avait regardé le dos, le sac, s'éloigner. Il savait qu'il avait souffert ; il en avait encore conscience. La souffrance, avait-il découvert, ne pouvait être un souvenir ; le cerveau résistait, et l'on ne se remémorait que l'absence de bien-être avec un détachement tout cérébral.

Des heures, des jours, des semaines : il ignorait combien de temps s'était écoulé. Le jour remplaçait la nuit, la nuit le jour. Sa femme ne revint pas. Il ne savait pas où elle était allée, au-quel des nombreux groupes en partance elle s'était jointe. Les tirs d'artillerie lourde mêlaient l'aurore au crépuscule à mesure que les combats se rapprochaient. Toujours, elle ne revenait pas. Et quand la guerre déchira leur ville en deux, répandant ses viscères comme ceux d'un cadavre trop mûr, il s'enfuit avec sa fille, se mêla à la marée des réfugiés.

Personne ne parlait de sécurité. Personne ne parlait d'itinéraire. Personne ne parlait. Ils se traînèrent au beau milieu d'une nature dévastée.

Il se souvenait de leur première soirée à l'abri, dans un cimetière, sous une pluie qui ne lavait rien. L'église était comble, les bancs, l'autel, les recoins, tout disparaissait sous de lourds et noirs amoncellements de soupirs. Il avait trouvé refuge contre un mur extérieur et s'était assis, adossé à la paroi, ses genoux relevés couverts d'un panneau de carton. Sa fille s'était endormie par terre, sous le carton.

Cette nuit-là, le sommeil l'avait fui : tout autour de lui, des poitrines maigres s'étaient affaissées dans une lumière blafarde, des ombres avaient emporté les corps flasques, bras et jambes ballants. Une nuit de morts silencieuses.

Juste avant l'aube, l'homme étendu à ses côtés — un inconnu au dialecte étranger — enfonça doucement un couteau de dix centimètres dans son propre flanc, jusqu'à la garde et même au-delà. Il n'émit aucun son ; il y eut très peu de sang. L'homme soupira, comme de satisfaction. Un mince filet rouge coula de sa commissure gauche et dévala sur sa joue, comme une blessure qui se serait ouverte d'elle-même.

Il avait tout vu, n'était pas intervenu, il avait offert à l'inconnu une compassion muette qui, il le savait, démentait qu'il fût médecin. Cela avait été un acte privé, silencieux, apaisant, comme la prise d'un médicament.

Il avait regardé la pluie ralentir, puis cesser tout à fait, et le soleil, en soulevant un brouillard, avait envahi le cimetière couvert de silhouettes noires étendues, qui hésitaient à bouger, à croire à la vie.

Son voisin, exsangue, déjà rapetissé, la main toujours agrippée à ce qui restait du manche du couteau, n'attirait pas l'attention.

La sécurité. Elle n'apportait aucune réponse. Il fallait en inventer.

Il se souvenait presque malgré lui de leur marche dans la ville coagulée par tous les réfugiés en fuite. Papiers, timbres, paraphes ; documents tout juste sortis des presses, croustillants d'une fraîcheur et d'une buraucratie dont il aurait pu croire qu'elles n'existaient plus ; minuscules plaisirs qui l'étonnaient, comme lorsqu'on lui demandait d'apposer une signature et qu'il découvrait qu'à nouveau, miraculeusement, son nom n'était rien de plus qu'une simple marque d'identité. On lui demanda ses permis de praticien. Il ne les avait pas. Mais il était médecin, il avait une profession. Cela lui parut extraordinaire, et il douta, mais pendant une fraction de seconde seulement, d'avoir été le témoin imperturbable du suicide de son voisin au cimetière. Avoir perçu, dans sa passivité, une trahison de sa profession lui sembla n'avoir été qu'un caprice passager.

Grâce à ses relations, il parvint à obtenir les documents nécessaires. Tout pouvait s'arranger, même dans un pays renversé contre lui-même, sauf le problème de sa femme. Tant qu'il n'est pas détruit, un papier reste, on peut le retracer, le récupérer ; mais lorsqu'une personne se déplace, elle disparaît, avalée par la machine humaine. Il était incapable de retrouver sa femme. Elle était trop loin, hors de sa portée.

Attendez, lui disait-on. Attendez la fin de la guerre.

Attendez que le calme revienne. Occupez-vous d'abord de vous-même.

Voici votre visa. Emmenez votre fille. Partez. Attendez.

Un homme, un fonctionnaire en chemise blanche aux manches élégamment roulées jusqu'aux coudes, qui s'efforçait d'être aimable mais avec l'impatience nécessaire à la survie, lui dit : « Vous avez tout perdu. Vous avez perdu votre femme. Considérez-la comme morte. Emmenez votre fille et partez. »

Il s'était dit : « Oui. »

Donc, il avait émigré, il avait reçu ses papiers, il s'était établi en terre étrangère. Ici, la guerre était lointaine, une toute petite nouvelle dans la page internationale du journal. Puis la guerre prit fin et le pays qu'il avait quitté, vite retombé dans l'oubli, se replia sur lui-même. Il se referma sur sa femme.

Il enregistra ce repli avec quiétude. Il fondait sa vie sur de nouvelles bases. Il se remémorait cette époque dans une sorte de brouillard, comme d'épuisement, et c'est cet effort déchirant qui prenait désormais l'aspect du mythe. Sa femme, le souvenir de sa femme, s'estompèrent peu à peu — il ignorait depuis quand ; le temps révélait sa fragilité de création humaine, se dépouillait de son contexte —, il cessa de mesurer le passage des jours. Cela ne servait plus à rien.

Sa fille grandit vite et, sans qu'il sût pourquoi, commença à lui échapper. Un soir, il constata qu'elle n'était plus un être asexué. Elle prenait conscience des différences entre les sexes, et la maladresse de son père redoublait sa confusion. Il était médecin ; il connaissait les mécanismes. Mais comment les expliquer à sa fille ? Pendant quelque temps, il en reporta le blâme sur sa femme comme sur une inconnue. Puis il cessa de penser à elle.

En ce temps-là, cette ville devenue sienne était grise et impassible. Rien n'y brillait. On s'y méfiait des étrangers. Les citadins se repliaient sur eux-mêmes. Après leur journée de travail, ils retrouvaient leur famille, une intimité tout à fait enclose.

Si bien que le surprirent, à l'hôpital, les tentatives que fit Marya pour lui parler — de sa fuite devant les soldats soviétiques à la fin de la guerre, de la famille qu'elle avait abandonnée, de l'homme qui l'avait conduite ici, puis qui l'avait quittée pour une artiste d'un certain âge qui lui servait de mère et lui procurait la satisfaction d'une sexualité œdipienne. D'emblée, elle était allée au cœur du sujet.

Il ne savait que répondre ; il était prudent, méfiant. Il lui demanda, avec une brusquerie qui n'était pas de mise, pourquoi elle l'avait choisi.

Parce que, avait-elle dit, elle sentait qu'il pouvait la comprendre. Ils partageaient un don, le don d'absorption. Dans cette ville grise, les propos de la femme lui firent impression.

Il resta sur ses gardes.

Elle parla, et à mesure qu'elle parlait, tissant des images, conjurant l'horreur, il cessa de se méfier.

Il lui raconta sa fuite, sa fille, ses problèmes, sa femme aussi, mais sans appuyer : elle n'était qu'un élément parmi tant d'autres.

Marya offrit de l'aider à s'occuper de sa fille.

Il balança ; lui médecin, elle femme de ménage. Il la croisait souvent dans le couloir, lui un dossier dans les mains, elle une serpillière, chacun saluait l'autre par une pause à peine perceptible, comme une abeille hésite quand la surprend et la désoriente une fleur artificielle. Puis, après une nuit de réflexion, il acquiesça.

Au début, sa fille se montra réticente, mais Marya persista. Le temps les rapprocha, Marya, sa fille, et lui. La première fois qu'il dormit avec Marya, la tiédeur et la souplesse de sa chair le surprirent. Chaque jour, à l'hôpital, il palpait des patients, mais avec elle, ses mains tremblaient, elles perdaient leur rigueur professionnelle, elles savaient créer des frissons libres de tous souvenirs, elles inventaient des caresses d'une rare douceur. Ses mains possédaient des vertus qu'il avait crues perdues à jamais. Il les reçut comme un présent.

Quand Marya emménagea chez lui — avec deux valises et une boîte de papiers divers, de photos, de souvenirs, de bricoles qui n'ont d'importance que dans une vie réduite à peu de chose —, cela lui parut tout naturel, même dans cette ville grise, surtout dans cette ville grise.

Un soir, il s'arrêta afin de poser sur sa vie un regard qui se voulait objectif. La perfection de leur petite famille le frappa. Il se dit, avec un tendre émerveillement : « Je suis heureux. »

« Je suis heureux. » Pourtant, il refusait, dans sa lucidité, de se complaire dans cette pensée. Non seulement le présent, mais aussi l'avenir, lui dictaient cette attitude qui rejoignait, par-delà l'accessible, les incertitudes de l'espoir, du rêve et de l'attente. Il avait connu trop d'expériences, subi trop d'épreuves, il avait trop été un pion de l'imprévisible. Il affronterait ce qu'il pourrait voir, ressentir, sentir, toucher, entendre, comprendre. Il rejetait le nébuleux ; il refusait toute spéculation.

À son grand soulagement, sa vie devint ordinaire. Il travailla. Il acheta une propriété. Marya se transforma en maîtresse de maison. Sa fille grandit. Les années passèrent dans une sérénité dépourvue de soucis. Il prospéra. Son front se dégarnit. Il forcit à la taille.

Quand la lettre arriva avec ses timbres familiers, une lettre moins lyrique que celles d'autrefois puisqu'elle louait maintenant les vertus des trains et des pioches, il eut le sentiment qu'un recoin inexploré de son être l'avait toujours attendue. Il n'en fut pas surpris. Il se mit en colère. Non pas contre sa femme : qu'elle fût encore vivante après tant d'années n'était qu'une simple vérité. Il se mit plutôt en colère contre l'imprévisible, contre ce qui n'obéit à aucun scénario, contre les hasards qui perturbent. Sa femme ne lui inspirait aucune tristesse, aucune pitié, tout juste un léger soulagement. Trop de temps avait passé.

Sa lettre parlait de ses difficultés, de sa détresse, des années d'exil et de travaux forcés dans une ferme. Ses paroles sans artifice, sans fioritures, ne l'émurent pas plus qu'une relique. Le pays où elle était prisonnière était si lointain que sa lettre ressemblait au message d'une personne décédée depuis lontemps.

Il rédigea une réponse dénuée de passion. Il était inacapable de feindre. Il lui résuma son autobiographie. Il lui expédia de l'argent, lui en expédia chaque mois pendant des années même quand le pays, fermé, connut de nouveaux bouleversements internes. Il ne lui parla pas de Marya ; cela n'aurait servi à rien. Les deux femmes ne se rencontreraient jamais, ne risquaient pas d'être un poids l'une pour l'autre. Parler d'elle pourrait causer à sa femme des souffrances inutiles.

Ses lettres — fragments d'elle-même dans un style télégraphique — continuèrent de lui parvenir, quoique rarement. Il y répondit, lui aussi dans un style télégraphique : piètre communication, rappel de leur existence plutôt qu'échange de pensées.

Sa fille grandit. Marya continua de remplir son rôle de compagne. Les lettres et leurs timbres complexes et colorés lui parvenaient toujours. Il expédiait de l'argent à sa femme par automatisme, comme s'il payait la facture du téléphone. Cela ne lui était pas difficile, il n'y voyait pas une obligation mais simplement une responsabilité à assumer, une tâche domestique de plus.

Il lisait parfois les lettres à sa fille en traduisant la langue dont elle n'avait retenu, au fil des ans, que quelques mots. Sa fille ne les commentait jamais, mais réclamait les timbres. Un jour, elle dit : « Ce serait bien qu'elle utilise des timbres différents. J'ai déjà beaucoup de rouges. » Cette attitude lui parut sensée.

Quand sa fille emménagea dans son propre appartement, il continua de conserver les timbres pour elle. Elle ne demanda jamais qu'il lui lise les lettres. Au bout d'un certain temps, elle se désintéressa de sa collection.

Marya en hérita.

Bien entendu, à la fin, cela n'avait plus été qu'une question de choix. « Tu n'as pas eu le choix » : ces mots avaient pris forme d'eux-mêmes dans son esprit.

Mais il avait voulu éviter cette précaution. Elle avait un relent d'autodéfense, elle justifiait des actes qui remontaient à une époque où toute pensée, toute volonté, toute décision relevaient de l'absurde.

Il chercha à se distraire. Un petit groupe s'était rassemblé à la sortie des douanes. Devant les portes — en verre dépoli où l'on distinguait à peine des ombres spectrales — un vieil homme en uniforme bleu et blanc qui lui conférait une certaine autorité. Il faisait face aux gens, sa casquette bleue repoussée en arrière. Qu'était-il ? Gardien ? Guide ? Portier ? Il plaisantait, se renfrognait, se tenait au garde-à-vous ou s'appuyait avec nonchalance sur la rampe en fer forgé ; il semblait indécis quant à son rôle, à l'image qu'il devait projeter, comme s'il avait subi malgré lui l'influence des gens qui l'entouraient.

Il éprouva de la pitié pour ce petit vieillard en uniforme anonyme : il avait l'air perdu.

« Tu n'as pas eu le choix. » Ces mots s'imposèrent à sa pensée une fois de plus, comme les litanies entendues à l'église qu'il fréquentait tous les dimanches, vingt-deux ans plus tôt, afin d'améliorer son anglais. D'autres mots s'ajoutèrent aux premiers : « Tu n'as pas eu le choix. Moi si. Pour moi-même. Pour notre fille. Aurais-je dû refuser ? Quelle est donc cette loyauté qui nie la vie ? À quoi aspire-t-elle donc ? » Des mots. En prenant forme, ils épaississaient sa salive : il eut envie de cracher. Les mots ne servaient plus qu'à le confondre.

Il s'était depuis longtemps fait à l'idée qu'il ne reverrait plus jamais sa femme, et sa présence en ce lieu précis ne faisait que lui révéler sa propre insignifiance : l'homme est un fantoche dans un décor de carton-pâte.

Il n'avait pas hésité à l'aider à émigrer ici, non par amour, il n'en doutait pas, mais par devoir, un devoir incontesté, incontestable, comme lorsqu'on fleurit la tombe d'un parent décédé depuis vingt ans. Son geste n'avait eu aucune motivation morale ; un automatisme ne pouvait en avoir. Il l'avait fait, tout simplement.

Il glissa ses mains froides tout à coup dans les poches de son imper. La nervosité : elle le happa soudain, le fit glisser un moment dans l'embarras. Pendant quelques secondes qui lui parurent interminables, il oublia son nom, ses souvenirs, la place qu'il occupait dans le monde ; son existence même sembla lui échapper. En s'agrippant à la doublure rugueuse des poches de l'imper pour y chercher une stabilité, ses doigts frôlèrent la photo. Il la retint, la retira de sa poche.

Mais un visage qui avait peu changé dans son essence, beaucoup dans ses détails, se glissa aux côtés du vieil homme. Ses pensées firent un bond dans le temps, si bien que, en la regardant s'avancer vers lui, il s'observa lui-même et, sur un tout autre plan — non pas comme un homme qui se penche sur lui-même, mais sur un plan moins photographique, plus critique —, il prit note de son propre sang-froid. Elle était là, il l'accueillait comme un délégué officiel assume ses responsabilités.

Il observait sa femme avec ce qui lui semblait être une bizarre absence de passion. Elle portait un manteau gris souris, sans éclat, sans style. Elle était plus petite qu'autrefois mais moins douce, avec une bouche, un front, des yeux intransigeants. Il vit qu'elle avait la peau mate. Aussitôt, la photo, le passé, le présent, les différents niveaux de sa conscience, tout se concentra dans une seule et unique pensée : sa femme s'enorgueillissait autrefois de sa peau blanche et diaphane, sa seule coquetterie.

Au creux de son coude replié pendait un vulgaire sac à main en plastique. Dans sa main gauche, elle tenait, comme une amulette, une enveloppe par avion, la sienne, devina-t-il, sans doute la dernière qu'il lui ait expédiée et dans laquelle il lui disait quoi faire et à quoi s'attendre à son arrivée à l'aéroport. Il se dit qu'elle était touchante à voir.

Un tremblement de panique le fit froisser la photo dans son poing devenu moite.

Puis elle lui fit face, tragiquement rapetissée.

Ils se serrèrent la main.

La main de sa femme était petite, sèche, rude, forte, une main qui a oublié la seringue, une main métamorphosée par la houe et la pelle. L'esprit vide, il la retint quelques instants dans la sienne, tandis que les yeux de sa femme — qui trahissaient une réserve, une perplexité à la fois neutre et interrogative, révélant un sentiment de trahison et une compassion qu'il ne pouvait comprendre — se plongeaient dans les siens.

Du coup, il sut qu'elle avait deviné au sujet de Marya. Il sut aussi qu'il n'en éprouvait aucun sentiment de culpabilité, aucune honte : un certain soulagement, et une étrange gratitude.

Elle retira sa main avec une brusquerie toute masculine.

— Comment vas-tu ? fit-il.

Ces mots banals, dépourvus de sens et de poids, prononcés après vingt-deux ans dans une langue mise au rancart depuis si longtemps, le placèrent face à lui-même : il était incapable de feindre.

— Je vais bien, merci, et toi ?

— Je vais bien.

— Et comment se porte notre fille ?

— Elle va bien.

Puis : « Elle a hâte de te voir. »

Il avait deviné la question qu'elle n'avait pas osé lui poser et lui avait su gré de son tact. Mais s'était-il plutôt agi de peur ? Non, conclut-il, ce n'était pas une femme timorée, mais une survivante, bien plus forte que lui ne l'avait jamais été. Aurait-il pu, lui, médecin, si fier de son intellect, survivre à toutes ces années de guerre comme elle y était parvenue ? Il y avait eu des millions de victimes ; la famine et l'épuisement avaient décimé les rangs de leur génération. La survie exige des aptitudes qu'il ne possédait pas. Il avait besoin de pouvoir envisager l'avenir. Il pouvait construire, mais il n'avait pas la force de survivre.

— Elle avait du travail. Elle n'a pas pu m'accompagner.

C'était limpide, il le savait : cela aussi trahissait sa faiblesse. Mais elle se tut, ne releva aucun de ses mensonges, et il lui en sut gré une fois de plus. Il dit, trop vite :

— Nous avons beaucoup de choses à nous dire.

— Nous n'avons rien à nous dire.

— J'ai loué un appartement pour toi. Je veillerai sur toi.

Comme sur une invalide, songea-t-il, en regrettant les mots qu'il venait de prononcer.

— Tu ne me dois rien.

Il prit sa valise — en plastique, comme son sac à main —, glissa un pourboire au porteur et la précéda en silence vers la sortie. Les portes s'ouvrirent sans bruit. Dehors, l'air était frais, et le vent lui donnait du mordant. Le ciel était redevenu gris. Il n'y avait pas de soleil : le parking ressemblait à un gigantesque monolithe.

— Est-elle belle ?

Il se réjouit de pouvoir garder son calme, mais il ne tourna pas les yeux vers elle.

— Non, mais c'est une brave personne. Une bonne mère pour notre fille.

— Je parlais de notre fille.

Sa voix était restée neutre, inchangée.

Quel idiot, se dit-il. Il avait répondu aux deux questions qu'elle ne lui avait pas posées, il lui avait tout révélé avec plus de brusquerie, plus de cruauté qu'il ne l'avait souhaité.

Mais c'était une survivante.

— Oui, dit-il ; notre fille est belle.

Le vent chatouilla son cou, le frappa en pleine poitrine. Il frissonna. Dans sa main droite, la valise était légère, la photo dans sa main gauche beaucoup plus lourde. Par un effort de volonté, il ouvrit sa paume. La photo s'envola. Le vent la souleva et la projeta dans le caniveau. Il accéléra le pas : il y avait tant à faire.

Peu après leur départ, le vieil homme en salopette blanche, avec son balai et son sac à ordures, tourna un angle du parking. Il aperçut la photographie, ses masses noires, blanches et grises fondues en un flou désespérant, si bien que l'image n'avait aucune définition, aucun contraste, comme un dessin à l'encre sur du papier de mauvaise qualité. Il ne put en discerner les tracés, en définir les contours.

Il la plongea dans le sac à ordures et s'élança, de son pas traînant et incertain, à la poursuite d'un petit bout de papier emporté par le vent.

Danser

J'étais rien qu'une bonne à tout faire, chez nous, à Trinidad, juste une bonne à cinquante dollars par mois. Je portais pas d'uniforme, mais je rentrais tôt chez moi le samedi. Je travaillais pas le dimanche, sauf quand ils organisaient une réception. J'allais laver la vaisselle, et le patron me donnait quelques dollars de plus.

Ma maison, si on peut appeler ça une maison, c'était rien qu'un taudis de deux pièces, à vrai dire un taudis d'une pièce avec un placard qui servait de chambre à coucher. Si une personne de taille moyenne s'y trouvait, on pouvait même pas y glisser une blatte. Pas de quoi pavoiser, vous voyez ce que je veux dire. Un toit rouillé en tôle galvanisée qui fuyait quand il pleuvait, des murs en bois que j'avais décorés avec des calendriers et une palme du dimanche des Rameaux. Dans un coin, j'avais aussi une vieille table et deux chaises. Dans l'autre coin, sous la fenêtre, il y avait ma cuisine : un rond de gaz et un baquet pour la vaisselle. Pas d'eau courante. Tous les matins, j'allais en puiser à la fontaine, un seau pour le baquet à vaisselle, un autre pour la petite salle de bains derrière la maison. À part les toilettes, juste à côté de la salle de bains, c'était tout. C'était pas grand-chose. Mais c'était toujours propre, et ça me suffisait.

C'était dans une cour, derrière une grande maison de deux étages qui appartenait à un docteur indien. Le terrain était à lui, et il me disait toujours en plaisantant à moitié qu'il démolirait ma maison pour faire un jardin d'orchidées. Mais il était pas sérieux, à vrai dire. C'était pas un type méchant. De temps en temps, il organisait un *poojah*, et quand les prières étaient finies, quand ils avaient fini de souffler dans les conques, son boy, Kali, m'apportait toujours une assiette remplie de choses à manger.

Le premier de chaque mois, le docteur et son boy se promenaient dans la cour, des bonbonnes sur le dos, et pulvérisaient de l'insecticide. Après, les conduits étaient blancs de poison, mais j'ai jamais eu de moustiques, de mouches ou de poissons d'argent. Donc, le docteur était pas un mauvais voisin, mais je me fais pas d'idées, je sais qu'il pensait à lui d'abord et qu'il me refilait les restes. Les gens sont comme ça à Trinidad, vous savez, faut pas vous laisser leurrer par la nourriture des *poojah*. Vous auriez pu crever sur sa pelouse, la nuit, et le docteur serait jamais venu à votre secours. Par trois fois, il avait trouvé un mort devant sa porte ; la famille l'appelait, l'appelait, et le docteur a pas montré le bout de son nez. On était pas amis, le docteur et moi. Je lui disais, « 'jour », il me disait « 'jour », et ça s'arrêtait là.

J'ai travaillé pour une famille indienne pendant sept, huit ans. Des gens sympathiques. Pas comme le doc. De bonnes personnes. Ça, c'est encore autre chose. Ici, les Noirs engagent une bonne indienne et les Indiens engagent une bonne noire. Les Blancs ont les deux, ça leur est égal. Les Noirs disent que les Noirs savent pas travailler. Les Indiens disent que les Indiens sont des voleurs. Moi, j'ai toujours travaillé pour des Indiens. Ils vous traitent comme si vous faisiez partie de la famille. À Noël, Maman — c'est comme ça que j'appelais ma patronne, comme ses enfants —, Maman m'offrait un gâteau qu'elle avait confectionné de ses mains. Il était toujours recouvert d'un glaçage blanc avec plein plein de cerises rouges. Ces gens-là, ça leur faisait rien que je regarde un peu de télé après le travail. J'apportais une chaise de la cuisine et je m'assoyais derrière eux dans le salon en buvant du café pour garder les yeux ouverts. Des fois, quand j'étais trop fatiguée, le patron me ramenait à la maison en voiture. Comprenez-moi bien. Ils étaient corrects, mais stricts. Ils pouvaient vous chasser en deux temps, trois mouvements, si vous négligiez le travail.

De bonnes personnes, comme j'ai dit, mais l'argent… Cinquante dollars par mois, ça paye même pas le cirage des chaussures d'un mille-pattes. J'ai parlé au pasteur et il m'a dit de demander une augmentation. Ils m'ont donné dix dollars de plus, rien que ça, alors je suis retournée voir le pasteur. Vous savez ce qu'il m'a dit ? « Pourquoi tu deviendrais pas secrétaire, sœur James ? Pourquoi t'irais pas à l'école de secrétariat de Port of Spain ? » Moi, j'ai ri. J'ai dit : « Pasteur, vous connaissez bien les âmes, mais pour ce qui est de l'estomac, vous valez pas un clou. » Imaginez donc ! Moi, je sais presque pas lire et écrire… vous me voyez en secrétaire, bien propre, bien habillée, dans un grand bureau avec l'air conditionné et tout ? Prenez cette lettre, mam'zelle James. Apportez-moi ce dossier, mam'zelle James. Comme à la télé ! J'ai vite su, dans la vie, qu'une femme comme moi, ça pouvait pas être autre chose qu'une servante.

C'était ça, ma vie, à Trinidad.

Ensuite, j'ai reçu une lettre de ma sœur Annie qui vit à Toronto. Elle écrivait pas souvent, mais quand elle s'y mettait, elle pouvait vous déballer tout un roman. Elle a parlé de la Caribana, et elle m'a envoyé des photos découpées dans le journal. C'était bizarre de voir des Trinidadiens en costume de carnaval danser et sauter dans les belles grandes rues, là-bas.

Puis elle a parlé de tout l'argent qu'elle gagnait, et comme elle menait une belle vie. J'ai pas honte de le dire, ça m'a fait chialer, mais mes larmes ont séché tout de suite. Elle a dit que les Canadiens sont de vrais racistes. Elle a dit qu'ils haïssent les Noirs, et elle m'a raconté qu'elle a vu une annonce à la télé où on montrait une Noire qui mangeait un poudding à la banane. Pourquoi qu'ils ont donné une banane à manger à une Noire? Annie a dit que c'est parce qu'ils trouvaient qu'elle avait l'air d'un singe. Je peux pas comprendre pourquoi les gens sont si méchants. Annie a dit qu'ils viennent au monde comme ça. Moi, je vous le dis, c'est terrible de venir au monde raciste.

En tout cas, Annie m'a demandé d'aller vivre avec elle au Canada. Elle a dit qu'elle pouvait me parrainer et qu'elle me trouverait facilement du travail. Au début, je me suis dit, Jamais de la vie. Puis, le soir, dans mon lit, je me suis bien regardée. J'avais trente ans, mon petit taudis et soixante dollars par mois. Annie gagnait cinq fois ça en argent canadien, dix fois ça en argent trinidadien. J'ai toujours pensé, depuis que je suis toute petite, qu'un beau jour je me trouverais enceinte et que je finirais bien par m'attraper un homme, comme la plupart des femmes d'ici. Mais le Seigneur a pas voulu que je fasse un bébé. J'ai pas honte de le dire, j'ai bien essayé, mais c'était pas dans mes cartes. J'ai pensé, Pas d'homme, pas d'enfant, un taudis, un emploi de bonne à tout faire, soixante dollars par mois. Quelle vie j'aurai à soixante ans? J'ai pensé à ça toute la nuit, puis tout le lendemain, puis toute la semaine.

Après la liturgie du dimanche, j'ai parlé de la lettre d'Annie au pasteur. Aussi sec, il m'a dit: « Vas-y, sœur James, c'est la volonté de Dieu. Il a exaucé tes prières. »

J'ai pas cru bon de lui dire que j'avais pas prié le bon Dieu. D'après moi, il a déjà trop à faire avec des gens comme le docteur.

234

Ensuite, j'ai eu l'idée de demander quoi faire au docteur, lui qui s'envolait toujours pour New York ou Toronto. J'ai pensé qu'il pourrait me donner des conseils pratiques.

Je suis allée le voir le matin même. Il était dans son jardin, derrière la grande grille en fer forgé, et il arrosait les anthuriums. Kali pelletait un reste de fumier dans un sac de cacao à moitié vide. Je me souviens de l'odeur du fumier qu'ils venaient d'épandre sur les plates-bandes.

Le docteur parlait tout seul. Il disait : « Un pur chez d'œuf de jardinage. » Ou quelque chose comme ça. Il était comme ça, le docteur. Une fois ou deux, je l'ai entendu parler à ses amis en rentrant chez moi, et il parlait avec des mots très compliqués, s'il vous plaît. Mais quand il me parlait à moi ou qu'il parlait à Kali, il débitait ça vite vite, comme nous. Peut-être qu'il pensait qu'on l'aimerait mieux. Ou peut-être qu'il pensait qu'on comprendrait pas s'il parlait un bon anglais. J'ai toujours eu envie de lui dire qu'on est pas des enfants, qu'on est des grandes personnes, nous aussi. Mais à quoi ça aurait servi ?

J'ai frappé à la grille.

Le docteur a levé la tête.

— Bonjour, mam'zelle Sheila.

— Bonjour, docteur.

— Vous revenez de l'église, mam'zelle Sheila ?

— Oui, docteur.

— Ils sont beaux, mes anthuriums, n'est-ce pas ?

— Très beaux, docteur. C'est pas tout le monde qui peut faire pousser les fleurs comme ça.

Il a secoué les épaules comme pour dire, Vous m'apprenez rien. Puis il a dit : « C'est dur, mais ça en vaut la peine, elles sont bien jolies, vous ne pensez pas ? »

Je me souviens du jour où un chien avait déterré un plant d'anthuriums, et le docteur a pris une bêche et il a assommé la pauvre bête. Il y a eu du sang partout, et le chien est tombé raide mort. Son maître a fait une colère noire et le docteur a appelé la police et la police a jeté le type en prison. Mais c'était comme ça, à Trinidad, et moi j'ai rien dit. Mais depuis ce jour-là, les fleurs roses en forme de cœur me font toujours penser au chien, comme si elles avaient bu un peu de son sang et pris la forme de son cœur. C'est après que le docteur a fait construire une clôture de brique avec des tessons de bouteilles sur le dessus et une grande grille en fer forgé.

— Docteur, j'ai dit, je voudrais vous demander un conseil.

— Je travaille pas en ce moment, mam'zelle Sheila, il a dit ; revenez demain pendant les heures de bureau.

— Je suis pas malade, docteur, c'est à propos d'autre chose.

Mais il me regardait pas, il arrosait, il arrosait, il arrosait.

Kali s'est arrêté de pelleter et il a dit quelque chose au docteur.

— Qu'est-ce que j'entends, mam'zelle Sheila ? a dit le docteur. Vous songez à quitter Trinidad ?

Kali s'est mis à rire. J'ai vu que le docteur avait envie de rire, lui aussi. Il a fermé le tuyau d'arrosage et il l'a laissé tomber par terre. Il s'est approché de la grille.

— C'est vrai, mam'zelle Sheila ?

— Oui, docteur.

J'ai eu une impression bizarre, comme si on m'avait surprise en train de voler.

— Au Canada ?

— Oui, docteur.

— À Toronto ?

— Oui, docteur.

— Qu'est-ce que vous désirez savoir, mam'zelle Sheila ?

— Je peux pas me décider, docteur. Je sais pas si je veux partir ou rester.

— Et vous voulez mon conseil ?

— Je serais reconnaissante pour toute l'aide que vous pourriez me donner, docteur.

Il a frotté ses mains pour en ôter la terre, puis il est resté là à réfléchir et à réfléchir. Puis il s'est appuyé contre la grille.

— Mam'zelle Sheila, je vais vous dire une chose que je ne dis pas souvent parce que les gens n'aiment pas entendre la vérité. Ça les vexe. Mais vous savez, mam'zelle Sheila, les gens de l'île, ils se donnent des airs, un peu trop pour leur bien. Ce sont des paresseux et des bons à rien. Ils n'aiment pas travailler. Et ils sont si snobs qu'ils pensent que, s'ils vont au Canada ou aux États-Unis, ils feront la belle vie. Eh bien, la vie n'est pas facile, là-bas. C'est très, très dur, et il faut travailler d'arrache-pied pour parvenir à quelque chose. Qu'est-ce que vous feriez, là-bas, mam'zelle Sheila ? Hein ? Vous voulez me le dire ? Je vous admire de vouloir améliorer votre sort, mais qu'est-ce que vous croyez pouvoir faire au Canada ? Vous laissez des snobs vous mettre toutes sortes d'idées dans la tête, et vous voilà prête à vous exiler et à tout perdre. Votre maison, votre travail, tout. Pourquoi ? Par snobisme. Il ne faut pas croire que vous allez pouvoir vous acheter une maison au Canada, vous savez. Alors, je vous conseille de ne pas y aller, mam'zelle Sheila. L'herbe n'est jamais plus verte de l'autre côté de la clôture.

Il s'est arrêté de parler, puis il a tiré une cigarette de la poche de sa chemise et il l'a allumée.

Je savais pas quoi dire. J'étais confuse. J'ai dit : « Merci, docteur. Bonjour, docteur », et je suis partie en direction de la maison. J'avais pas fait deux pas, quand j'ai entendu Kali dire au docteur :

— Ces Noirs-là, ils pensent que le monde leur appartient.

Et lui et le docteur, ils se sont mis à rire.

J'étais là, les mains en sang à cause des valises et des boîtes et des sacs, et je trouvais pas la poignée de la porte. Ma tête était encore remplie de coton à cause de l'avion et j'avais si faim que j'en avais mal à l'estomac. J'avais envie de m'en retourner chez moi et de dire : « Reprenez-moi. Le docteur avait raison. Je vais pas pouvoir vivre là où les portes ont pas de poignée. » Mais un homme en uniforme m'a fait signe de continuer à marcher, comme s'il voulait que je me jette contre la porte. Moi, j'ai peur de la police, alors j'ai continué à marcher et, Seigneur, la porte s'est ouverte toute seule comme la mer Rouge pour laisser passer Moïse.

Ça m'a fait du bien. Ça me vengeait du douanier qui m'avait posé des tas de questions déplaisantes : « Vous avez du rhum ? Du whisky ? Des plantes ? De la nourriture ? » comme si j'étais un de ces contrebandiers qui font le trafic entre Trinidad et le Venezuela. J'ai pensé, Je parie que les portes s'ouvrent pas comme ça pour lui !

En passant la porte, je me suis sentie tout étourdie. Tout était enveloppé dans une sorte de nuage, comme si l'édifice allait disparaître ou fondre. J'avais si peur que j'ai pensé que je rêvais, que c'était pas moi qui marchais là, mais quelqu'un d'autre. Ça ressemblait à un film de cinéma.

Puis, j'ai entendu une voix dans ma tête. Elle disait, Sheila James, domestique, de Mikey Trace, Trinidad, te voilà, toi, une bonne grosse femme, à l'aéroport de Toronto et tu as peur. Pourquoi ?

Je me suis forcée à regarder autour de moi. J'ai vu des visages, des visages, et encore des visages. Partout autour de moi, des visages. Certains me regardaient, d'autres regardaient à côté de moi, d'autres regardaient à travers moi. J'ai eu l'impression d'être un vase de fleurs sur une table.

Tout à coup, les nuages ont disparu et j'ai vu clairement les visages. Ils étaient presque tous blancs. J'ai senti ma poitrine se serrer ; je pouvais à peine respirer. J'étais entourée de touristes. Et aucun portait un chapeau de paille.

J'ai entendu une autre voix qui m'appelait.

— Sheila ! Sheila !

J'ai regardé partout, mais j'ai vu personne, juste des visages inconnus. Je me suis sentie toute petite, toute petite, une naine. Tout à coup, j'ai eu envie de foncer dans la foule, mais j'avais les pieds cloués au sol : je pouvais pas bouger. Encore une fois, comme dans un rêve. Un cauchemar.

Et puis, bang ! comme par magie, j'ai vu des tas de gens au visage noir s'approcher de moi, bousculer les touristes, se battre presque pour être le premier à m'atteindre. J'ai reconnu Annie.

— Sheila !

Puis, j'ai vu mon frère Sylvester, et d'autres que je connaissais pas. Annie m'a enlacée et m'a serrée contre elle, fort, fort. Sylvester a pris mes valises, il les a données à quelqu'un d'autre, puis il m'a serrée contre lui, lui aussi. Quelqu'un m'a tapoté le dos. J'étais en sécurité. C'était presque comme à Trinidad.

Sylvester et les autres nous ont laissées, Annie et moi, à son appartement de la rue Vaughan. Annie était fâchée avec Syl parce qu'il voulait pas rester, mais je lui ai dit que j'étais fatiguée et elle l'a laissé partir faire la fête avec les autres.

Annie a mis de l'eau à bouillir pour le thé et nous nous sommes assises dans le petit salon pour bavarder. J'ai remarqué combien elle avait vieilli. Elle avait le visage lourd, elle avait grossi ces deux dernières années. Et la peau, sous ses yeux, était noire, noire, comme si toute sa fatigue s'était ramassée là. Comme de la saleté. C'était peut-être le manque de lumière. Il fait toujours sombre chez Annie, même pendant la journée. Les fenêtres sont toutes petites, toutes petites, et elle allume juste une lampe à la fois. Pour économiser l'électricité, qu'elle dit.

Elle m'a demandé des nouvelles des amis, des voisins, du pasteur. J'avais pas beaucoup de famille à Trinidad, presque personne. Elle a demandé des nouvelles du docteur. Je lui ai dit pour ses conseils. Elle a soupiré très fort, puis elle a dit :

— Les Indiens sont méchants, hein, fille ?

Elle m'a demandé des nouvelles de Georgie, le bâtard de notre père.

— Georgie a eu des ennuis avec la police, fille. Un soir, il a trop bu, et il a battu un type, et il a failli le tuer.

— Ce garçon est de la mauvaise graine depuis qu'il est né. Qu'est-ce qu'ils en ont fait ?

— Rien. La police l'a inculpé, et ils devaient le traîner devant les tribunaux. Mais tu sais comment les choses se passent à Trinidad. Georgie a donné de l'argent à un copain de la police. Chaque fois que son nom revenait sur le rôle, le sergent disait au juge, On trouve pas son dossier, Vot' Seigneurie, et finalement, le juge en a eu assez et il a retiré la plainte. Tu sais, il a même engueulé le pauvre sergent.

Annie a ri en secouant la tête.

— Cher vieux Georgie. Qu'est-ce qu'il fait, maintenant ?

— La même chose que d'habitude. Rien du tout. Il prépare ses papiers pour venir ici. Peut-être l'année prochaine.

Annie a bâillé et elle m'a demandé si j'avais faim.

J'ai dit non, que j'avais déjà mangé dans l'avion : j'avais comme une boule dans l'estomac.

— Tu veux pas de gâteau ? Je l'ai fait pour toi.

J'ai encore dit non, et elle s'est souvenue que j'ai jamais eu beaucoup d'appétit, même quand j'étais petite.

— En tout cas, elle a dit tout bas, je suis vraiment contente que tu sois là, fille. Enfin. Il était temps.

240

Qu'est-ce que je pouvais répondre ? J'ai hoché la tête et fermé les yeux. J'ai essayé de sourire.

— Je sais vraiment pas, ma petite Annie. Je suis pas encore certaine d'avoir bien fait. Tout est si étrange.

Annie m'a écoutée et son visage est devenu sérieux, sérieux, comme celui du pasteur pendant ses sermons. Mais, ensuite, elle a souri.

— Il faudra que tu apprennes des tas de choses, et ça va pas être facile, mais tu as bien fait de venir ici, crois-moi.

Mais c'était trop tôt. À chaque minute qui passait, je me disais que le docteur avait eu raison.

Annie a pris ma main dans la sienne. J'ai remarqué que sa main était beaucoup plus grosse, j'ai remarqué toutes les bagues qu'elle portait. Comme notre mère, une grosse femme avec des mains qui vous faisaient vous sentir comme une petite fille quand elle vous touchait.

— Écoute, Sheila, elle a dit.

Et j'ai entendu la voix de notre mère. Triste, triste. De si loin. Et j'ai pensé, C'est parce qu'on l'a tous laissée là-bas, elle est morte depuis longtemps, mais tout le monde est parti, il reste plus personne à Trinidad, et qui va nettoyer sa tombe et allumer des bougies pour elle à la Toussaint ? J'ai fermé les yeux encore, pour qu'Annie voie pas qu'ils étaient pleins de larmes.

Elle a serré ma main et elle a dit : « Sheila ? Ça va ? Tu veux encore du thé ? »

Elle a laissé ma main, pris ma tasse et elle s'est rendue dans la cuisine.

— Bon, bon, le thé est déjà froid. Rien ne reste chaud longtemps ici.

Elle a fait couler de l'eau et mis la bouilloire sur la cuisinière. Quand elle est revenue dans le salon, j'avais les yeux

241

secs. Elle m'a tendu une portion de gâteau, du gâteau des anges, je crois, et elle s'est assise à côté de moi.

Elle a pris une bouchée de gâteau.

— Tu sais, fille, elle a dit en mastiquant la bouche grande ouverte, Toronto est une ville étrange. Il y a des gens ici qui viennent de partout dans le monde — des Italiens, des Grecs, des Chinois, des Japonais, et des gens que tu sais pas où se trouve leur pays, ni toi, ni moi, on en a jamais entendu paler. Tu vois des tas de vieilles Italiennes, et des Italiennes moins vieilles, qui courent partout comme des insectes dans leur robe noire. Et des Indiens en turban. Et tout ce monde-là vit comme s'ils étaient encore à Rome ou à Calcutta.

Elle s'est arrêtée de parler pour prendre une autre bouchée de gâteau.

— Alors, nous, fille, nous les Antillais, on est comme eux. Tout le monde est ici pour gagner de l'argent, eux et nous.

Elle m'a regardée droit dans les yeux.

— Dis-moi, tu comprends ce que je te dis ?

— Oui, Annie.

Mais je pensais à la tombe, à la pelouse, aux restes des bougies de l'an dernier et à combien notre mère devait se sentir seule.

— C'est vrai que la plupart sont ici pour rester, elle a continué ; mais faut pas oublier qu'ils ont pas d'île tropicale où retourner.

Et elle a ri, mais c'était un rire faux, comme si elle avait déjà dit ça mille fois. Elle a regardé ma portion de gâteau, toujours intacte dans la soucoupe, mais elle a rien dit.

— En tout cas, elle a dit en finissant son gâteau, tu vois comment je parle, même après deux ans. Après deux ans, fille, tu comprends ce que je dis ?

— Ça veut dire que je dois pas oublier comment parler. Et

puis après? Tu veux que je danse le shango et que je chante du calypso dans les rues?

— Je pense que tu comprends pas ce que je te dis, a dit Annie.

Elle a déposé sa soucoupe par terre, elle s'est penchée vers moi, elle s'est frotté les yeux en réfléchissant très très fort.

— Je veux dire que... crois pas que tu puisses devenir canadienne. Faut que tu deviennes antillaise.

— Qu'est-ce que tu veux dire, devenir antillaise?

— Je veux dire, rester antillaise.

Et moi, je pense, Notre mère est née, elle a vécu, elle est morte et elle a été enterrée à Trinidad. Je vois encore sa tombe. Je soupire, mais tout bas, tout bas.

— Mais, hé, hé, pourquoi tu soupires, fille?

— Comment est-ce que je vais changer, hein?

J'avais presque crié.

— Je suis trinidadienne. Je suis née là-bas et mon passeport dit que je viens de là-bas. Alors comment tu veux que je l'oublie?

J'étais vraiment vexée.

Elle a hoché la tête très lentement avant de parler.

— T'as pas encore compris. Regarde, les Canadiens aiment bien descendre dans l'île chaque année pour des vacances de deux semaines, pour le soleil et pour le calypso. Mais c'est une autre histoire quand nous, on veut apporter le calypso ici. Ils veulent pas l'entendre. Alors ils nous tombent dessus à propos de tout et de rien. Nous, les Antillais, il faut qu'on se serre les coudes, Sheila. C'est la seule façon.

Son visage m'a encore une fois rappelé celui du pasteur au beau milieu d'un sermon sévère. Tu sens ses yeux posés sur toi, même s'il regarde cinquante-six personnes.

La tête me faisait mal.

— On dirait que vous avez tous peur, j'ai dit ; on dirait que vous vous cachez des gens d'ici.

Je pense que ça l'a découragée. Je sais être têtue quand je m'y mets. Elle paraissait très fatiguée quand elle m'a répondu.

— Fille, tu as tant de choses à apprendre. Tu te rappelles l'annonce dont je t'ai parlé dans ma lettre, celle de la petite Noire qui mangeait un pouding aux bananes ?

— Oui. Dans l'avion, j'ai raconté ça à un type et il a éclaté de rire. Il a dit que c'était la chose la plus ridicule qu'il avait jamais entendue.

Annie s'est appuyée contre le dossier du fauteuil et a gémi très fort.

— Seigneur, pourquoi qu'il y a encore des gens comme ça sur terre ?

— C'était un type de couleur, comme nous.

— C'est pire. Un des nôtres. Et on doit pas dire « de couleur ». On doit dire « noir ».

J'ai eu l'impression qu'Annie avait du plaisir à parler comme ça. J'ai connu des tas de gens comme elle, dans le temps, des gens qui se plaignent et qui gémissent et qui vous inspirent de la pitié. Mais j'ai rien dit.

Elle secouait la tête en disant :

— En tout cas, fille, tu verras bien. Mais laisse-moi te dire une chose, et écoute-moi bien. Tu dois t'en tenir aux nôtres, va pas croire qu'un Blanc va t'accepter. Si tu veux te faire des amis, il faudra qu'ils soient antillais. Syl me l'avait dit quand je suis arrivée à Toronto, et c'est vrai. J'essaie même plus d'adresser la parole aux Blancs, maintenant. J'ai pas de temps à perdre avec des racistes.

Je tombais de fatigue, alors j'ai juste répondu :

— O. K., Annie, comme tu voudras. Toi et Syl, vous savez sûrement ce que vous dites.

— Ouais, mais tu verras bien toi-même, elle a dit avec un grand, grand bâillement.

Elle s'est levée, puis elle a claqué des mains et souri.

— Mon Dieu, fille, je suis heureuse que tu sois ici. Enfin. Elle a ri. J'ai ri aussi, d'une certaine façon. Elle a retiré sa perruque et dit : « Viens, on va se coucher. Tu dois être morte de fatigue. »

Avant de m'allonger sur le canapé, j'ai mangé mon gâteau. Pour faire plaisir à Annie.

Le lendemain matin, Annie m'a emmenée en ville en métro. C'était pas une belle journée. La neige était grise, et le ciel était gris. Le vent traversait le manteau qu'Annie m'avait donné et glaçait le petit peu de Trinidad qui me restait.

J'ai pas honte de dire que j'ai eu peur comme c'est pas possible dans le métro. Annie, qui s'amusait à jouer les guides touristiques, a dit :

— En Angleterre, ils appellent ça le *tube*. Ici, on dit métro.

La vitesse me sidérait, je regardais le mur filer des deux côtés et je me demandais si je parviendrais à y circuler toute seule. Je comparais le métro aux taxis de Port of Spain, vingt cents la course, le chauffeur qui klaxonne sans arrêt et les autres voitures qui nous doublent en faisant vroum-vroum. Le vent était si violent qu'on pouvait même pas cracher par la fenêtre. Mais le métro ! La vitesse ! Mais je pouvais pas dire ça à Annie. Quand elle m'a demandé ce que j'en pensais, j'ai hoché la tête en faisant semblant que c'était pas la peine d'en faire un plat. J'aurais eu l'air stupide si j'avais dit la vérité. Annie était pas très contente. Elle paraissait vexée.

— Faudra que t'apprennes à voyager en métro. Tu peux pas prendre des taxis ici.

Je me souviens pas de grand-chose de ma première

promenade dans Yonge Street. Des édifices, des voitures, des visages blancs, de la neige grise. Tout se mélangeait. C'était trop. Le matin d'avant, je me trouvais encore dans mon petit taudis de Mikey Trace, je buvais une dernière tasse de thé avec mes voisins — pas avec le docteur, naturellement, mais il avait envoyé Kali m'apporter un billet de dix dollars canadiens en cadeau —, et ce matin, je me promenais la tête haute à Toronto.

C'était trop.

Nous avons beaucoup marché ce jour-là. Nous avons fait la tournée des magasins et des boutiques. Elle m'a fait voir les studios de massage et les bars de danseuses exotiques et les affiches, dehors, qui montraient des femmes nues. Dans un coin, j'ai vu quelque chose qui m'a choquée. Des hommes blancs qui courbaient le dos sur des fourches et des pioches et qui creusaient un trou dans la rue. Ils suaient, ils étaient sales et fatigués. C'est difficile pour moi de l'avouer, mais j'ai eu honte pour eux et je me suis dit, Mais est-ce qu'ils sont fous ou quoi ? À Trinidad, on voit jamais des Blancs faire ce genre de travail et j'avais jamais pensé que des Blancs pouvaient faire ce genre de travail. J'ai eu honte quand j'ai vu qu'Annie faisait pas attention à eux.

À la fin de la journée, j'avais horriblement mal à un pied et ma chaussure droite me pinçait comme un crabe. On a fini par prendre le métro et j'étais bien contente de me reposer, même avec tous ces gens au regard dur autour de moi. Nous sommes descendues à une nouvelle station et Syl nous attendait dans sa voiture.

Il a roulé vite. Syl a toujours aimé rouler vite. Je me souviens des arbres sans feuilles, des hauts édifices, d'un long pont, le plus long que j'aie jamais vu, plus long que le pont Caroni ou que n'importe quel autre pont de Trinidad. À propos, c'est ça que j'ai remarqué d'abord, comme tout est grand et long ici. Et quand on me dit qu'on pourrait faire entrer huit fois Trinidad dans le lac Ontario, j'en ai le cœur tout chamboulé. C'est quelque chose de terrifiant.

On est enfin arrivés chez Syl, un édifice très haut, gris, délavé. La peinture s'écaillait, les balcons étaient tout rouillés.

— C'est ça, le ghetto? j'ai dit.

Je me donnais des airs. Je voulais me servir d'un des mots que j'avais appris d'un voisin de Trinidad dont la sœur vit à New York. Mais Syl et Annie ont ri en hochant la tête.

Annie a pointé le doigt vers un édifice bas de l'autre côté de la rue.

— Ils appellent ça le Ontario Science Centre.

— Qu'est-ce qu'il y a là-dedans? j'ai demandé.

— Toutes sortes de machins scientifiques, a dit Annie; mais je sais pas quoi, au juste.

— T'es jamais entrée? j'ai dit.

Syl m'a interrompue.

— Pour gaspiller de l'argent à voir des niaiseries?

Il a eu un petit rire et il a dit à Annie de cesser de me montrer des stupidités.

On est entrés et Syl a appelé l'ascenseur. C'était la première fois que j'entrais dans un ascenseur, mais j'avais vu des secrétaires bien habillées dans un ascenseur à la télé; elles appuyaient sur un bouton, mais ça bougeait pas, puis elles sortaient à un autre étage. C'est drôle, vous avez déjà remarqué qu'à la télé les ascenseurs bougent jamais? On dirait que c'est tout l'édifice qui monte ou qui descend.

J'ai regardé Syl et j'ai dit :

— Hé, hé, Syl mon garçon, on dirait que t'as grandi un peu? Tu trouves pas, Annie? Tu trouves pas qu'il a l'air plus grand?

Annie a pas répondu, mais Syl a rougi et il a fermé les yeux, comme quand il était petit garçon. Il aimait toujours s'entendre dire qu'il avait grandi un peu parce qu'il aimait pas être plus petit que ses sœurs. Il disait toujours qu'il avait pas grandi parce qu'on avait sauté par-dessus lui quand il était tout petit, mais j'y crois pas.

— Et je vois que t'aimes encore t'habiller comme une carte de mode.

Il portait une chemise rouge très ajustée à la taille et un pantalon vert collant comme une pelure de concombre. J'ai remarqué que ses talons de chaussures étaient hauts de cinq centimètres, mais j'ai rien dit. Syl se fâche quand on parle de sa petite taille et de ses vêtements chics. J'ai pas parlé de sa barbe non plus. Annie m'a dit qu'il la laisse pousser depuis trois mois, mais elle a toujours l'air d'une barbe de deux jours.

On est sortis au huitième étage et on a marché dans un long long couloir. Une porte, puis une porte, puis une porte.

— Je pourrais jamais vivre dans un gratte-ciel, a dit Annie. Ça me fait penser à un salon funéraire, ça ressemble à des cercueils.

Nous avons tourné le coin et j'ai entendu la musique, un calypso qui était à la mode il y a deux ou trois carnavals de ça.

Syl avait pas un grand appartement, juste une chambre à coucher. Tous les meubles avaient été poussés le long d'un mur, on pouvait danser. La stéréo était sur le canapé, il y avait une pile de disques à côté, par terre. Il y avait une table dans un coin avec des verres et des glaçons et des boissons.

Quelqu'un a crié de la cuisine en enterrant le calypso.

— Syl, c'est toi, man ? Où tu caches ton rhum ?

— T'as déjà fini la première bouteille ? a dit Syl.

— Ça fait un bail, man, a dit la voix ; tu sais que j'ai pas de temps à perdre.

— Laisse ça pour tout de suite, man, a dit Syl. Viens dire bonjour à ma sœur Sheila.

Fâchée, Annie a dit :

— Fitzie, s'il tient pas un verre, la main lui tombe.

Un grand Noir en chemise-veste rose est sorti de la cuisine.

— Ça, c'est Fitzie, a dit Syl. Il travaille au Bureau de tourisme.

D'autres personnes sont sorties de la cuisine derrière Fitzie, et d'autres sont sorties de la chambre. Syl avait pas fini les présentations quand on a entendu sonner à la porte et que d'autres invités sont arrivés. Le disque s'est terminé et quelqu'un en a mis un autre. Les gens ont commencé à danser. Un homme qui sentait le rhum m'a prise par la taille et s'est mis à bouger. C'était une vieille chanson usée. J'avais pas envie de danser. Je l'ai repoussé et je suis allée boire un Coca-Cola. Le Coca-Cola avait pas bon goût, pas comme à Trinidad, plus sucré, avec plus de bulles. Ça m'a fait roter. Fitzie m'a donné de petites tapes dans le dos.

La porte s'est ouverte et un tas de gens sont arrivés en dansant et en chantant avec le disque avant même d'être entrés. Je pouvais pas croire que l'appartement était assez grand pour tout ce monde-là. Quelqu'un a monté le volume de la stéréo. Syl a cessé de me crier le nom des gens. C'était pas important. La musique bousculait mon cerveau dans ma tête, je pouvais pas penser, je pouvais même pas me tenir debout comme il faut.

— C'est comme chez nous à Trinidad, tu crois pas ? m'a dit Fitzie.

J'ai demandé à Annie où étaient les toilettes. J'avais pas encore fermé la porte que je m'étais mise à chialer.

Je sais pas combien de temps je suis restée dans les toilettes. Je me regardais dans le miroir et je me demandais qu'est-ce que je foutais dans ce pays. Mon petit taudis me manquait. J'avais envie de sauter dans un avion et de rentrer chez moi, avant que le docteur ait le temps de démolir ma cabane pour faire son jardin d'orchidées. C'était peut-être trop tard, déjà, le docteur traînait pas, mais moi je voulais mon petit taudis et ma petite chambre. Je revoyais le pasteur me dire adieu, et les voisins qui emportaient le lit et la vaisselle, la palme tombée par terre, les calendriers mis aux ordures.

Quelqu'un a frappé à la porte et j'ai entendu Annie.

— Sheila, tu vas bien? Sheila, fille, réponds-moi.

J'ai entendu Fitzie.

— Peut-être qu'elle est malade? Tu sais, le changement d'eau, ça affecte des tas de gens.

Je me suis essuyé les yeux et j'ai ouvert la porte. Un homme m'a poussée pour entrer, il avait l'air désespéré, et Annie m'a fait sortir vite vite.

— Qu'est-ce qui se passe? T'es malade?

J'ai fait non de la tête et j'ai dit :

— Non, ça va. Seulement, il y a trop de monde ici. T'inquiète pas. Ça va mieux.

— Tu veux rentrer à la maison?

— Je vais te conduire, a dit Fitzie.

— Non, ça va, je vais bien.

On est retournés au salon. Il faisait sombre. Les gens dansaient.

Avec les Antillais, on sait toujours quand la fête commence, mais pas quand elle finit. Il a pas fallu beaucoup de temps pour qu'il y ait plus d'air dans l'appartement. On respirait l'air vicié de tout le monde, ça sentait le dépotoir. Cari, rhum, whisky, fumée, de mari et de cigarette. Et la stéréo crachait toujours un vieux calypso de Sparrow.

Je me suis mise à transpirer comme un fromage au soleil.

Je sais pas comment, des gens ont trouvé assez d'espace pour former une ligne et danser comme dans la rue Frederick pendant le carnaval, en tapant du pied, en s'époumonant. Syl, qui se trouvait au milieu, a attrapé mon bras et m'a entraînée avec eux. J'avais plus de force, je les suivais, et Syl me poussait et me tirait tout le temps.

La chanson a fini et la ligne s'est brisée, tout le monde était essoufflé, il y en a même qui sont tombés par terre d'épuisement. J'étouffais. C'était comme vouloir respirer de la soupe épaisse par le nez. J'ai bousculé des gens pour m'approcher d'une fenêtre ouverte. Il y avait un petit groupe d'invités devant, qui fumaient et qui buvaient.

Fitzie parlait.

— Ces types-là prononcent même pas les noms comme il faut. Ils disent *Yong* Street, quand tout le monde qui sait ce qui est sait qu'il faut dire *Yon-ge*. Comme en français. C'est ça qui arrive quand t'as pas de culture à toi, tu perds ta langue, t'oublies comment parler.

Un jeune homme aux cheveux crépus et gonflés comme un tampon à récurer a dit :

— Au moins, nous on a le calypso et les steel bands.

— Et le limbo.

— Et le reggae.

— Et le callaloo.

Fitzie a vu que j'écoutais.

— Hé, Sheila, man, tu te caches ? Hé, vous connaissez tous Sheila, la sœur de Syl ?

Tout le monde a dit salut.

Fitzie m'a demandé, Comment ça va, et j'ai dit, Il fait très chaud ici.

Le jeune homme au tampon à récurer a ri.

— Comme à Trinidad, il a dit.

Tout le monde a ri.

— Ç'est ça, man, a dit Fitzie ; comme chez nous.

Le jeune homme a parlé.

— C'est la chaleur qui me manque, et je parle pas seulement du soleil, mais des gens aussi. Man, je me souviens que les gens de Trinidad laissaient toujours leurs portes ouvertes, nuit et jour, et on pouvait entrer n'importe quand sans prévenir. Les Canadiens sont pas comme ça. Ils ferment leurs portes, ils ont les yeux froids, les mains dans les poches. C'est pas un peuple accueillant.

Je voulais leur dire pour le docteur, avec sa grande maison et la clôture et les tessons de bouteilles. Je voulais leur dire que, moi aussi, je fermais toujours mon taudis à clé, parce que si t'as rien à voler, ils vont te le voler quand même, juste pour t'emmerder. Mais j'avais pas envie d'ouvrir la bouche pour parler, juste pour respirer. De toute façon, Syl m'avait dit qu'il aimait pas que les gens parlent quand il donnait une fête. Il aimait les voir danser et manger et boire. Ça le fâchait de les voir assis à parler. Il disait que c'était pas dans les manières de Trinidad.

J'ai réussi à m'approcher de la fenêtre et j'ai regardé la ville. Les lumières ! J'avais jamais vu autant de lumières, des jaunes, des blanches, des rouges, des files et des files de lumières jusque loin, loin dans la distance, comme si elles finissaient jamais. Ça ressemblait à Port of Spain vu du belvédère de Lady Young le soir, mais là-bas, c'était plus petit, ça finissait à la mer, où on pouvait voir les bateaux dans le port. Mais après avoir vu ce que je venais de voir, je pense pas que je trouverais Port of Spain aussi beau. Ça vous étourdit, ça vous remplit les yeux jusqu'à ce que vous puissiez plus voir.

— Tu regardes les lumières, a dit Fitzie, l'homme du Bureau de tourisme.

— Oui.

— C'est beau. Mais pas aussi beau que le belvédère de Lady Young.

J'ai rien répondu. J'avais honte ; je pouvais pas dire pourquoi.

Il m'a invitée à danser. Il y avait de la musique reggae. J'aime pas tellement le reggae. C'est toujours la même chose, qu'ils jouent *Rasta Man* ou *Noël blanc*. Alors j'ai dit, La prochaine chanson. Mais il a attrapé mon bras fort fort et il m'a attirée.

— O. K., O. K., j'ai dit. D'accord.

Puis il m'a serrée très fort, il m'a collée contre lui, et j'ai respiré l'odeur de son eau de Cologne, de sa sueur, du rhum, des cigarettes, et il s'est mis à bouger, à pousser sa cuisse entre mes jambes. J'ai essayé de me dégager, mais il me tenait trop serré, il bougeait pour nous deux.

À la moitié de la chanson, on a entendu une voix qui criait en demandant Syl. La porte était ouverte et un Blanc se tenait dans le couloir. Mon cœur s'est mis à battre à tout rompre. La voix a appelé Syl une autre fois. Fitzie s'est arrêté de bouger et il m'a relâchée un petit peu. Tous les autres ont arrêté de danser. Ils restaient immobiles, certains étaient toujours enlacés, et ils regardaient en direction de la porte. Personne parlait. La musique résonnait dans la pièce. Un courant d'air froid m'a frappée dans le dos et les mains de Fitzie étaient brûlantes.

J'ai bien regardé le Blanc. Il avait un visage très pâle, un peu gris, comme de la cire de bougie, et tout ridé. Il était rondelet comme un bébé. Il avait les mains sur les hanches, il essayait d'avoir l'air détendu, mais il semblait pas très à l'aise. Je crois qu'il avait les cheveux bruns.

— Je te parie que je sais ce qu'il veut, ce con, a dit Fitzie.

Annie est venue près de moi, elle a mis son bras autour de mes épaules.

L'homme s'est approché de la porte, comme s'il avait

voulu entrer. J'ai senti Fitzie se tendre, mais l'homme voulait peut-être juste regarder à l'intérieur.

— Il se croit au zoo, ou quoi? a dit Fitzie.

Puis Syl est allé à la porte, il était plus petit que l'homme, mais plus large, plus dur. Syl a dit, très très fort :

— Qu'est-ce que tu veux?

Je pouvais pas entendre ce que l'homme disait, mais je voyais bouger ses lèvres.

Syl s'est appuyé contre le chambranle; il a secoué la tête. Puis il a soupiré très très fort.

L'homme a reculé en agitant ses mains au-dessus de sa tête.

La chanson a fini, la stéréo s'est arrêtée. J'entendais ma respiration.

Syl a soupiré encore une fois.

— Si t'appelles la police, je te traîne devant la Commission des droits de la personne. Si tu veux du trouble, t'en auras.

L'homme a enfoncé ses mains dans ses poches et il a ouvert la bouche, mais avant qu'il puisse parler, quelqu'un d'autre s'est interposé entre Syl et lui. C'était Ram, un Indien assez petit et gros. Il était déjà saoul à son arrivée. Il y avait une jeune Blanche avec lui, saoule elle aussi. Annie m'a dit qu'elle était pas sa femme, mais sa maîtresse. Sa femme était à la maison, enceinte, elle vomissait tout le temps.

— Qu'est-ce qui se passe, Syl? a dit Ram.

— Ce con-là dit que la musique est trop forte, a dit Syl. Il se plaint. Il dit qu'il va appeler la police.

— La musique est trop forte? a dit Ram.

— Je voudrais seulement que vous baissiez le volume, a dit l'homme. Je ne tiens pas à appeler la police.

Ram a ri très fort, il a mis son bras autour des épaules de Syl.

— Syl, mon garçon, la musique est trop forte. Ça dérange les voisins. Qu'est-ce qu'on va bien pouvoir faire?

— Ram, mon garçon, y a qu'une chose à faire. Oui.

— Oui, Syl. Rien qu'une.

Ram a porté sa main à son nez, il s'est mouché deux fois, il a écrasé sa morve entre ses doigts puis il les a essuyés sur le chandail de l'homme.

Le Blanc a reculé et il a repoussé Ram. Il est devenu très pâle et il est parti. Syl et Ram sont restés dans la porte.

J'avais mal au cœur.

Ram et Syl ont éclaté de rire en se tenant l'un l'autre.

Le jeune homme aux cheveux en tampon à récurer a couru vers la porte et il a crié, dans le couloir :

— Sale Blanc raciste !

Fitzie s'est précipité vers Syl et Ram en criant :

— Bravo, man, bravo. Tu lui as donné une bonne leçon à cet enfoiré.

Le jeune homme a dit :

— Bien fait, man, on voit que tu sais comment t'y prendre avec ces gens-là.

— Bien, bien, a dit Annie.

Soudain, tout le monde s'est mis à rire. Quelques-uns ont applaudi.

Syl s'est emparé d'une bouteille de rhum et il a avalé une longue longue gorgée. Il s'est rempli la bouche jusqu'à ce qu'un filet d'alcool coule de sa commissure.

— Laisses-en pour moi, man, a dit Ram.

Il a pris la bouteille et il a bu à son tour.

Syl m'a vue et il m'a appelée. J'avais du mal à sourire, mais j'ai souri quand même. Il a mis sa main sur mon épaule et Annie a mis son bras autour de ma taille. Les yeux de Syl étaient rouge sang et il pouvait à peine parler. Il a grogné, il a bafouillé, puis il a dit :

— Sheila, fille, t'as vu ce qui s'est passé ? Oublie pas.

Oublie jamais. C'est la première fois que tu vois ça, mais c'est pas la dernière. T'as vu ce que j'ai fait ? Tu crois que tu pourrais aussi ? Hein ? Tu crois que tu pourrais ?

Je savais pas quoi répondre. J'avais pas envie de traiter quelqu'un comme ça, et je savais pas si j'en serais capable. Finalement, j'ai juste dit « Oui, Syl », sans même savoir ce que je voulais dire.

— Qu'ils aillent se faire foutre, a dit Ram.

— Peut-être qu'on devrait rentrer chez nous, j'ai dit.

— Mais il est tôt encore, fille, a dit Annie.

— Non, je veux dire, rentrer à Trinidad.

Je pensais encore à la tombe de notre mère, à la pelouse, aux bougies.

Syl a enfoncé ses doigts dans mon épaule.

— Que je t'entende plus jamais parler comme ça. Jamais ! On a le droit de vivre ici. Ils ont une dette envers nous. Et ils vont payer, tu m'entends ?

— Syl, je suis pas venue ici pour me battre, j'ai dit.

Et je me suis mise à chialer.

— Arrête, a dit Annie.

Elle était très brusque. C'était pas mon Annie, c'était pas ma sœur Annie qui ressemblait à notre mère, c'était une autre Annie.

Puis Syl m'a attrapée et il a crié :

— Mettez de la musique ! Montez le volume au max ! Faut que tout le monde entende ! Tout le maudit édifice ! Viens, fille, viens danser. Danse comme t'as jamais dansé de ta vie.

Et j'ai dansé.

J'ai dansé, dansé, dansé.

J'ai dansé comme j'avais jamais dansé de ma vie.

Veines

Les aiguilles lumineuses du réveil marquaient une heure. Vernon se demanda pourquoi il avait sonné — il l'avait réglé pour six heures trente — et pourquoi sa sonnerie était intermittente et provenait de l'autre côté de la pièce. La chambre était plongée dans l'obscurité. La fenêtre n'était qu'un carré luminescent. Il discernait à peine le côté gauche de la commode surmontée d'un miroir aussi lisse que de la glace.

Le réveil sonnait toujours. Il tendit le bras, appuya sur le bouton. Le bruit discontinu persista.

Sa femme remua à côté de lui dans le lit.

— Vernon, le téléphone.

Il repoussa les draps, posa ses pieds par terre, ses orteils fouillèrent le tapis rugueux : il cherchait ses pantoufles. Il ne les trouva pas.

Maintenant, il reconnut la sonnerie qui lui paraissait plus forte, les pauses plus courtes, plus chargées de tension.

Il se rendit au téléphone en traînant ses pieds nus. Il songea : C'est comme marcher sur une joue mal rasée. Il se sentait vieux. Il devina que Jenny s'asseyait dans le lit.

— Allô.

Tandis qu'il écoutait, ses yeux scrutèrent le carreau de la fenêtre pour percer sa lueur grisâtre. La vitre était embuée ; au bas, une mince pellicule de glace s'était formée ; il la pressa de son ongle, en détacha un fragment. La part de lui qui ne se concentrait pas sur sa conversation téléphonique s'étonna que le fragment de glace semblât flotter, qu'il pût le déplacer aisément, tout d'une pièce. Puis, la chaleur de son doigt transperça la glace, toucha la vitre. Il comprit que la glace fondait et que, tout en paraissant flotter, elle se laissait porter par son propre liquide. Une mare d'eau s'était accumulée sur le rebord de la fenêtre comme une goutte de cristal fumeux.

— Où l'ont-ils emmené ?

Ses doigts moites glissèrent sur la pellicule d'humidité qui donnait au carreau une opacité de vieux plastique. En traçant un cercle toujours plus grand, il effaça l'humidité, créant ainsi deux filets d'eau qui coulèrent le long de la vitre et dessinèrent un minuscule hublot qui lui révéla un univers gauchi et nappé de blanc. La neige fraîchement tombée cachait même les rails des tramways, couvrait la rue comme un linceul. La rangée ininterrompue de constructions en brique rouge de l'autre côté de la rue était refermée sur elle-même, obscure. Les restaurants, les boutiques de livres d'occasion et les friperies qui occupaient les rez-de-chaussée étaient sombres et, dans l'épaisse lueur jaune des réverbères, ne révélaient pas leur vocation. Les appartements des étages supérieurs étaient eux aussi plongés dans l'obscurité, à l'exception d'une petite fenêtre d'un ocre terne, veilleuse sans doute, ou minuscule salle de bains.

— Où es-tu ? Qui s'occupe des enfants ?

Un tram, dont l'unique phare projetait une lumière blafarde et jaunâtre de lampe de poche, roula lentement dans la rue en traçant derrière lui deux lignes noires, comme un sillage. Vernon sentit le sol trembler légèrement sous ses pieds.

— J'arrive tout de suite.

— Qu'y a-t-il ? dit Jenny. C'est encore Hari ?

Elle alluma la lampe de chevet, les livres se reflétèrent dans le hublot.

— Il est encore ivre ?

Vernon ne répondit pas. Le combiné glissa le long de son oreille, de sa joue ; son bras retomba, comme dépourvu de force ; le combiné que sa main enserrait lui parut chaud.

— Il s'est fait arrêter par la police, ou quoi ?

Le hublot s'embuait à nouveau. Peu à peu, les livres disparurent.

— Vern ?

— Il est à l'hôpital.

— Et puis ?

— Un accident. Sa voiture a fait une embardée. La neige.

— Alors, comment va-t-il ?

— Il se meurt.

Elle se tut.

Il n'y avait pas eu d'aurore. Le ciel était passé d'un noir d'encre à un gris de lavis en empêchant le jour d'entrer, n'offrant qu'une approximation de crépuscule. La neige des rues, fouettée en une gadoue brune par les épandeuses de calcium et les pneus à neige, s'était ramassée dans les caniveaux en une boue couleur de bronze. Le bitume paraissait noir, solide, neuf, et les édifices dont toutes les fenêtres, toutes les portes affichaient des enseignes au néon ou peintes à la main semblaient lourds, denses comme du bois de grève imprégné d'eau de mer.

L'odeur de l'hôpital emplissait encore les narines de Vernon quand il descendit du tram et que ses bottes gaîment tachetées de peinture s'enfoncèrent dans la gadoue. À sa droite, le conducteur d'une voiture, surpris, freina brusquement dans un crissement de pneus. Vernon, conscient de sa fragilité, fit comme s'il ne s'était aperçu de rien ; sa fierté étouffa le cri, de terreur ou de colère, qui lui était monté à la gorge.

En gravissant l'escalier — étroit, entre des murs ocre, couvert d'un tapis rouge élimé sur les côtés, usé jusqu'à la trame au centre —, il entendit la porte de leur appartement s'ouvrir, d'abord le gémissement de la charnière du haut, puis le long sanglot de celle du bas.

Jenny, dans son jean et son pull des week-ends, se tenait dans l'embrasure.

— Je t'ai vu descendre du tram.

Il se glissa à côté d'elle, rejeta ses bottes sur le paillasson.

Elle le suivit dans la cuisine.

— Tu as été parti longtemps.

— Peter était à l'hôpital. Nous avons parlé.

— De quoi ?

— De chez nous. De comment c'était.

— Bien sûr. Comme d'habitude.

Il se laissa tomber sur une chaise à la petite table des repas. Ses yeux étaient rougis de fatigue ; la peau tout autour, rugueuse, que n'étayaient plus des croissants de graisse, semblait gercée. La lueur plombée et épaisse qui filtrait à travers la fenêtre au-dessus de la cuisinière trahissait son âge : l'éclairage montrait clairement les transformations subtiles qui, invisibles au fil des jours, devenaient évidentes en ce moment de stress, d'intimité et de vulnérabilité.

Jenny songea : Il vieillit. L'espace d'une seconde, la panique s'empara d'elle, non pour elle-même, mais pour lui. Le temps avait rétréci ; on eût dit que cette nuit l'avait propulsé des années en avant.

— Comment va Hari ?

— Je te l'ai dit. Il se meurt.

— De quoi ? Qu'est-ce qu'il a exactement ?

— Tout. Il se défait.

— Que font les médecins ?

— Rien.

— Rien ?

— Il n'y a rien à faire. Je l'ai vu. Il est écorché vif. Ce n'est pas joli. On voit ses veines.

— Tu lui as parlé ?

— On ne peut pas parler à un paquet de viande.

Il avait dit cela avec une véhémence inattendue.

— Il me fait pitié, à moi aussi, tu sais, fit-elle.

— Vraiment ?

Ce mot, d'une sèche brutalité, dit sur le ton de la conversation, la surprit ; mais elle approuva en secret sa justesse.

— Ce sont les changements, Vern, dit-elle ; ils sont trop nombreux.

Elle avait envie d'ajouter, Regarde-toi. Au lieu de quoi, elle dit : « Regarde-moi. »

Et elle tendit les mains pour qu'il les voie : les veines, dilatées, sinueuses, à fleur de peau ; les phalanges maigres ; les ongles dépourvus de vernis, plus courts, moins parfaits que naguère ; les bijoux — bague de fiançailles, alliance, tableaux d'un autre univers, d'un autre temps — flottant de travers sur ses doigts non plus minces, mais décharnés.

Il regarda ses mains, mais vaguement, comme si une partie de lui se fût retirée. Puis il regarda ailleurs.

— Nous avions de la fortune.

Elle laissa retomber ses mains.

— *Nous* engagions des ouvriers pour peindre *nos* maisons, dit-il.

261

Il regarda ses propres mains comme si elles étaient des objets de curiosité. Il ne parvenait pas à les reconnaître; la peau rugueuse, les taches de peinture prisonnières des rides, les croissants de saleté sous les ongles — c'étaient les mains d'un inconnu. « De la fortune. »

— Oui, Vern, de la fortune. Enfin, un genre de fortune.

Dans un geste lent, il joignit les mains.

— À quoi bon, Vernon? fit-elle, lasse.

Il la regarda, clignant d'un œil accusateur.

— Ne fais pas ça, dit-elle.

— Tu as oublié, n'est-ce pas?

— Je n'ai pas oublié, merde.

Elle s'approcha nerveusement de l'évier, remplit la bouilloire et — dans ce qui lui semblait un geste ancien — elle alluma le rond du gaz avec une allumette. La flamme jaillit, émit un grognement soudain et vif dans une explosion retenue.

— Tu ne peux pas oublier ce qui a été. Je voudrais seulement que tu n'insistes pas. Ça ne sert à rien. Tu finiras comme Hari.

— Foutaises.

Il prononça ce mot doucement, presque affectueusement.

Elle mit la bouilloire sur le feu avec brusquerie et se retourna pour lui faire face.

— Tu parles de fortune; Hari : il était fortuné?

— Il l'était. Nous l'étions.

Il sépara ses mains et y plongea son visage dans un geste d'épuisement.

— Ta fortune. Ta fortune, c'était celle de l'argent, des biens matériels. C'était la cérémonie du thé des Japonais.

— Foutaises, dit-il encore.

Mais il avait envie de capituler, de prétexter la fatigue. Il était fatigué, oui, mais il ne voulait pas dormir. Le poids qui oppressait son corps l'avait en quelque sorte anesthésié, si bien qu'une moitié de lui-même avait envie de fuir, tandis que l'autre était indifférente, comme lorsque, chez le dentiste, on ressent plus de peur que de mal.

— La cérémonie du thé, dit-il avec un bref ricanement, cela ne faisait pas partie de ce qu'on connaissait.

— C'était quelque chose que personne ne pouvait connaître.

L'eau bouillait. Elle fit du café : bruit de couvercle, tintement de cuillère.

Le couple de Japonais en visite dans l'île leur avait paru plus exotique que des danseuses nigériennes aux seins nus. On parlait des Japs, on faisait allusion au péril jaune, à Pearl Harbor — à des événements qui n'avaient affecté l'île qu'indirectement, par l'entremise des soldats américains en permission, venus y chercher pendant la guerre le peu de repos et de distractions qu'elle pouvait leur offrir. Mais on eût dit que, au cours des vingt-cinq ans écoulés depuis la fin de la guerre, le miracle japonais ne s'était pas produit, comme si les insulaires ne parvenaient pas à associer ces visiteurs, polis jusqu'à l'imbécillité, aux petites voitures et aux camionnettes qui encombraient les routes de l'île.

Les Japonais, de petite taille, souriants derrière leurs lunettes à monture métallique, étaient, disait-on, des spécialistes de la cérémonie du thé. Aucun insulaire ne connaissait cette cérémonie : pour eux, le thé, c'était un sachet, de l'eau bouillante, du lait, du sucre. Le rituel, en un lieu où tout rituel était inconnu, s'empara de leur imagination. Les Japonais se virent accueillis dans les demeures les plus prestigieuses, ils furent exhibés, télévisés. Vernon avait organisé un cinq à sept et un dîner.

Puis, un mois après leur départ, on découvrit le pot aux roses : la télévision de l'île diffusa un documentaire du *National Geographic* sur la cérémonie du thé. Ce n'était pas du tout la même chose. C'était très différent. La vérité se fit jour : les Japonais n'étaient pas des Japonais, mais des Coréens, ils ignoraient tout du thé, ils s'étaient tirés avec un important magot en vue de « l'investir au Japon ». On avait parlé de l'affaire pendant des semaines, et, pour ajouter l'injure à l'insulte, on avait diffusé une photo du couple de Japonais, comme on les désignait toujours, en train de boire du Nescafé dans la salle à manger du navire qui les avait pris à son bord.

Au début, on n'avait pas attaché trop d'importance à l'affaire : des gens naïfs — la naïveté était jugée méritoire, du moment que l'on se contentait de jouer à être des gens du monde, et tant qu'on savait résister à l'arnaque — avaient été les dupes d'escrocs raffinés. Mais Vernon avait toujours pensé que la naïveté, la crédulité des insulaires n'était pas seule en cause. Leur bêtise y était aussi pour quelque chose, une bêtise qu'ils hissaient au rang de vertu en ayant l'air de s'en moquer.

Était-ce donc là, comme le disait Jenny, la fortune à laquelle il s'accrochait ? Il avait toujours refusé de s'interroger, et Hari, tout comme Peter et ses autres amis, avait depuis longtemps rejeté la notion voulant que sa fortune ait été illusoire, un mirage né de la mer, du ciel, du sable, et d'une vie aisée.

Si bien que, peu à peu, la vie qui exigeait d'eux un effort les démoralisa.

Jenny posa la tasse de café sur la table devant lui.

— As-tu faim ? dit-elle.

Il hocha la tête : non.

— Tu sais, Vern, tu n'es pas un homme faible. Quand le contexte s'y prête.

Il accueillit ses mots comme elle les lui avait offerts : sans ironie ni sarcasme, comme un compliment. Il savait ce qu'elle avait voulu dire. Il avait passé la plus grande partie de sa vie à pourvoir, à équilibrer, à protéger, à s'adonner avec une certaine élégance, comme il le croyait maintenant, à l'art d'être un homme. Mais il avait hérité de sa fortune dans un pays où la fortune n'avait besoin d'autre justification que son existence même, où l'accumulation de la richesse créait ses propres règles. Et cet argent, reçu en héritage, dictait ses propres exigences, apportait ressources et talents. Dépouillé de tout ce qu'il avait tenu pour acquis, de tout ce qui lui avait été donné sans effort, il jugea futiles les leçons de la vie. Les aptitudes n'avaient aucune utilité, elles étaient absurdes, vivre exigeait un autre type de courage, un courage qu'on devait acquérir par l'expérience, qu'on ne pouvait tirer des décombres de toute une vie.

Vernon n'avait jamais mis en doute son aptitude à survivre. Mais pour aller au-delà de la simple survie? Pour s'adonner une fois de plus à l'art d'être un homme, tel qu'il le comprenait?

Assise en face de lui, Jenny regardait la tasse entre ses mains.

— Tu es plus courageuse que moi, dit-il. Tu l'as toujours été.

Il tourna les yeux vers la fenêtre: la glace avait fondu, l'humidité s'était transformée en rigoles, en ruisseaux. Le ciel était une toile grise.

— Quand nous avons dû nous enfuir, tu étais prête, tu as emporté tes bijoux. Moi? Je n'ai pas voulu y croire. Comment peut-on accepter d'avoir tout perdu? C'est plus facile de fermer les yeux. Comme je l'ai fait. C'est pour cette raison que nous vivons dans un taudis, pour cette raison que je suis condamné à peindre les jolies maisons des autres.

Il était las, il prononçait les mots qui lui venaient à l'esprit. Un boule se forma au creux de son estomac et lui monta à la gorge ; la tête lui tournait lentement. Il avala son café, se leva et s'approcha de l'évier. La pression de la boule s'apaisa, il retrouva son équilibre.

— Tu devrais aller te coucher, dit Jenny.

— Je ne veux pas.

Il ouvrit le robinet d'eau froide et s'aspergea le visage. Sa chair lui parut inerte, épaisse.

— Tu te souviens de la façon dont Hari plaisantait à propos de Terreuve ?

La voix de Jenny lui parvint par-dessus le clapotement de l'eau dans l'évier en aluminium.

— Il ne plaisantait pas.

Ses mains repliées en poings, les veines saillirent sous la peau. Il crut voir le sang y affluer.

Il entendait Hari parler. Il irait vivre à Terre-Neuve — ou à Terreuve, comme il disait quand sa langue épaissie d'alcool glissait sur le nom en le faisant sombrer dans une imprécision mythique — et il achèterait une longue échelle, il y grimperait, il s'assiérait sur le dernier échelon et il pourrait, de là, apercevoir l'île par-delà l'océan, assister aux parties de cricket.

Il ne plaisantait pas, jamais personne n'avait ri ; mais l'histoire était devenue triste le jour où Hari leur avait annoncé, le plus sérieusement du monde, presque avec irritation, qu'il avait calculé l'angle exact de l'échelle qui lui permettrait d'avoir, plein sud, une vue imprenable sur le terrain de cricket, par une faille dans la montagne.

— Au premier rang, quoi, dit Vernon.

— Il n'a jamais pu quitter ce rang, lança Jenny. C'était ça, son problème. Il ne parvenait pas à s'éloigner, à s'écarter suffisamment de ce qu'il fuyait pour voir vers quoi il fuyait.

Vernon serra les poings sur le comptoir. Le jet d'eau qui giclait dans l'évier éclaboussait toujours son bras.

— Il ne fuyait *vers* rien du tout.

Il brandit un poing : les murs tachés, la porte écaillée, le cadrage gris de la fenêtre.

— Ça ?

Elle se leva avec agitation, s'approcha de la porte, s'appuya contre le chambranle, bras croisés contre ses côtes, poitrine soulevée.

— Oui. Ça.

Une voix dépourvue d'expression. Elle lui parut étrange, comme un reproche.

Il ouvrit la bouche pour protester : cela lui coûta un effort inouï. Le son resta au fond de sa gorge, comme une bulle éclatée.

Le téléphone sonna dans le séjour.

Jenny alla répondre, et il en éprouva un sentiment d'abandon, de futilité. Il eut l'impression de vaciller au bord d'un gouffre.

Les mots bouillonnaient encore dans sa gorge. Leurs sonorités emplissaient ses oreilles, se mêlaient au bruit de l'eau qui s'écrasait au fond de l'évier en un rugissement.

La cuisine — la fenêtre, les murs ornés de vulgaires chromos dépourvus de cadres, la petite table et les chaises en inox — se renversa, perdit son horizontale, et il lui fallut toute sa lucidité pour comprendre que sa tête penchait vers la gauche. Il sentait se serrer les veines et la peau du côté droit du cou, se tendre. Il songea : Elles doivent être gonflées comme des câbles.

Jenny parut dans l'embrasure. Elle parla, ses lèvres formèrent des mots qu'il n'entendit pas. Son visage se durcit, il la vit foncer sur lui, contourner ce corps qui ne parvenait plus à bouger pour fermer le robinet. Le rugissement s'apaisa, cessa. Les mots ne bouillonnaient plus dans sa gorge. Ses oreilles lui parurent légères, caverneuses.

Elle parla de nouveau et ses mots se répercutèrent en écho, semblèrent lui parvenir de très loin. Il dut s'agripper à chaque syllabe pour saisir ce qu'elle lui disait.

— C'est Peter. Il est ivre, il pleure, et il veut venir ici.

La colère alourdissait sa voix.

— Je ne veux pas de lui ici. Plus maintenant. Plus jamais.

Lui et Hari, ils étaient toujours ivres.

— Dis-lui, dis-lui…

Il se tut, redressa la tête, les veines gonflées se détendirent.

— Dis-lui d'aller se coucher. Je ne veux pas le voir. Pas maintenant. Pas aujourd'hui.

Et, au lieu du sentiment de culpabilité qu'il s'attendait à éprouver, il fut soulagé, comme s'il venait de se libérer d'un fardeau dont il avait jusque-là ignoré l'existence.

— Tu es fatigué, dit-elle. Va te coucher.

Une veine se mit à battre sur sa tempe et, par réflexe, elle tendit la main et la massa doucement du bout des doigts.

Il déambulait sur un vaste trottoir. Le soleil brillait, mais sans chaleur, dans une atmosphère neutre. Il était tôt dans la journée. Les passants allaient et venaient, seuls, on apercevait des voitures au loin.

Il marchait d'un pas ferme. Il se rendait quelque part, mais il appréciait qu'on ne lui demande pas où. Il n'aurait su que répondre.

Il regarda sans curiosité les commerces — disquaire, fripier, bistrots — à l'intérieur sombre, sans mystère ni attrait, sinistres, que des appels aux dépenses inconsidérées.

Puis, comme si c'était la chose la plus naturelle du monde, il se trouva étendu sur le trottoir, les yeux levés vers le ciel bleu d'encre où dansaient des boucles diaphanes de nuages blancs. Il savait que quelque chose clochait, mais c'est en voulant se lever qu'il comprit que son torse avait été séparé du tronc en diagonale, des côtes au bas du dos. Ses hanches et ses jambes gisaient à quelque distance, hors de portée, comme la moitié inférieure d'un mannequin jeté au rebut.

Les badauds passaient à côté de lui. Il vit des chevilles de femmes, des ourlets de pantalons soigneusement pressés, des chaussures noires, bien faites. Personne ne le remarqua.

Il se pencha vers le bas de son corps avec curiosité. La coupure était nette. Il n'y avait pas de sang. La blessure semblait avoir été recouverte de plastique transparent et il voyait les veines rouges battre contre la pellicule diaphane. Il n'était pas en danger, il en était sûr.

Il voulut rassembler ses deux moitiés. Il savait que s'il parvenait à attraper ses jambes, à les ajuster à son torse, tout irait bien. Peut-être aurait-il besoin d'un peu de colle, jugea-t-il, curieusement fier d'avoir eu une aussi bonne idée, mais il réussirait sûrement à maintenir ses deux parties ensemble jusqu'à ce qu'il trouve une quincaillerie.

Il tendit la main vers ses jambes, mais il perdit l'équilibre et il se balança d'avant en arrière comme un cheval à bascule, ses jambes avançaient, s'éloignaient, avançaient, s'éloignaient, sans jamais se rapprocher, semblant plutôt creuser chaque fois un peu plus la distance entre elles et lui, si bien qu'il craignit de les perdre de vue.

Embarras : comme il devait sembler ridicule aux yeux des badauds. Mais sûrement on constaterait qu'il avait besoin de secours : une telle chose n'arrivait-elle pas à tout le monde ? La brisure avait été si douce, si délicate.

Un homme en chapeau et pardessus gris s'arrêta. Il se pencha sur Vernon.

C'était Hari. Puis ce fut Peter. Puis encore Hari.

Puis personne. Juste un homme.

L'homme n'avait pas de bras.

Désespoir.

Il avait chaud sous les couvertures. Il pouvait sentir le corps de Jenny, sa chaleur, ses courbes qui se soulevaient et s'affaissaient contre lui. La chambre était plongée dans l'obscurité, la fenêtre luminescente. Le côté gauche de la commode était solide et anguleux comme un cercueil et, au-dessus, le miroir blanc, glacé, luisait dans le noir. Les aiguilles du réveil marquaient quelques minutes avant une heure.

Ses vêtements — non pas son pyjama, mais ses vêtements de jour, épais, lourds de coutures qui gravaient leurs motifs dans sa peau — l'enveloppaient comme un plâtre, l'agrippaient de toute leur glutineuse humidité.

Il repoussa les couvertures et goûta l'agréable fraîcheur de l'air. Il se glissa hors du lit, sentit à travers ses chaussettes les fibres rugueuses du tapis, resta immobile quelques instants, incertain, dans les relents du désespoir qui l'avaient forcé à se réveiller.

La seule lumière provenait de la fenêtre. Le changement de perspective redéfinissait le coin de la commode, l'éclat de miroir, les transformait en choses ordinaires, solides. Il s'approcha de la fenêtre et, dans l'obscurité, il lui sembla glisser sur un coussin d'air : il ne sentait pas ses jambes, on eût dit que quelque chose le portait.

La vitre était embuée, l'humidité assourdissait l'éclat des réverbères en l'étalant sur la surface de la vitre comme une deuxième peau, encore plus concrète que la première. Vernon essuya la buée du bout des doigts et constata, avec une attention qui lui parut être une forme de courage, que, ce soir, il n'y avait pas de glace.

Ses doigts dessinèrent un hublot mouillé, bordé d'humidité.

Une neige légère tombait. Les édifices de l'autre côté de la rue étaient fermés et sombres. Le réverbère lui dévoila encore une fois le linceul blanc, les sillons noirs des rails et la gadoue du jour camouflée sous une peau neuve.

Le lit grinça dans son dos.

— Vern ?

— Oui.

Le téléphone sonna. Il souleva le combiné avec détermination, comme s'il attendait un appel.

— Allô.

Tout en écoutant son interlocuteur, il continuait d'esquisser des motifs sur la vitre, d'agrandir le hublot, de tracer d'autres figures.

— Quand ?

Sa main dessinait des cercles, élargissait le hublot, dont le rebord humide s'épaississait, gonflait.

— Écoute-moi, Peter.

Le rebord creva. L'eau glissa en rigoles autour du hublot, forma sur la vitre un large ruisseau qui s'écoula sur le cadre de la fenêtre, s'y amassa, gonfla, glissa encore et s'étala en une tache sombre sur le rebord.

— Va te faire foutre, Peter.

Il raccrocha d'un geste décidé, et tendit la main vers le hublot qui, déjà, s'embuait.

— Hari est mort, dit-il.

Jenny soupira, se leva et s'approcha de lui.

— Tu sais, fit-il, Peter est mort aussi.

Elle entoura sa taille de ses bras. Il sentit sa chaleur et s'aperçut qu'il avait froid. Il songea : L'humanité entière, nous sommes tous des réfugiés, nous fuyons tous quelque chose.

Puis une autre pensée le glaça : C'est en train d'arriver ici aussi. Le pays se fissurait. Les colères, les haines mesquines, l'habitude non pas de vivre de la terre mais de la violer. Il avait déjà vu tout cela, connu tout cela, et plus encore, tout le reste à venir jusqu'au jour où les gens s'enfuiraient d'ici aussi, de ce lieu qui était encore un refuge.

Il vit la terre, comme s'il l'apercevait du haut de l'espace, ces marées d'êtres en mouvement, encerclant la planète en quête de leur prochaine halte, conscients qu'elle serait encore et toujours provisoire.

Il vit par le hublot la neige s'épaissir, les flocons gonflés et lourds. Le réverbère clignota une fois, deux fois, puis s'éteignit. Il ne restait plus dans l'univers que les bras de Jenny, sa chaleur, le poids de son corps contre le sien. Et la veine qui battait à sa tempe.

Il songea : Où iras-tu maintenant, Réfugié ?

En comptant le vent

Ce matin, comme d'habitude, en sortant de ma chambre pour le petit-déjeuner, je dis à Grand-mère : « Bonjour, Grand-mère, comment allez-vous ce matin ? »

Et ce matin, comme d'habitude, assise dans son fauteuil à bascule en regardant par la fenêtre, Grand-mère me répond : « Tais-toi, mon fils, tais-toi, je compte le vent. » Mais ce matin, contrairement à son habitude, elle ajoute : « Il y en a beaucoup, ce matin. »

Cet ajout, si inhabituel, me saisit.

— Je vous demande pardon, Grand-mère, qu'avez-vous dit ?

Ces paroles nouvelles sont plus qu'inattendues, elles ressemblent à une cicatrice qui apparaîtrait tout à coup sur un visage pur. Je la regarde, cette petite femme en noir assise toute droite, dont les yeux clairs et décidés fouillent le bleu d'un ciel sans nuages. Elle ne dit rien de plus, perdue dans sa contemplation.

— Ils ont pris la ville, dit ma femme en déposant le pain et le café sur la table.

— Qui ?

— Eux.

— Qui, « eux » ?

— Est-ce important ?

Je m'approche de la fenêtre et je scrute la ville étalée sur les collines lointaines. Des maisons, des murs blancs, des toits de tuiles rouges en un amas désordonné. Au sommet, le campanile d'une église fortifiée, brune, en pierre jamais crépie. En bas, autour des anciennes murailles romaines, la rivière d'émeraude liquide enjambée par deux ponts, l'ancien en pierre, le nouveau en acier. Nous sommes trop loin, et la ville est trop dense, ses rues trop étroites et resserrées pour qu'on y perçoive une quelconque activité. La seule différence visible, ce matin, c'est la colonne de fumée noire qui jaillit du centre comme un nuage d'orage montant du noyau de la terre.

Grand-mère avait commencé sa vigie à la fenêtre quelque vingt ans plus tôt, le lendemain du soir où Grand-père était mort en rentrant à la maison, quand le couteau d'un brigand lui avait ouvert le dos comme une pastèque. C'est Emilio qui l'avait trouvé, étendu par terre, froid, sanguinolent, mort au beau milieu de la route de terre qui, en traversant les champs secs et chauves, conduisait à leur maison de ferme.

Il se souvenait très bien de cette nuit. Un mince croissant de lune, des étoiles, et, derrière, la toile d'un ciel si noir qu'il niait tout, fors son immensité. De chaque côté de la route où le guidait l'instinct bien plus que la lumière dans sa recherche de Grand-père, les champs montueux et vides ondulaient dans l'obscurité, imprégnaient l'air d'une senteur de terre morte, desséchée par le soleil, et d'une odeur particulière de roussi. Il ne voyait rien sinon des formes imprécises, des massifs d'ombre un peu plus ou un peu moins noirs que la nuit avaleuse. Incapable de discerner quoi que ce fût, désespérant de le trouver, il trébucha sur Grand-père, s'affaissa sur lui, toucha le sang

274

gluant sur son visage et sa poitrine, respira l'odeur âcre de la chair fraîchement coupée.

Grand-père était trop lourd pour qu'Emilio puisse le transporter, si bien qu'il le traîna par les pieds jusqu'à la ferme — nu, sans même une paire de chaussettes, car on lui avait volé ses vêtements et le peu d'argent qu'il portait sur lui — sur plus de quatre kilomètres de route en gravier, dans l'obscurité qui absorbait ses pleurs. Dans sa douleur inapaisable, il se persuada un instant que ce n'était pas Grand-père qu'il traînait ainsi : il n'avait pas vu son visage, il faisait trop sombre.

Quand il aperçut les lumières de la ferme, il se mit à hurler et hurler. Pendant de longues minutes, des minutes qu'étiraient encore son épuisement, sa douleur, sa terreur, personne ne parut. Puis, la porte s'ouvrit lentement et il aperçut un visage, le visage de son père. L'homme jeta dehors un coup d'œil prudent. Emilio cria :

— Papa !

Son père ouvrit toute grande la porte et se mit à courir, une course saccadée et grotesque, en raison d'une jambe malade dont la douleur, la plupart du temps, l'immobilisait. Il regardait sauvagement autour de lui, confus, ne sachant d'où provenait le cri qui avait transpercé la nuit. Emilio cria de nouveau.

Ses souvenirs de ce qui se passa ensuite sont confus : des voix, des mains, des gens courant en tous sens, des bras qui le soulevaient. Et un cri, un long cri limpide et perçant qui, dans la douleur qu'il exprimait, avait perdu toute ressemblance avec la voix de Grand-mère, était devenu une supplique à Dieu, une prière jaillie d'une gorge rendue folle d'épouvante.

Le lendemain, quand Grand-mère avait semblé plus maîtresse d'elle-même que lui, quand elle avait plongé ses vêtements, pour les teindre en noir, dans la grande cuve qui servait d'habitude aux lessives, elle perdit la parole et commença, dans un mutisme presque total, à compter le vent.

C'est aussi comme ça qu'il a trouvé du travail. Le cimetière où Grand-père avait été inhumé venait de perdre son gardien. Le père d'Emilio se vit offrir le poste et quand il le refusa — sa jambe, qui causerait un jour sa perte et sa mort, était un fardeau —, Emilio l'accepta à sa place. Gardien de cimetière ! Cette pensée lui répugnait, même alors. Ce travail aurait convenu à un homme beaucoup plus vieux que lui, qui n'avait que dix-huit ans. Mais il y vit un moyen de quitter la ferme, qui périclitait sous l'emprise des sécheresses, et aussi une façon d'assumer son sentiment de culpabilité envers Grand-père, puisqu'il avait raclé la peau de son crâne en le traînant sur le chemin.

Sa première vision du cimetière ne le quitta pas, car c'était la seule chose, en ces jours de stupeur, qui pût marquer son souvenir. Il avait toujours été conscient de l'existence du cimetière, mais il ne l'avait jamais vraiment remarqué, de même que, conscients de la mort, nous ne la voyons guère jusqu'au jour où elle vient se placer droit en face de nous pour nous révéler soudain la hideur infinie de ses territoires inconnus. En ce torride matin d'août, tandis qu'ils portaient lentement Grand-père au cimetière dans un cercueil apparemment trop petit pour contenir tout ce qu'il avait été, les fenêtres du cimetière à cinq paliers, posé sur une douce colline, étincelaient, les carreaux par centaines réfractaient le soleil qui inondait les maisons de pierre noire, les maisons-tombeaux en forme de ville, de petite ville des morts.

Depuis, sa mère est morte, puis son père. On a abandonné la ferme, et Grand-mère est venue s'installer avec lui au cimetière. Il s'est marié. Des années ont passé avant que sa femme conçoive un enfant, et, quand elle est devenue enceinte, le bébé, inattendu, depuis si longtemps inespéré, a donné un second souffle, un nouveau but et un nouveau sens à leur mariage.

Ils avaient connu une vie calme à l'ombre de la ville lointaine, des funérailles deux ou trois fois par mois à peine et, entre-temps, les tâches peu exigeantes de ses fonctions : un peu de jardinage, de nettoyage, d'entretien.

Mais ce jour-là, la colonne de fumée qui montait de la ville lui annonça que le vent était porteur de changements, des changements qui ne les concernaient pas. S'ils ne s'étaient jamais intéressés aux vicissitudes du monde extérieur, pour leur part, il ne l'avait jamais oublié, les assassins de Grand-père s'étaient fichés éperdument de lui. Ils avaient jailli de la nuit, en brandissant des couteaux qui frappaient sans discernement, avec une terrifiante indifférence. Si bien que, en regardant monter cette épaisse colonne de fumée, il en ressentit de l'inquiétude.

Pour vous rendre ici depuis la ville, vous devez emprunter une longue route de terre qui traverse les collines nues. Lorsqu'un cortège funèbre entreprend le voyage, on peut suivre sa progression par la poussière qu'il soulève. Dans ce paysage, un homme seul est aussi visible qu'une blatte sur un mur chaulé.

J'ai presque terminé mon petit-déjeuner, mon repas coutumier de pain, de beurre et de café noir, épais, deux sucres, quand ma femme, bébé au sein, me demande de la fenêtre de Grand-mère :

— Qui enterre-t-on aujourd'hui ?

— Personne.

— Eh bien, quelqu'un vient.

— Qui est-ce ?

— Je ne sais pas. Une voiture.

Je repousse ma chaise et, après m'être essuyé le menton sur la manche de ma chemise, je m'approche de la fenêtre. Grand-mère, qui se sent envahie, remue avec impatience dans son fauteuil en serrant sa Bible entre ses mains. Je ne reconnais pas la voiture.

— Ce n'est pas pour des funérailles, dis-je. Il conduit trop vite. Les gens ne se hâtent pas pour venir au cimetière. Non. C'est autre chose.

— Silence, silence, siffle Grand-mère en tapant le livre sur ses genoux.

Ma femme me regarde, perplexe, puis hausse les épaules avec cette douce irritation qu'elle a développée au fil des ans envers Grand-mère. Elle écarte le bébé de son sein et pénètre avec lui dans la chambre. Je jette encore un coup d'œil sur la voiture, seule chose en mouvement dans le paysage cuisant à l'exception de la colonne de fumée, et l'angoisse m'étreint encore davantage.

— Le vent, dit Grand-mère ; le vent.

Je presse doucement son épaule avec une affection que, dans sa concentration, elle ne remarque pas. Et, comme il m'est si souvent arrivé de le faire dans le passé, je me demande, l'espace d'un instant, ce qu'elle peut bien voir ainsi.

Ce matin-là, il a commencé sa journée du côté des niches situées à l'autre bout du cimetière, en face de l'ossuaire. L'édifice était depuis longtemps en décrépitude, près de deux cents de ses deux cent soixante niches — cinq en hauteur et vingt en longueur sur le devant et sur l'arrière, cinq en hauteur et six en longueur sur les côtés — étant abandonnées depuis des mois, voire des années. La plupart des ouvertures n'avaient pas encore été vitrées, mais simplement scellées au moyen d'une dalle en ciment sur laquelle on avait gravé les mots PRO-

PRIÉTÉ FUNÉRAIRE DE... ou CI-GÎT LA DÉPOUILLE DE..., comme si les familles eussent enterré leurs morts en vitesse. Les niches n'étaient pas décorées : ni photos, ni fleurs, ni chapelets sur leurs rebords étroits, ni même une prière outre l'affichage officiel et mystérieux. L'ennui, il le savait, était que la plupart de ces niches étaient louées. Tôt ou tard, il faudrait les ouvrir l'une après l'autre, les nettoyer, transférer les restes dans l'ossuaire situé à deux pas, et les préparer pour les prochains occupants. Au fil des ans, elles s'étaient laissé envahir par les mauvaises herbes qui avaient aussi grugé les joints de ciment des blocs de béton. D'autres avaient commencé à se désagréger, les textes gravés s'effaçaient, le béton noirci se piquetait de trous.

Il commença par nettoyer le cinquième et dernier niveau, son échelle bien plantée dans le sol. D'abord, il arracha les mauvaises herbes, elles tombèrent par terre en dessinant une spirale, puis, au moyen d'un fil de fer, il délogea le ciment craquelé des joints, soufflant sur la poussière grise jusqu'à ce que la cavité soit impeccable. Cela ressemblait, se dit-il, à une blessure qu'on désinfecte, et lui revint en mémoire un matin particulier, des années auparavant. Il était jeune, pressé de se rendre en ville pour retrouver la femme qu'il épouserait un jour, et, tombant de son échelle, il s'était blessé au front en heurtant une pierre. Il avait dû nettoyer lui-même sa plaie, la débarrasser du sable, retirer les morceaux de gravier de la chair ouverte : il avait reçu là une leçon de douceur. Une fois guérie, la blessure avait laissé sur sa peau mate une cicatrice rose, comme une grande étoile en fusion.

Il travaillait doucement ; il prenait son temps, un peu, il le savait, par déférence envers les morts gisant à quelques centimètres de lui, et un peu parce que son travail était facile et agréable. Le soleil, pas encore brûlant, le réchauffait juste assez pour qu'une pellicule de sueur recouvre ses avant-bras.

Il en était à réparer la deuxième niche, une niche anonyme, où le passage du temps avait effacé les deux premières lettres du nom, quand il entendit un bruit lourd de pas : des bottes, un rythme rapide et cadencé, un mélange d'urgence et de détermination.

— Gardien, cria une voix d'homme.

— Ici.

Je reste au sommet de l'échelle, mon cerveau note en moi un sursaut d'anxiété. Je me demande où sont ma femme et le bébé. Les pas s'approchent et soudain un homme tourne le coin, un homme botté, en uniforme bleu et sale. Suspendu à la ceinture noire qui encercle sa taille, un pistolet bat son flanc. Il a une barbe de plusieurs jours.

— Gardien, dit-il en plissant les yeux à cause du soleil ; descends, je veux te parler.

Je descends sans me presser. Il n'est pas grand, mais costaud. Ses yeux sont rougis de fatigue et ses sourcils en broussaille semblent peser lourdement sur son front. Ce que, du haut de mon échelle, j'avais pris pour des taches de saleté sur son uniforme est en réalité du sang séché.

— Gardien, j'ai besoin d'espace.

— Eh bien, le cimetière est presque plein. Combien vous faut-il de niches ?

Il est venu par affaires. Mon angoisse s'apaise, ma confiance grandit.

— Pas de niches. J'ai besoin d'un terrain où creuser.

— Pour combien ?

— Je l'ignore.

— Beaucoup ?

— Montre-moi le terrain, gardien. Le reste ne te regarde pas.

— Et les registres ?

Je dois y consigner toutes les inhumations, la date, la cause du décès.

— Je dois tout noter.

Il se mouille les lèvres et réfléchit en me regardant.

— Nous te donnerons une liste, dit-il enfin.

— Très bien, suivez-moi.

Je l'entraîne vers le seul terrain libre du cimetière, un terrain où le conseil municipal avait, l'année précédente, promis de construire un columbarium. Mais l'argent avait manqué.

Il approuve de la tête.

— Ça suffira. Pour tout de suite.

Je le raccompagne à sa voiture et il démarre sans un mot, sans un regard.

Je rentre à la maison. Ma femme est à genoux, elle lave le plancher, pose sur moi des yeux inquiets, interrogateurs ; je hausse les épaules. À la fenêtre, Grand-mère se penche vers l'avant dans son fauteuil à bascule, ne regarde plus le ciel mais les champs brûlés. Elle marmonne. Je vois la voiture qui file vers la ville en soulevant des nuages de poussière. Grand-mère marmonne encore.

— Pardon, Grand-mère ?

— Le vent, dit-elle ; le vent.

Et je vois que ses yeux fixent intensément la voiture qui s'éloigne.

Le lendemain matin, avant le lever du soleil, le rugissement d'un moteur de camion à côté de la maison le tira de son sommeil. Voix graves proférant des ordres. Chocs du métal contre le métal. En enfilant son pantalon, il jeta un coup d'œil par la fenêtre et vit des silhouettes d'hommes, encore floues dans la pénombre de l'aube, sauter de la plate-forme d'un camion.

Dans la lumière blafarde des phares, il reconnut le soldat de la veille, un officier, à en juger par le comportement respectueux des autres.

Derrière lui, dans l'obscurité de la chambre, le bébé se mit à pleurer, et il entendit sa femme, réveillée en même temps que lui avec un sursaut de terreur, courir du lit au berceau. D'une voix tendue par l'anxiété, elle s'efforça de l'apaiser avec des sons inquiets qui redoublèrent ses sanglots. Puis il se tut, et Emilio sut qu'elle lui avait donné le sein.

Il traversa la maison plongée dans le noir et sortit dans l'air frais du matin. Dans le ciel, les dernières étoiles mouraient sur fond d'aurore naissante. Les phares du camion garé à côté de la maison projetaient une lueur jaunâtre. Les soldats, dix en tout, formaient deux rangs ; chacun tenait une pelle dans sa main et un fusil en bandoulière. À son approche, l'officier, dont l'uniforme maculé de sang semblait tout juste poussiéreux dans la lueur des phares, se tourna vers lui.

— Bonjour, gardien.

Sa voix trahissait son mécontentement de le voir.

— Bonjour.

Mes yeux vont de l'officier aux soldats à l'officier.

— N'est-il pas un peu tôt pour des funérailles ?

— Du calme, gardien ; ça ne te regarde pas. Retourne te coucher ; va dormir.

— Ce qui se passe ici me regarde. Je suis responsable du cimetière.

— Tu es responsable des registres, dit-il d'un ton cassant.

Il tira de sa poche une feuille de papier qu'il me tendit.

— Voici la liste. Tous les noms y sont.

Je prends la feuille de papier et l'oriente vers la lumière. Treize noms, dont trois, à ma grande surprise, me sont connus.

— De quoi sont-ils morts ?

— De blessures de guerre.

— De blessures de guerre ?

L'un des noms qui me sont familiers est celui de l'instituteur, un homme mince et malingre dont l'effort physique le plus violent consiste à se rendre tous les jours à l'école à pied et à en revenir. Le deuxième est encore presque un enfant, pas très intelligent mais bon à sa manière un peu stupide, qui occupe son temps à aider son père épicier. Le troisième est son père, un homme grand et mince, d'apparence ascétique, qui se dit intellectuel — presque tous les soirs il s'assied, il s'asseyait sur une chaise devant sa maison et plongeait son nez dans un livre, au vu et au su de tous. Le retard mental de son fils semblait être son seul chagrin. Ces gens-là ne sauraient mourir de blessures de guerre.

— Ils se sont battus ?

— Tu m'as bien compris, gardien. Ils sont morts de leurs blessures de guerre. Écris-le.

Il me tourne le dos et ordonne à ses hommes de le suivre. Tandis qu'ils se rendent au terrain que je lui ai indiqué hier, j'entends claironner la voix de l'officier dans l'aurore montante.

— Fais ton travail, gardien ; nous ferons le nôtre.

Il ne se retourne pas et je reste là, glacé dans mes vêtements minces, le papier à la main, et je sais sans l'ombre d'un doute que le cimetière connaît là une transformation subtile qui m'échappe ; je sais aussi que je ne suis plus seul maître ici. Un bref instant, la colère monte en moi et j'ai envie de les poursuivre, d'exiger des certificats de décès, des numéros, des dates. Je veux réaffirmer mon autorité.

Puis, derrière moi, j'entends ma femme m'appeler à voix basse. Le regard terrifié sous ses cheveux défaits, elle scrute l'ombre à l'angle de la maison. Nous rentrons et elle exige de moi une explication. Que puis-je lui dire ?

— L'armée enterre ses morts.

Soudain, en robe de nuit, les yeux rougis, regardant droit devant elle, Grand-mère sort de sa chambre en traînant les pieds. Elle s'approche de moi, s'empare de ma manche et tire dessus avec violence.

— L'entends-tu ? souffle-t-elle d'une voix angoissée. L'entends-tu grandir ? Mon Dieu, mon Dieu, le vent.

Quatre heures plus tard, quand ils furent partis, il dégringola de l'échelle et se fraya un chemin parmi les tombes jusqu'à la fosse. Malgré le nombre de fossoyeurs, ils avaient mis beaucoup trop de temps à enterrer treize cadavres et Emilio était curieux de voir ce qui s'était passé. Contournant le dernier tombeau, il aperçut un haut monticule de terre brun pâle et caillouteuse, en mottes plus ou moins grosses, qui semblait avoir été bêchée plutôt que pelletée.

— Halte ! Pas un geste ! fit soudain une voix à l'assurance étrangement vacillante.

Il se retourna et, de l'autre côté de la fosse, il aperçut un soldat, son fusil suspendu par la dragonne au creux de son coude, en train de se soulager contre le marbre d'un des caveaux.

— Ne bougez pas, fit-il en s'efforçant de reboutonner sa braguette sans laisser tomber son fusil.

Emilio resta coi et observa le soldat non sans une pointe d'amusement. Il n'était pas très vieux, il devait avoir seize ou dix-sept ans, et paraissait ne s'être jamais rasé, ne jamais avoir eu besoin de se raser.

— J'inspecte mon cimetière, dit Emilio.

— Eh bien, vous n'en avez pas le droit.

Il s'approcha, son fusil dans les mains.

— Ce sont les ordres, poursuivit-il.

— Je suis responsable du cimetière.

— Pas de ce secteur-ci.

— Qu'est-ce qui se passe ici?

D'un geste, Emilio désigna le monticule de terre.

— Allez-vous-en. Ça ne vous regarde pas.

Le soldat le poussa du bout de son fusil.

— Allons. Partez.

Il semblait plus nerveux que violent.

— Calme-toi, mon garçon; calme-toi. Tout le monde doit pisser de temps à autre, même les valeureux guerriers.

Il avait voulu plaisanter, mais le visage du garçon s'assombrit et son index se referma sur la détente.

— D'accord, fit Emilio en reculant. Je m'en vais.

Il retourna à son travail en réfléchissant à celui des soldats. Il se rendit vite compte que toute cette terre ne pouvait provenir de treize fosses, qu'il devait forcément s'agir d'une vaste fosse commune, large et profonde, destinée à accueillir un grand nombre de cadavres.

— Ouvrez, gardien, c'est moi.

— Qui est-ce?

— Isidro. Le garde.

— Il est deux heures du matin. Que veux-tu?

— Ouvrez. J'ai soif. Ma gourde est vide.

J'ouvre la porte. Le garçon, fusil sur l'épaule, hésite sur le seuil, puis il pénètre dans la faible lueur de la bougie posée sur la table. Son visage, franc et inquiet, semble fragile. Je lui fais signe de s'asseoir et il le fait, dos raide, sans se délester de son arme, avec une rigueur qui trahit son manque d'assurance.

— As-tu faim ?

— Non. Oui. Du pain, peut-être, si vous en avez.

— Et du fromage ?

— Merci.

— Parle plus bas, le bébé dort.

Pendant que je vais lui chercher du pain, du fromage et une tasse d'eau, il reste assis sans bouger, et la flamme de la bougie souligne ses traits — le front plat, l'arête du nez, la courbe du menton — et les boutons scintillants de son uniforme. Il ne me regarde pas, il fixe le mur en face de lui. D'où je suis, il ressemble encore plus à un adolescent.

— Tu es soldat depuis longtemps ?

— Depuis assez longtemps.

— Tu as tué ?

Il se tourne vers moi sans rien dire. Puis, avec un soupçon de colère, comme de fierté blessée, il dit : « Bien sûr, souvent. »

Je dépose la nourriture sur la table devant lui et il la regarde, le quignon de pain, le fromage, l'eau, comme s'il ne savait trop qu'en faire.

— Mange, lui dis-je.

Il se penche, coudes sur la table de chaque côté de l'assiette, et il mange. Ses gestes, rapides et méfiants, ont quelque chose de clandestin. Il mange en silence pendant quelques minutes ; je n'entends que le bruit qu'il fait en buvant, ses déglutitions audibles. J'ai pris place à sa gauche, je le regarde, j'attends qu'il en ait terminé.

Il se redresse enfin, repousse son assiette, renverse la tête et finit de boire son eau. Puis il se tourne vers moi et me regarde sans rien dire.

— Tu as encore faim ?

Il secoue la tête : non.

— Désires-tu autre chose ?

Encore : non. Mais il reste assis et, pendant quelques secondes, nous gardons le silence, dans la pénombre de la bougie. Dehors, le vent se lève, nous entendons son lent, son faible sifflement.

— Le vent, dis-je. Il doit faire froid dehors.

Il ascquiesce, presque imperceptiblement.

— Tu auras assez chaud ?

Il hoche de nouveau la tête en se levant doucement, le dos toujours aussi droit et raide que son fusil. Je lui emboîte le pas jusqu'à la porte que j'ouvre et, cette fois encore, comme lorsqu'il est entré, il hésite sur le seuil, en regardant la nuit. Il me jette un bref coup d'œil avant de sortir et, dans ce regard, je crois distinguer des larmes. La pénombre, sans doute, ou sa fatigue, ou encore mon imagination ; pourtant, ce regard me dit que ni la faim ni la soif ne lui ont inspiré sa visite, mais la peur toute simple d'un garçon seul, la nuit, dans l'obscurité épaisse d'un cimetière. Je devine tout à coup qu'il n'a jamais fait la guerre, qu'il n'a jamais tué personne. Jamais encore n'avait-il autant qu'ici côtoyé la mort.

Avant de refermer la porte et de retourner me coucher, je prête l'oreille aux bruits de la nuit. Je n'entends que le crissement de ses bottes sur le gravier, le bruissement, le sifflement du vent parmi les tombes avalées par le noir.

Le sommeil tarde. Je reste étendu dans l'obscurité ; à mes côtés, ma femme feint de dormir, car elle n'ignore pas que lorsque les soucis la tiennent éveillée, je m'inquiète pour elle. Je sais toutefois que, de feint, son sommeil deviendra réel, et qu'elle dormira profondément de tant avoir voulu m'épargner.

Les minutes s'égrènent lentement. Il n'y a ni soleil, ni ombres qui s'allongent pour marquer le passage des heures.

Dans le noir, le temps se fige. Les pensées vont et viennent dans le désordre, fragments inattendus de souvenirs et de peurs. Les visages, les sentiments, l'ombre et la lumière, tout cela me frôle au passage, secoue mes émotions, titille mon âme.

La respiration de ma femme devient profonde et régulière. Je me détends, la sachant à l'abri dans ses rêves. Le bébé dort en paix dans son berceau, mon fils, dont l'existence me procure une satisfaction que je ne comprends pas, une satisfaction qui rejoint d'instinct le cœur même de mon être. Ma tête s'enfonce doucement dans l'oreiller, s'appuie au creux ainsi formé, et un pli rassurant de tissu enveloppe ma joue. Mes yeux se ferment à l'approche agréable du sommeil ; seul un effort redoutable de ma part parviendrait à les ouvrir, ou un choc inattendu.

Pourtant, une part de mon cerveau reste éveillée, comme aux aguets, et c'est cette partie-là qui, plus tard, capte un bruit faible en provenance du séjour, me force à ouvrir les yeux et à regarder en direction de la porte, ce rectangle noir entouré d'une mince ligne de lumière. Cet instant de perplexité est aussitôt suivi d'inquiétude, et je rejette violemment la couverture afin de m'en libérer. Il ne s'agit pas de courage, mais d'instinct protecteur : ma femme, mon fils.

Ma femme remue et je reste immobile jusqu'à ce qu'elle s'apaise. Puis je me lève et me rends lentement à la porte que j'entrouvre pour jeter un coup d'œil dans le séjour. La bougie est allumée et Grand-mère, en robe de nuit, les cheveux soigneusement coiffés, une tasse de café à la main, est assise dans son fauteuil à bascule devant la fenêtre ouverte. J'entre dans le séjour en refermant la porte derrière moi.

— Grand-mère, que faites-vous debout à une heure pareille ?

Les aiguilles de l'horloge marquent un peu plus de cinq heures du matin.

L'air qui pénètre dans la pièce est frais. Je prends une couverture sur le canapé et m'en couvre les épaules, je tire une chaise et m'assieds aux côtés de Grand-mère. La fenêtre est un trou noir. Les étoiles ont disparu, mais le soleil n'est pas encore levé. Grand-mère, intense, ne semble pas avoir remarqué ma présence. Elle voit quelque chose que je ne peux voir.

— Grand-mère, que voyez-vous ? Qu'est-ce qu'il y a là-bas ?

— Chut. Le vent. Je compte.

Le ton de sa voix est moins patient qu'en retrait, absorbé. Pour la première fois, sa réponse m'agace, mais je comprends aussitôt que cette irritation n'est pas dû à elle, mais à moi-même, à ce malaise que je ressens sans le comprendre. Je resserre autour de moi les pans de la couverture et je me tais en regardant la nuit en même temps que Grand-mère, en écoutant le murmure insistant et nomade du vent.

Peu de temps après — le ciel commençait à peine à pâlir —, il entendit le rugissement d'un moteur de camion et le crissement du gravier sous les pneus. Il regarda Grand-mère. Elle était imperturbable, comme si elle n'avait rien remarqué.

— D'autres morts, dit-il en se levant pour aller s'habiller.

Il lui fallait aller chercher la liste.

Sa femme était éveillée. Il lui fit signe de ne pas se lever, s'habilla en vitesse et sortit. En refermant la porte derrière lui, il vit que Grand-mère s'était inclinée vers l'avant, captive d'événements qu'elle était seule à voir.

Il avait à peine fait deux pas dans l'air frisquet quand une silhouette parut au tournant et s'adressa à lui avec désinvolture.

— Reste où tu es, gardien. J'ai ta liste.

Dans le lointain, il entendit arriver un deuxième camion, puis encore un troisième.

— Bonjour, capitaine.

— Sergent. Voici la liste.

Le sergent s'arrêta à trois pas de lui et lui lança une liasse de feuilles roulées et retenues par un élastique. Il l'attrapa des deux mains. Le sergent fit un quart de tour, puis s'arrêta.

— Oh, à propos, pour ton information, ils sont tous morts de mort naturelle.

— Tous ? Combien y en a-t-il ?

— Je ne les ai pas comptés.

— De mort naturelle, dites-vous.

— Oui. Comme ceux d'hier.

— Eux aussi ? Pas de blessures de guerre ? Je ne comprends pas.

— Réfléchis, gardien. Quand on reçoit une balle dans la tête, on meurt. C'est tout naturel, n'est-ce pas ?

Emilio ne sut que répondre. Il crut un moment que le sergent faisait une plaisanterie de mauvais goût.

— Ça regarde l'armée, gardien. Ne te mêle pas de ça. Mort naturelle. N'oublie pas.

Il vira les talons et s'éloigna en direction des camions, silhouette lasse et lourde dans le demi-jour.

Emilio demeura sur place quelques instants, le rouleau de papier se réchauffait lentement entre ses mains. À l'intérieur, le bébé se mit à pleurer. Il savait que sa femme serait levée, et il rentra. Grand-mère était toujours assise à regarder dehors, les mains agrippées aux accoudoirs de son fauteuil. Le ciel était d'un bleu clair et frais. Assise au bord du lit, sa femme donnait le sein à leur fils.

L'ayant rassurée, il s'assit à la table. Il déroula les cinq feuilles à la lueur de la bougie. Une main malhabile, presque celle d'un illettré, avait griffonné à la hâte dix noms sur chacune. Il n'en reconnut aucun, il ne s'agissait pas de gens d'ici.

On en amenait d'ailleurs, des étrangers, sans doute des habitants des autres villes que desservait le cimetière. Il alla chercher le registre sous le lit et s'apprêtait à y écrire quand il entendit la première rafale.

La fusillade n'a pas de fin, elle continue et continue comme un coup de tonnerre, mais en plus vif, en plus perçant. Le bébé pleure d'effroi. À chaque salve, ma femme geint comme si elle avait été touchée. Grand-mère ne réagit pas. Et je reste à table, figé, plume en suspens, abasourdi, et je songe : Arrêtez-arrêtez-arrêtez-arrêtez-

Enfin, le silence. Un silence qui se prolonge tel un écho. Un silence plus lourd de menace que le fracas qui l'a précédé. Un silence qui éveille en moi d'impossibles images de terreur et de cauchemar.

La mâchoire me fait mal. Je me rends compte que je serre violemment les dents et que, sous l'effort, une douleur sourde remonte jusqu'à mes tempes et mon front en un lancinant et lourd battement. Je me force à ouvrir la bouche, mais j'y parviens à peine ; on dirait que mes dents sont soudées les unes aux autres. Quand mes mâchoires s'entrouvrent enfin avec raideur, douloureusement, des cris résonnent dans mon dos : ma femme, mon bébé. D'un seul mouvement, je me lève, contourne la table et pénètre dans la chambre ; ma chaise se fracasse sur le sol.

Ma femme, serrant étroitement le bébé, tête renversée, est assise par terre à côté du lit, bouche ouverte sur un cri de bête. Je m'élance à côté d'elle, prends son visage dans mes mains et l'attire à moi. Elle cesse aussitôt de crier, des sons étouffés jaillissent de sa gorge, elle murmure : « Les monstres, les monstres. » Elle respire avec peine. Le bébé crachote et s'apaise un peu. Ma femme se libère doucement de mon étreinte, caresse la tête du bébé et lui redonne le sein. Je repousse les cheveux de son visage, j'embrasse son front et je l'aide à s'allonger sur le lit. Quand, au bout d'un moment, elle pose les yeux sur moi, ils sont grands ouverts et brillants de peur et de larmes.

Je reste auprès d'eux pendant quelques minutes, moins pour les apaiser que pour m'assurer qu'ils sont en sécurité. La chambre est sombre et fraîche, mais je suis en sueur, et quand mes doigts parcourent le cou et les épaules de ma femme, ils sont humides. Bientôt, elle ferme les yeux et se berce lentement, le bébé tète avec calme, presque perdu au creux de ses bras.

Je me lève et je sors de la chambre en refermant soigneusement la porte. Grand-mère ronfle à la fenêtre, une douce lumière matinale se répand sur elle et dans la pièce. Le ciel, d'un bleu limpide, nettoyé de ses nuages par le vent nocturne, annonce une chaleur torride.

Image de paix : une vieille femme endormie devant une fenêtre ouverte sur le soleil et le ciel.

Image de paix : ma femme qui allaite.

Image de paix : une bougie sur la table, sa flamme jaune et fixe.

Ma vie se déroule devant mes yeux comme une suite de tableaux, et l'intrusion, le bruit subit de la mort éveillent ma colère.

Jamais plus, jamais plus, pensé-je en traversant la pièce et en sortant. Je vais leur dire d'arrêter, je vais leur dire que ça ne peut pas continuer ainsi, oui, je vais le leur dire.

Je me hâte vers l'endroit où sont garés les trois grands camions kaki. Des voix proviennent de derrière le dernier, des mots plutôt que des phrases. Quelques soldats, leur uniforme bleu presque gris de poussière, fusil en bandoulière ou tenu par une main lasse, forment un groupe et fument. À mon approche, ils se tournent vers moi avec malaise. Aucun d'eux ne parle. Le crissement de mes chaussures sur le gravier se répercute sur le métal des camions. Le sergent n'est pas avec eux. Je demande à le voir. Ils se regardent. Personne ne dit mot. Je répète ma demande. Puis, une voix rude et menaçante me répond.

— Allez-vous-en, gardien. Le sergent est un homme occupé.

— Juste une minute.

— Pas même une minute.

Je ne vois pas le soldat. Il est assis quelque part, à l'écart des autres.

— Je vous en prie, dis-je en me frayant un chemin au milieu des hommes en direction de la voix.

Les soldats s'écartent. Un canon de fusil me barre la route. C'est le jeune garde, Isidro. Ses yeux, rouges, sont luisants de folie. Il a le teint blafard.

— Allez-vous-en, dit-il d'une voix très différente de celle d'hier ; allez-vous-en avant que je vous expédie dans l'au-delà.

Son regard est intense, d'une violence inouïe, un regard de chien rendu fou par la soif et la faim. Je lève mes mains audessus de ma tête et recule. Je sais maintenant qu'il n'y a plus d'espoir.

Il ne sortit pas de la journée. Grand-mère, éveillée, habillée, occupait son fauteuil habituel devant la fenêtre. Muette, sa femme restait recroquevillée dans un coin du canapé, son bébé dans les bras. Il voulut inscrire les noms des morts dans le registre du cimetière, mais quand vint le moment de noter la cause du décès, ses doigts s'y refusèrent, laissèrent tomber la plume.

Avec les heures, la chaleur envahit la maison. Au milieu de l'après-midi, bercés par le silence et la chaleur, ils s'endormirent. Grand-mère dans son fauteuil à bascule, sa femme sur le canapé, le bébé sur ses genoux, Emilio la tête appuyée sur la table. Quand ils s'éveillèrent — tous en même temps, car le rugissement des camions les secoua et les propulsa dans une tension sauvage —, le soleil se couchait déjà dans un ciel assombri.

Ils ne bougèrent pas, ne dirent rien, tendirent l'oreille : bruits de freins, de moteurs coupés, de bottes innombrables martelant le gravier, de commandements, une explosion soudaine de blasphèmes, et enfin, le lourd crissement de pas d'une foule qui se déplace lentement, comme un interminable cortège funèbre.

On frappa à la porte. Emilio s'en fut ouvrir. Sans un mot, ses petits yeux plissés sous son front, lèvres serrées, le sergent lui tendit une autre liste roulée. Il la prit, ne sut que dire, recula sous la forte odeur de brandy. Refermant la porte sur le sergent qui s'éloignait, il jeta la liste sur la table. Elle heurta la bougie, roula et tomba par terre. Sa femme le regarda. Grand-mère poursuivit son guet.

Soudain, une curiosité morbide s'empara de lui. Il fallait qu'il sache, qu'il voie de ses propres yeux ce qui se passait dans ce cimetière dont il s'occupait depuis si longtemps, ce cimetière qui ne lui appartenait plus. Il posa la main sur la poignée de la porte, sa peur le disputant à sa curiosité. Le battement de son cœur résonna dans sa tête, sa respiration se fit plus vive, plus laborieuse, il entendit l'air râper les parois de ses narines, s'arrêter avant d'atteindre ses poumons.

Sa femme l'appela et, dans sa bouche, son nom ressemblait à une supplique, une terreur, un avertissement.

— Tais-toi, dit-il.

Il retira ses chaussures, entrouvrit la porte, jeta un coup d'œil alentour. Personne, seules les ombres allongées des tombeaux que séparaient des bandes de lumière orange : le soleil invisible qui s'enfonçait à l'horizon. Il sortit, referma la porte. La chaleur du jour s'estompait et il reçut sur la peau nue de ses bras et de son cou un avant-goût de la fraîcheur nocturne.

Plié en deux — par instinct, car cela ne servait à rien sinon à le rapetisser, à le rendre moins visible —, il se hâta parmi les niches vers celle où il avait accompli la veille un travail de nettoyage et d'entretien déjà oublié. Il s'empara de l'échelle, la posa sur son épaule et marcha d'un pas rapide vers le terrain ouvert. Le gravier, dur et coupant, le blessa aux pieds à travers ses chaussettes, et de fines particules de sable pénétrèrent jusqu'à ses orteils, recouvrant sa peau d'une poudre granuleuse.

Parvenu à proximité du dernier tombeau, il marcha sur la pointe des pieds. Les cailloux lui parurent plus acérés, l'échelle plus difficile à tenir en équilibre. Il respirait par la bouche ; sa langue était épaisse et sèche. Il appuya l'échelle contre la paroi et s'assura de sa solidité. Puis, d'échelon en échelon, il grimpa jusqu'au sommet. À quatre pattes, il se hissa sur le dessus du tombeau. Il manquait d'air, il avait retenu sa respiration en montant l'échelle. Haletant, il rampa jusqu'à l'extrémité du toit.

Je reste étendu à plat ventre pendant quelques minutes, la joue et l'oreille pressées contre le ciment rugueux. Ma respiration est encore laborieuse : j'ai beau faire, je ne parviens pas à remplir mes poumons d'air. J'ai très envie de relever la tête et de regarder par-dessus l'arête du toit, mais la terreur m'en empêche et je m'aplatis contre le ciment tiède.

Les minutes passent et, seulement alors, ai-je conscience

du silence étrange qui m'entoure. Un peu plus bas, tout près, il y a des hommes armés. Mais ce silence est celui d'un cimetière endormi, des morts au repos. Encouragé par la pensée — absurde, je le sais, mais qui promet une joie sans mélange — que peut-être, sans que je m'en sois rendu compte et pour des raisons connues d'eux seuls, ils sont partis, je redresse la tête pour regarder en bas.

Non, ils sont tous là, silhouettes immobiles dans le noir naissant. Dans un quart d'heure, je ne pourrai plus les voir et il fera trop sombre pour qu'ils puissent travailler. Mais, sur la droite, le bruit sourd d'un moteur se fait entendre, et j'aperçois un faisceau lumineux. Une voiture avance doucement parmi les tombes. Ils auront de la lumière. Ils feront leur travail.

Une minute plus tard, les phares de la voiture — celle du sergent, je crois, celle qu'il conduisait à sa première visite au cimetière — répandent sur toute la scène une épaisse lueur jaune qui ressemble à un voile de moutarde. Les soldats sont presque directement sous moi. Devant eux, une vaste fosse que la lumière n'atteint pas, et, sur les côtés, la terre accumulée. En face, le mur du cimetière, taché et piqueté à la hauteur du trou. On coupe le moteur, les phares éclairent toujours le mur.

Sans en recevoir l'ordre, sachant ce qu'ils ont à faire, cinq soldats viennent se placer en rang et arment leur fusil dans un unisson presque parfait. D'autres soldats sortent de l'obscurité en poussant cinq hommes devant eux, des hommes pareillement défaits, hagards et dociles, leurs mains liées derrière le dos par quelque chose qui brille, qui ressemble à du fil de fer. On les aligne le long du mur au bord du trou, face aux soldats. Tous, sauf un, gardent les yeux ouverts et regardent autour d'eux non pas avec courage mais avec une sorte de stupéfaction. On dirait qu'ils ignorent où ils se trouvent, ce qui va se passer, et qu'ils cherchent une explication. Celui qui a les yeux fermés, le plus jeune, je crois, âgé de quelque dix-sept ou dix-huit ans, semble prier.

Le sergent pénètre dans la lumière des phares, s'approche nonchalamment des soldats. À voix si basse que, j'en suis sûr, les soldats ne peuvent l'entendre, il dit : « Allez-y, les gars. » Les soldats lèvent leur arme et l'épaulent. Tout bas : « Feu. » Les coups éclatent. Il me semble suivre les balles des yeux, du canon à la cible. Des taches rouges apparaissent comme par magie sur la poitrine des quatre hommes aux yeux ouverts. Leur visage se contorsionne, ils tombent dans la fosse. Le cinquième, le garçon, reçoit une balle dans l'œil droit, le sang explose sur son visage, il ne tombe pas vers l'avant mais à la renverse, accroupi, semble s'adosser au mur, et sa tête retombe en ballant sans vie sur son épaule droite tandis que le sang gicle et se répand rapidement sur sa poitrine. Un soldat accourt et, d'un coup de pied, le pousse dans la fosse. Au moment où il y tombe, un geignement se fait entendre : l'un des condamnés n'est pas mort. Le soldat s'arrête, perplexe, incertain, se penche et regarde au fond du trou.

— Sers-toi de ton arme, imbécile ! lui crie le sergent.

Le soldat tire un revolver de son étui, vise, mais ne trouve pas sa cible. Un autre geignement. Il fait trop sombre, le soldat ne parvient pas à voir sa victime. Soudain, il ouvre le feu, six, huit, dix coups résonnent dans l'obscurité. La fumée de son arme flotte au-dessus de lui dans la lumière jaunâtre, monte en boucles argentées comme celles d'une cigarette. Revolver toujours pointé, il tend l'oreille. On n'entend plus rien.

Un liquide âcre et brûlant me monte à la bouche. J'ai un haut-le-cœur. Une chaleur envahit mon visage et ma poitrine. C'est le sang de Grand-père, l'odeur de viande fraîche qui emplit mes narines.

Les soldats alignent cinq autres hommes contre le mur et

la même pantomime se répète, encore une fois : « Allez-y, les gars », encore une fois : « Feu », les coups, les taches soudaines sur les poitrines nues. Mais cette fois, tous tombent dans la fosse.

Silence. C'est fini, on dirait. Je comprends qu'ils tendent l'oreille, attendent un geignement. Moi aussi.

Soudain, un hurlement. Lointain. Aigu et clair. Une voix de femme : ma femme. Il me prend par surprise, un frisson de terreur me parcourt et, malgré moi, je dis son nom à voix haute, comme si je l'appelais. Du peloton d'exécution, un visage se lève dans ma direction. Je me recule, mais il est trop tard, je le sais, ils m'ont vu. Je me précipite vers l'échelle, descends en toute hâte, à mi-chemin, je saute : le gravier mord la plante de mes pieds. Cours. Cours. La maison.

Le crissement du gravier derrière moi. Bottes qui martèlent le sol, qui approchent. La porte, juste devant moi. Sur ma gauche, un soldat, fusil en joue, se rue sur moi : le jeune garde, Isidro. J'enfonce la porte et trébuche à l'intérieur ; il est juste derrière moi. Il crie : « Tu m'as vu ! Tu m'as vu ! » Et les coups éclatent, encore et encore et encore. Je ne sens rien. Il m'a manqué. Mais je vois qui ses balles ont tué. Ma femme. Mon fils. Les taches magiques et rouges. Ma femme clouée au mur, dans ses bras, le bébé, décapité. Un autre coup de feu. Le jeune garde pique du nez, son fusil s'écrase sur le sol. Derrière lui, revolver pointé, le sergent tire une seconde balle dans son dos.

Je songe : Pourquoi ? Pourquoi ai-je couru vers la maison ?

À la fenêtre, Grand-mère se tourne lentement vers moi.

— Le vent, mon fils, dit-elle tout bas. Le vent.

Grand-père me réveille. Il ne dit rien, me fait signe du

doigt, me conduit à la fenêtre, aux côtés de Grand-mère. Il me montre quelque chose dehors, m'incite à regarder et, soudain, je vois le vent. Je ne comprends pas pourquoi je n'avais encore jamais pu le voir. Il est là, bien réel, plus réel que tout ce qui existe.

Depuis, je reste assis à la fenêtre en compagnie de Grand-mère, retenant mon souffle, regardant dehors, et je compte le vent, je compte le vent interminable, le vent qui souffle tout sur son passage, tout le bien, tout le mal, toute l'immensurable tristesse. Ah, quelles images nous voyons, Grand-mère et moi...

Table des matières